KB273472

Word Master 응용편

Staff

ETOOS Publishing President	김형중	Hyeongjung Kim
Publishing Business Division Director	홍태운	Taewun Hong
Project Manager	곽선덕	Seondeok Kwak
	이은정	Eunjeong Lee
	정지혜	Jihye Jeong
Bussiness Team Manager	이대연	Daeyeon Lee
Sales Staff	최기문	Kimoon Choi
	이진홍	Jinhong Lee
	이윤혜	Yunhye Lee
Manufacture	박종택	Jongtack Park
	신성철	Seongcheol Shin
Marketing	김은경	Eunkyung Kim
	문은숙	Eunsook Moon
	김송이	Songyi Kim
	김수현	Suhyeon Kim
Design	디자인싹	Design Ssac
Editorial Design	럭기획	LUCK

Writer	이투스 영어팀
Contents Review	어원 검수 ： 박성우
	원어민 검수 : Andrew Mirabito
	본문 검수 : 구명진 (노원 청솔학원)　김일준 (일산 청솔학원)
	윤장철 (평촌 청솔학원)　이상조 (양평 청솔학원)
	이승민 (강남 청솔학원)　이영복 (비봉 청솔학원)
	정진원 (분당 청솔학원)　조윤규 (부천 청솔학원)

워드마스터 수능 응용편 (2013) ㅣ 201310 ㅣ 증정용　　제작코드 ㅣ SA0SLCKTG
펴낸곳 ㅣ 이투스교육㈜ 서울시 강남구 삼성동 113-8　　Tel. 1599-3225
등록번호 ㅣ 제2007-000035호　　ISBN ㅣ 978-89-6743-202-7 (53740)

워드마스터 응용편을 공부하면서 궁금한 사항은 www.etoosbook.com의 이투스 서점으로 문의주세요.

어원 분석과 어휘 특성별 비교 분석을 통한
수능 어휘의 새로운 학습법

워드마스터 응용편은 단순히 외우기만 했던 어휘를 체계적으로 정리해 줍니다.

- 어원 학습으로 하나의 의미가 다른 여러 의미로 확장되는 원리를 습득할 수 있습니다.
  (워드마스터 응용편은 다른 어원 교재에서 드러난 오류를 재점검하기 위해 어원학 전문가의 검수를 거쳤습니다.)

- 빈출도가 높은 다의어와 기본 동사의 여러가지 의미를 익혀 둔다면 문맥에 따라 달라지는 카멜레온 같은 어휘를 잡을 수 있습니다.

- 수능 및 평가원 기출, EBS 및 출제 예상 단어를 담은 혼동어 및 반의어를 비교 분석하여 실전 수능 어휘 문제를 대비할 수 있습니다.

- 수능 듣기 문항에서 자주 등장하는 구동사와 관용 표현 또한 엄선하여 정리했습니다.

모르는 단어라도 문맥을 통해 유추, 추론, 응용할 수 있는 능력을 키워주는 학습 방법을 제시합니다.

워드마스터 응용편의 어휘 특성별 학습 단계

구성과 특징

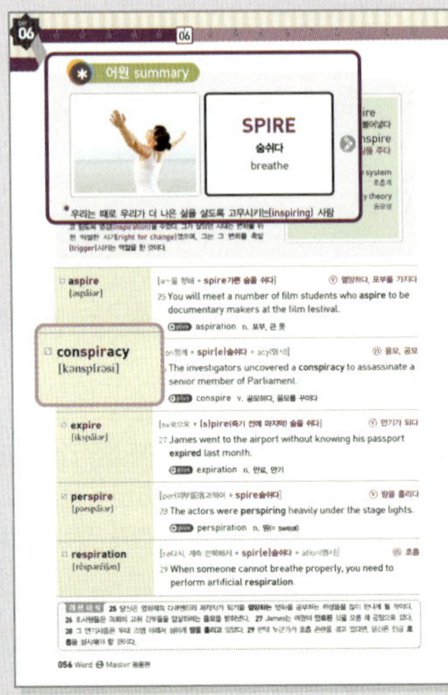

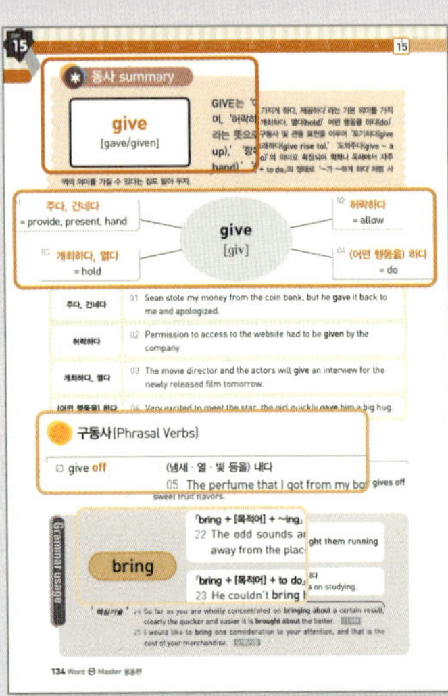

PART I 어원	PART II 핵심동사

- 어원 summary 박스는 이미지, 어원 카드, 어원 분해식, 상식글 학습으로 단어의 뿌리를 자연스럽게 학습할 수 있도록 도와줍니다.

- 주요 어근에 별색을 넣어 어원 분해식을 학습하면서 단어 의미를 형성하고 확장할 수 있는 토대를 마련해 두었습니다.

- 동사 summary 박스는 각 핵심동사의 기본 의미와 의미의 확장, 용법을 일목요연하게 정리해주는 강의노트입니다.

- 핵심동사의 마인드맵은 단어의 의미를 한 눈에 확인하고 인지할 수 있는 효과적인 학습 장치입니다.

- 수능 독해 및 듣기 학습에 필요한 주요 구동사와 관련 표현을 정리하였습니다.

- 독해에 유용한 동사의 쓰임과 기출 예문을 간략히 정리하여 제공합니다.

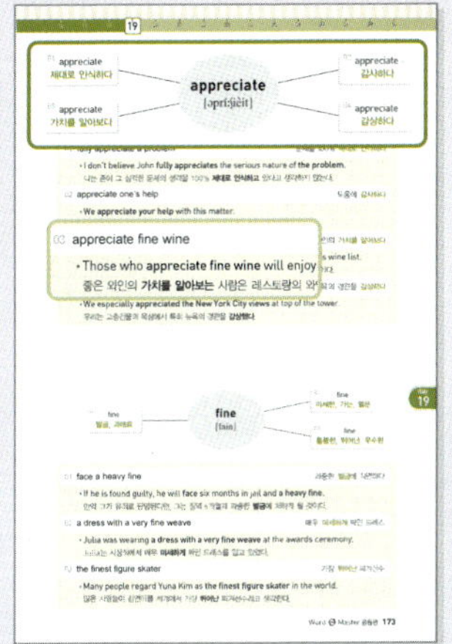

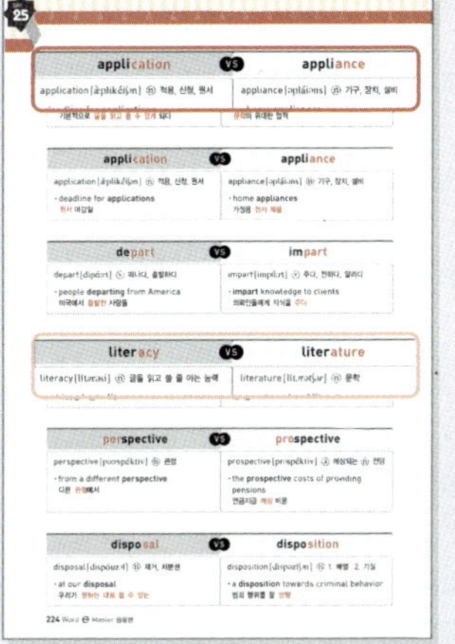

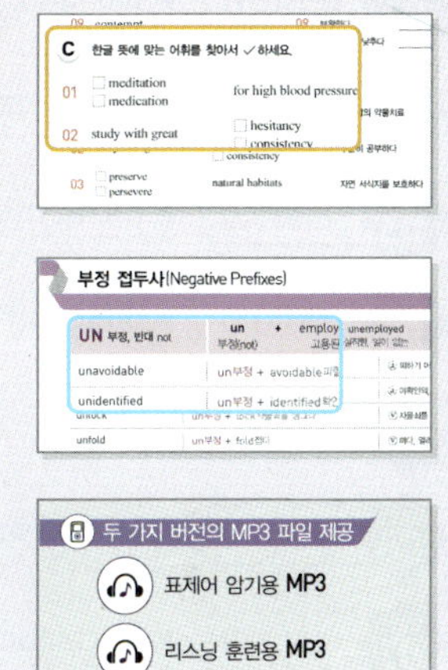

PART III 다의어   PART IV 혼동어 & 반의어

- 마인드맵을 이용하여 단어의 다양한 의미를 한 눈에 확인할 수 있게 하였습니다.

- 단어에서 구(phrase), 문장 예문 학습(sentence)으로 이어지는 3단계 학습을 통하여 단어의 쓰임과 의미를 확실히 학습할 수 있도록 하였습니다.

- 혼동되는 단어를 비교 분석하고 구(phrase) 예문 학습을 통하여 확실하게 어휘를 학습할 수 있게 하였습니다.

- 반대되는 의미를 가진 단어를 비교 분석하여 수능 어휘 문제를 효과적으로 대비할 수 있도록 하였습니다.

- 각 파트별 어휘 특성을 고려하여 연습문제를 출제하였습니다.

- 주요 부정 접두사를 모아 어원 분해식 뜻을 함께 정리하였습니다.

- 표제어 암기용과 리스닝(예문) 훈련용 MP3를 제공해 원어민의 음성과 함께 워드마스터 응용편을 학습할 수 있도록 하였습니다. (www.etoosbook.com)

일러두기

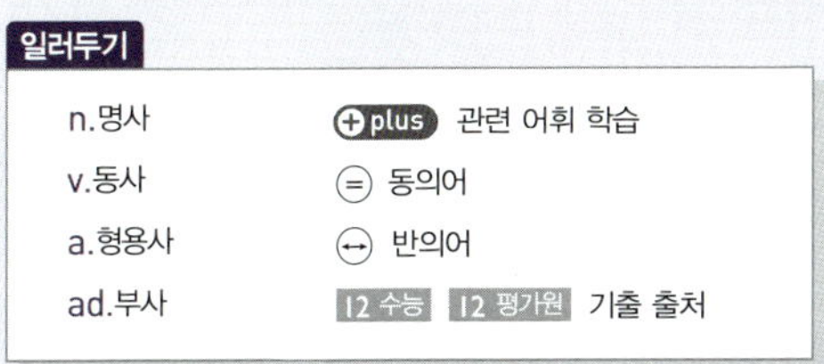

n. 명사	plus	관련 어휘 학습
v. 동사	=	동의어
a. 형용사	↔	반의어
ad. 부사	12 수능 12 평가원	기출 출처

30day 구성

PART
I

manufacture
emit
innovate
expel
invisible

어원
Word Roots

destruct

maintain

어원 (1) Word roots 생명과 우주

● bio ● gen ● viv ● cide ●
● volv ● astro ● terr ●
● geo ●

Preview

- Paper isn't harmful to the environment in that it is **biodegradable** and recyclable.
- The authors have tried to eliminate traces of **gender**-biased attitudes in this edition.
- The aim is to **invigorate** the health insurance industry by drawing more people into the market.

✳ 어원 summary

BIO
생명, 삶
life

bio + logy
생명　　학문
=**biology**
생물학

biological disaster
생물학적 재난
biosafety
생물학적 안전성

*제 1차 세계대전(**WWI**) 동안 독일 제국은 야심찬 생물(세균)전 (**biological warfare**) 프로그램을 수행했다. 또한 일본 제국의 731 부대(**Army Unit 731**)는 생물무기(**biological weapons**)를 생산하기 위해 죄수들에게 종종 치명적인 생체 실험(**human experiments**)을 했다.

☑ **biodiversity**
[báioudivə́ːrsəti]

[**bio**생물 + diversity다양성]　　ⓝ 생물학적 다양성, 종(種)의 다양성

01 Weeds increase **biodiversity** and bring up valuable nutrients from the subsoil to the surface.　07 평가원

☑ **biodegradable**
[báioudigréidəbəl]

[**bio**생물에 의해 + de떨어져 + gradable나뉘어지는]　　ⓐ 자연 분해되는

02 Paper isn't harmful to the environment in that it is **biodegradable** and recyclable.　11 평가원

☑ **autobiography**
[ɔ́ːtəbaiágrəfi]

[auto자신의 + **bio**삶을 + graphy기록한 것]　　ⓝ 자서전

03 It can be said that the way you move is your **autobiography** in motion.

⊕plus biography n. 전기, 일대기

예문해석　**01** 잡초는 **생물의 다양성**을 증가시키고, 귀중한 영양분들을 하층토에서 지표로 올려 보낸다. **02** 종이는 그것이 **자연분해**가 가능하고 재활용이 된다는 점에서 환경에 해롭지 않다. **03** 당신이 움직이는 방식은 당신의 몸으로 쓴 **자서전**이라 할 수 있다.

day 01

☑ **biotechnology**
[bàiouteknάlədʒi]

[bio생명에 관한 + techno기술 + logy학]　　　　ⓝ 생명공학

04 **Biotechnology** includes the use of living things, especially cells and bacteria, in industrial processes.

⊕plus biotech food　n. 유전자 변형식품

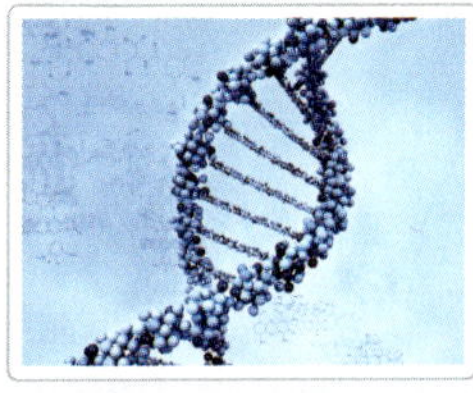

✱ 어원 summary

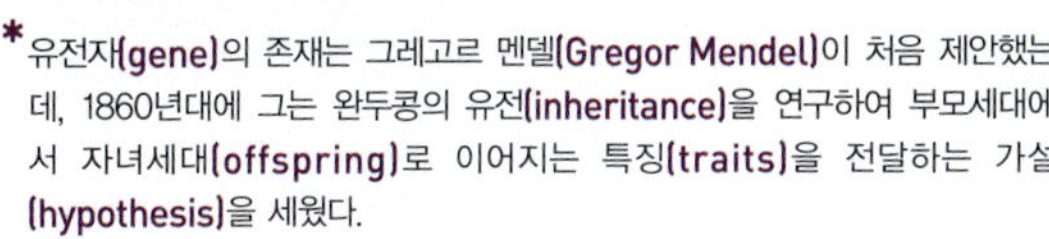

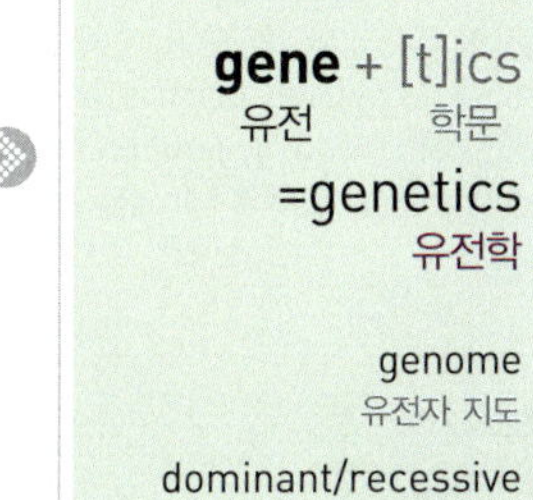

✱유전재(gene)의 존재는 그레고르 멘델(Gregor Mendel)이 처음 제안했는데, 1860년대에 그는 완두콩의 유전(inheritance)을 연구하여 부모세대에서 자녀세대(offspring)로 이어지는 특징(traits)을 전달하는 가설(hypothesis)을 세웠다.

☑ **generate**
[dʒénərèit]

[gener탄생 + ate(동사)]　　　　ⓥ 일으키다, 발생시키다

05 In some countries, windmills are used to **generate** a lot more electricity than you can imagine.

☑ **generous**
[dʒénərəs]

[gener(귀족으로) 태어남 + ous(형용사)]　　　　ⓐ 관대한, 풍부한

06 Professor Han is not a **generous** grader. But if you work hard, you'll be fine.　10 평가원

☑ **gender**
[dʒéndər]

[gen태어남(으로 구분되는) + der(명사)]　　　　ⓝ (사회적) 성, 성별

07 The authors have tried to eliminate traces of **gender**-biased attitudes in this edition.　10 평가원

⊕plus gender discrimination　n. 성차별

☑ **genuine**
[dʒénjuin]

[genu태어난 그대로 + ine(형용사)]　　　　ⓐ 진짜의, 진실한

08 When there is **genuine** interest, one may work diligently and success will follow.　05 수능

⊕plus ingenuity　n. 독창성, 창의성

예문해석　**04** 생명공학은 산업공정에서 생물, 특히 세포와 박테리아의 사용을 포함한다. **05** 몇몇 국가에서 풍차는 당신이 상상한 것보다 훨씬 더 많은 전기를 **발생시키**는데 사용된다. **06** Han 교수님은 점수 줄 때 **관대하지** 않아. 그렇지만 열심히 하면 괜찮을 거야. **07** 저자들은 이번 판에서 **성편견적인** 태도의 흔적을 없애려고 노력했다. **08** **진심으로** 흥미를 가질 때, 부지런히 일할 것이고 성공이 따라올 것이다.

✱ 어원 summary

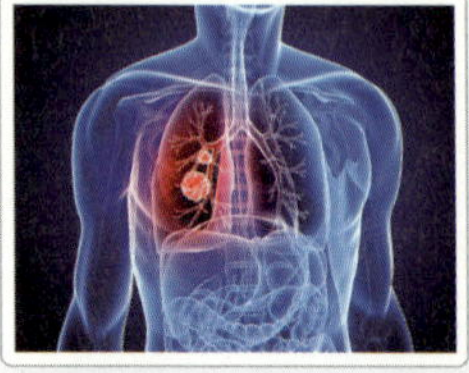

VIV
(=vigor, vit)
생기, 생명
life

vit + al
생명　～의
=vital
생명 유지와 관련된, 필수적인

vital organs
생명 유지와 관련된 장기

vital wound
치명상

✱ 바이탈 사인(vital signs), 즉 생명 징후는 다양한 생리학적(physio-logical) 통계의 척도를 말하는데, 이는 건강관련 전문가들이 가장 기본적인 인체기능(body function)을 평가하기 위해 측정한다. 바이탈 사인은 보통 체온(body temperature)과 맥박(pulse rate), 혈압(blood pressure), 호흡수(respiratory rate)의 기록을 포함한다.

☑ **vitalize**
[váitəlàiz]
[vit(a)생기를 + lize불어넣다]　　ⓥ 생명을 주다, 활력을 북돋아 주다
09 A hearty lunch and a long nap **vitalized** him again.

☑ **vivid**
[vívid]
[viv살다 + id(형용사)]　　ⓐ 생생한, 선명한
10 One of the more amusing aspects of the age of $3\frac{1}{2}$ is the child's often **vivid** imagination.　10 수능

☑ **invigorate**
[invígərèit]
[in안에 + vigor활기, 생명 + ate(동사)]　　ⓥ 기운 나게 하다
11 The aim of the proposal is to **invigorate** the health insurance industry by drawing more people into the market.

✱ 어원 summary

CIDE
죽이다
kill

geno + **cide**
인종　　죽이기
=genocide
대량 (집단) 학살

Genocide Treaty
집단학살 방지 및 처벌 협약

Holocaust
유대인 대학살

✱ 대량학살(genocide)은 '민족, 인종, 종교 및 국가 집단의 일부 및 전체를 의도적이고 조직적으로(systematically) 파괴하는 행위'로 정의된다. 예를 들어 히틀러(Hitler)는 대량학살(genocide)을 계획하고 감행했으며, 이를 동조한 나치 지도자(Nazi leaders)들은 1945년 뉘른베르크 재판(Nuremberg Trials)에서 대량학살 혐의로 기소되었다(accused of genocide).

예문해석　**09** 푸짐한 점심과 오랜 낮잠으로 그는 다시 **기운을 되찾았다. 10** 3살 반의 아이들에게 더 흥미로운 점 중 하나는 아이들의 **생생한** 상상력이다. **11** 그 제안의 목적은 시장에 더 많은 사람들을 끌어들여 건강보험 산업을 **활성화시키기** 위함이다.

☑ **pesticide**
[péstəsàid]

[pest(i)해충 + **cide**죽이다]   ⓝ 살충제, 농약

12 Genetically weaker crops require expensive chemical fertilizers and toxic **pesticides**.   12 평가원

☑ **suicide**
[súːsàid]

[sui자기자신 + **cide**죽이다]   ⓝ 자살, 자해

13 **Suicide** attempts by teenagers are made as the young boys and girls tend to imitate those of famous movie stars.

⊕ plus   homicide   n. 살인

☑ **herbicide**
[hə́ːrbəsàid]

[herb(i)풀, 약초 + **cide**죽이다]   ⓝ 제초제

14 **Herbicide** is a substance used to kill unwanted plants such as weeds.

☑ **insecticide**
[inséktəsàid]

[insect(i)곤충 + **cide**죽이다]   ⓝ 살충제

15 We must pay attention to the fact that some **insecticides** harm other creatures we don't intend to kill.

✳ 어원 summary

re + **volut** + tion
강조 (세상이 거꾸로) 도는 것
=revolution
혁명

evolutionary theory
진화론

community involvement
주민 참여

✳프랑스 혁명(French Revolution)의 원인에는 흉작(bad harvest)으로 인한 식품가격 상승(rising food prices)과 대규모 식량을 농촌에서 인구가 많은 지역(large population centers)으로의 운송을 저해하는 부적절한 교통 시스템(transportation system)이 있었으며, 이는 혁명(the revolution)이 일어나게 된 해에 프랑스 사회가 겪었던 불안정(destabilization)을 낳았다.

☑ **evolve**
[ivάlv]

[e(두루마리를)밖으로 + **volve**굴리다(펼치다)]   ⓥ 서서히 발전시키다, 진화하다

16 Animals such as zebras, leopards, and lizards have **evolved** camouflage to protect themselves from predators.

⊕ plus   evolution   n. 발달, 진화

예문해석   **12** 유전적으로 약한 농작물은 비싼 화학 비료와 독성이 있는 **살충제**가 필요하다. **13** 어린 소년, 소녀들이 유명한 영화배우의 자살을 모방하는 경향이 있기 때문에 10대들의 **자살**이 시도된다. **14** **제초제**는 잡초와 같이 원치 않는 식물을 죽이는 데 쓰이는 물질이다. **15** 우리는 어떤 **살충제**의 경우 없앨 의도가 없는 다른 생물을 해칠 수 있다는 점에 주목해야 한다. **16** 얼룩말, 표범, 도마뱀과 같은 동물은 포식자로부터 스스로를 보호하기 위해 위장술을 **진화시켰다**.

☑ **involve**
[inválv]

[in안으로 + **volve**둘둘 말다]　　ⓥ 1. 수반하다　2. 연루시키다　3. 참여시키다

17 Running your own shop would **involve** a great deal of responsibility and judgment.

⊕plus　be[get] involved in[with]　1. ~에 관여하게 되다,　~에 개입되어 있다
　　　　　　　　　　　　　　　　　2. ~에 몰두하다

convoluted　a. 대단히 난해한

✳ **어원 summary**

ASTRO
별
star

▶

astro + nomy
별의　~학, ~법
=astronomy
천문학

astronomical clock
천문 시계
astronomical figures
천문학적 숫자

✳천문학(astronomy)에 관한 재미있는 사실은 아마추어 천문학자들(amateur astronomers)이 많은 중요한 천문학적 발견(astronomical discoveries)에 기여했다는 점이다. 또한 천문학은 여전히 아마추어가 활발한 역할(play an active role)을 할 수 있는 몇 안 되는 분야 중 하나다.

☑ **astronaut**
[ǽstrənɔ̀:t]

[astro별, 우주 + naut선원, 뱃사람]　　ⓝ 우주 비행사

18 The **astronauts** have to break out of the tremendous gravitational pull of the Earth to go to the moon.　05 평가원

⊕plus　astronautics　n. 우주항공 기술과학, 우주 항행학

☑ **astrology**
[əstrálədʒi]

[astro별(을 보고) + logy(인간의 운명을)말함]　　ⓝ 점성학, 점성술

19 Chinese **astrology** has a close relation with Chinese philosophy and different principles to Western **astrology**.

⊕plus　astrological　a. 점성술의
　　　　constellation　n. 별자리, 성좌

☑ **asteroid**
[ǽstərɔ̀id]

[aster별과 + oid비슷한]　　ⓝ 소행성, 불가사리

20 The first discovered **asteroid**, Ceres, was found by Guiseppe Piazzi.

⊕plus　astrophysics　n. 천체물리학

예문해석　**17** 당신 자신의 가게를 운영하는 것은 엄청난 책임과 판단을 **수반한다**. **18** 우주 비행사는 달에 가기 위해서 어마어마한 지구 중력의 힘을 뚫어야만 한다. **19** 중국의 **점성술**은 중국철학과 밀접한 관계가 있으며, 서양의 **점성술**과는 원리가 다르다. **20** 최초로 발견된 **소행성** Ceres는 Guiseppe Piazzi에 의해 발견되었다.

☑ **disaster**
[dizǽstər]

[dis나쁜, 불길한 + aster별(자리)]　　ⓝ 재해, 참사

21 After the 1883 tsunami **disaster** in the Indian Ocean, experts called for tsunami warning system.　09 평가원

⊕plus　disaster relief　n. 재해 구호, 재난 구조
　　　　catastrophic　a. 대재앙의

✱ 어원 summary

TERR
땅
land

terr(i) + tory
땅　　　명사형
=**territory**
영토, 지역

disputed territory
분쟁지역
territorial waters
영해

✱ 일본은 여전히 자신들이 독도 영토권(territorial rights)을 소유하고 있다고 생각한다. 일본인들은 1905년에 독도를 일본 영토(Japanese territorial sphere)에 합병(incorporation)시킨 것이 법적으로 구속력(legally binding)을 가진다고 생각하는데, 이는 일본 제국주의 침략(Japan's imperialist aggression)의 결과물이었다.

☑ **terrestrial**
[təréstriəl]

[terr(e)땅에 + st서다 + rial(형용사)]　　ⓐ 지구상의, 육지의 ⓝ 지구생물

22 She studied **terrestrial** and celestial motion and developed groundbreaking theories.

⊕plus　terrain　n. 지형
　　　　territorialize　v. 영토로 삼다, ~의 영토를 넓히다

☑ **extraterrestrial**
[èkstrətəréstriəl]

[extra바깥의 + terrestrial지구의]　　ⓐ 외계의 ⓝ 외계인

23 *ET* and *Star Wars* are movies about **extraterrestrial** beings.

⊕plus　extraterritorial　a. 치외법권의, 국외의

☑ **subterranean**
[sʌ̀btəréiniən]

[sub아래의 + terra땅 + nean(형용사)]　　ⓐ 지하의, 숨은 비밀의

24 In arid regions, **subterranean** water is often the only source of water.

⊕plus　⊖ underground
　　　　Mediterranean　a. 지중해의

예문해석　**21** 1883년에 인도양에서 발생한 쓰나미 **참사** 후, 전문가들은 쓰나미 경보시스템을 요구했다. **22** 그녀는 **지구**와 천체의 운동을 연구했고, 획기적인 이론들을 전개했다. **23** ET와 Star Wars는 **외계** 생명체들에 관한 영화다. **24** 건조한 지역에서는 종종 **지하**수가 유일한 수(水)원이다.

✳ 어원 summary

GEO
땅, 지구
earth

geo + logy
땅   학문
=geology
지질학

geological survey
지질 조사
geologic time scale
지질 연대표

✳ 지질학(Geology)은 상업적으로는 광물질(mineral), 탄화수소 (hydrocarbon) 탐사와 수자원 평가(evaluating water resources)에 중요하며, 공적으로는 자연재해(natural hazards)를 예측, 이해하고 과거 기후변화(past climate changes)에 대한 통찰 력을 제시하는데 중요하다.

☑ **geo**graphy
[dʒiːágrəfi]

[**geo**땅(에 대한) + graphy기록]   ⓝ 지리, 지리학

25 To explain why the ancient Egyptians developed a successful civilization, look at the **geography** of Egypt. [09 수능]

⊕ plus   geographical   a. 지리학(상)의, 지리(학)적인
GPS   n. 위성 위치 확인 시스템(Global Positioning System)
geomatics   n. 지리 정보학

☑ **geo**metry
[dʒiːámətri]

[**geo**땅을 + metry측정하는 것]   ⓝ 기하학

26 Renaissance artists achieved perspective using **geometry** to represent the real world. [05 수능]

⊕ plus   rectangle   n. 직사각형
cylinder   n. 원기둥

☑ **geo**thermal
[dʒiːouθə́ːrməl]

[**geo**땅 + therm열 + al(형용사)]   ⓐ 지구열학의, 지열의

27 Far more use is made of **geothermal** energy for direct heat than any other source of energy.

⊕ plus   geothermal energy   n. 지열 에너지

☑ **geo**centric
[dʒiːouséntrik]

[**geo**땅 + centr중심 + ic(형용사)]   ⓐ 지구 중심적인, 천동설의

28 People had believed the old **geocentric** theory that the Sun goes around the Earth until 1543.

⊕ plus   heliocentric   a. 태양을 중심으로 하는
geophysics   n. 지구 물리학

예문해석   **25** 고대 이집트가 성공적인 문명을 발전시킨 이유를 설명하기 위해서 이집트의 **지리**를 보세요. **26** 르네상스 화 가들은 실제 세계를 표현하기 위해 **기하학**을 이용한 원근법을 성취해냈다. **27** **지열**에너지는 어떤 다른 에너지 원천보다 직접적 인 열을 얻는 용도로 더 많이 사용된다. **28** 사람들은 1543년까지 태양이 지구 주변을 돈다는 고대의 **천동설(지구중심설)**을 믿 었다.

A 다음 단어에 해당하는 우리말을 쓰시오.

01 terrestrial
02 asteroid
03 astronomy
04 genetics
05 vital
06 vivid
07 insecticide
08 revolution
09 astrology
10 geology

B 다음 단어에 해당하는 영어단어를 쓰시오.

01 사회적 성, 성별
02 대량 학살
03 생물학
04 영토, 지역
05 우주 비행사
06 지리, 지리학
07 생물학적 다양성
08 지하의
09 자살
10 일으키다, 발생시키다

C 한글 뜻에 맞는 어휘를 찾아서 ✔ 하세요.

01 ☐ ingenuous / ☐ genuine writing 친필

02 videos of the tsunami ☐ disaster / ☐ digestion 지진해일 재해에 관한 동영상

03 dispose of ☐ biodegradable / ☐ subterranean waste 자연분해 가능한 폐기물을 처리하다

04 ☐ vitalize / ☐ devitalize the tourism industry 관광 산업을 활성화하다

05 ☐ revolve / ☐ involve workers in the decision-making process 근로자들을 의사 결정 과정에 참여시키다

D 다음 문맥에 알맞은 단어로 가장 적절한 것을 고르시오.

01 A former US President published an **[antibiotics/autobiography]** that provides insight into some of the key decisions he made in office.

02 A new study will determine whether a combination of vitamins can **[invigorate/invalidate]** the elderly.

03 The space agency launched probes to search for **[extraterrestrial/territorial]** life beyond the reaches of the Solar System.

04 The famed architect was renowned for his use of simple shapes found in **[geometry/geology]**, such as circles and rectangles.

05 Some organizations receive a **[generative/generous]** amount of funding from the federal government to find cures for new diseases.

어원 (2) Word roots 노동과 운송

- mani/manu ● ped ●
- labor ● scend ● port ●
- mit/miss ● fer ● mov ●

Preview

- They ask questions about how the body is trained, disciplined, and **manipulated** in sports.
- To get a satisfactory answer, remain silent, and he will automatically start to **elaborate**.
- We can **infer** that ancient Athens enjoyed prosperity from the planting of many olive trees.

✱ 어원 summary

MANI
(=manu)
손
hand

manu + facture
손으로　　만들다
=manufacture
제조하다

Emancipation Proclamation
노예해방선언

The Communist Manifesto
공산당 선언

✱ 제조(Manufacturing)란 기계(machines), 도구(tools) 그리고 노동(labor)을 사용하여 판매를 위한 상품을 만드는 것이다. 이 용어(term)는 인간 활동 뿐만 아니라 수공예(handmade)부터 첨단 산업(high tech)에 이르기까지 원자재(raw materials)가 완제품(finished goods)으로 되기까지의 모든 인간의 활동을 지칭한다.

☑ **emancipation**
[imǽnsəpéiʃən]

[e밖으로(내보내다) + **man**손에 + cip잡은 것을 + ation(명사)]　　ⓝ 해방, 석방

01 The **Emancipation** Proclamation was issued by President Abraham Lincoln in 1863 during the American Civil War.

➕plus emancipate　v. 해방하다, 석방하다

☑ **manifest**
[mǽnəfèst]

[**mani**손에 + fest잡히는 (이해되는)]　　ⓐ 명백한 ⓥ 명백하게 하다

02 His passion for music is **manifest** in his CDs and records of all genres of music.

☑ **manipulate**
[mənípjəlèit]

[**mani**손을 + pul채우다 + ate(동사)]　　ⓥ 교묘하게 다루다, 조종하다

03 They ask questions about how the body is trained, disciplined, and **manipulated** in sports.　Ⅱ 수능

예문해석 **01** 노예 **해방령**은 미국 남북 전쟁 중 1863년에 당시 미 대통령이었던 Abraham Lincoln에 의해 발표되었다. **02** 그의 음악에 대한 열정은 그의 CD와 모든 장르의 음악 음반에서 **명백히** 알 수 있다. **03** 그들은 어떻게 운동이 신체를 교육시키고, 훈련시키며, **조작하는**지에 대한 여러 질문을 한다.

☑ **manuscript**
[mǽnjuskrìpt]

[**manu**손으로 + script쓰여진]   ⓝ 원고

04 Participants for the speaking competition should submit their **manuscripts** by Oct. 3. `09 평가원`

✳ 어원 summary

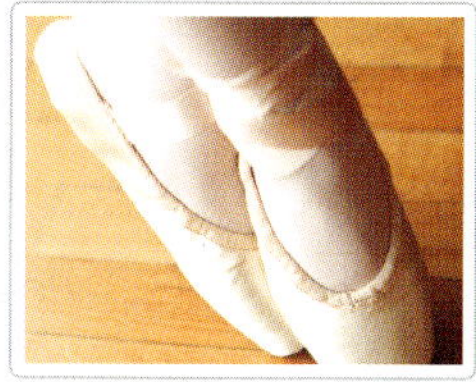

PED
발
foot

ex + **ped(i)** + tion
밖으로 빼다 발(의 족쇄를) 명사
=**expedition**
원정, 여행

speech impediment
언어 장애

Pedestrian Safety Support
Service(PSSS)
보행자 안전 지원 서비스

*360 탐험(Expedition 360)은 브리튼 제이슨 루이스(Briton Jason Lewis)가 지구의 반대되는 두 지점(two opposing points on the Earth's surface)을 지나, 적도(the equator)를 건너 오로지 인력(human power)으로만 최초로 세계 일주(circumnavigation)에 성공시킨 탐험의 이름이다.

☑ **impede**
[impí:d]

[im안에 (족쇄를 채우다) + **pede**발]   ⓥ 방해하다, 지연시키다

05 Strong storms at sea and shower like hail **impeded** the ship's progress.

☑ **pedestrian**
[pədéstriən]

[**ped(estri)**발 + an(사람)]   ⓝ 보행자 ⓐ 도보의

06 Red foxes have even been known to use **pedestrian** underpasses rather than cross highways. `08 평가원`

✳ 어원 summary

LABOR
노동
work

col + **labor** + ate
함께   일   하다
=**collaborate**
협력하다, 합작하다

collaborative learning
협력학습

laboratory course
실습

*농사(farming), 제조(manufacturing)와 같은 몇몇 직업은 매우 노동 집약적(labor intensive)이다. 일을 하기 위해서 사람이 많이 필요하다. 그러나 이제 단순 업무(basic jobs)를 하는 기계와 로봇이 더 많이 생겨났으며, 이는 노동(labor)이 덜 필요함을 의미한다. 아마도 이는 높은 실업률(high levels of unemployment)의 한 원인일 것이다.

`예문해석` **04** 말하기 대회 참가자들은 **원고**를 10월 3일까지 제출해야 한다. **05** 바다 위에 강한 바람과 쏟아져 내리는 우박은 그 배의 전진을 **방해했다**. **06** 붉은 여우는 고속도로로 건너가기 보다는 **보행자** 지하차도를 이용하는 것으로 알려져 있다.

☑ **laboratory**
[lǽbərətɔ̀ːri]

[**labor**일하는 + atory(장소)]　　　ⓝ 실험실, 연구실, 실습실

07 A **laboratory** is a place designed for scientific testing and investigation.

☑ **elaborate**
[ilǽbərèit]

[e~로부터(얻어진) + **labor**일 (많은 노력) + ate(형용사, 동사)]
ⓥ 자세히 설명하다 ⓐ 공들인, 정교한

08 To get a satisfactory answer, remain silent, and he will automatically start to **elaborate**. ｜10 수능｜

☑ **labor**
[léibər]

[**labor**노동]　　　ⓝ 1. 노동, 노동자　2. 분만, 진통 ⓥ 노동하다

09 If the job requires lots of unskilled **labor**, then many hands can make light work. ｜06 평가원｜

⊕plus　labor force　n. 노동력, 노동인구
　　　　laborious　a. 힘드는, 공들인, 부지런한

✳ 어원 summary

SCEND
오르다
climb

de + scend
아래로　오르다
=descend
내려가다

The Ascension
그리스도 승천

Transcendentalism
초절주의, 초월주의

*오스트리아에서 태어난 독재자(dictator) 아돌프 히틀러(Adolf Hitler)는 권력에 오르기 위해(to ascend to power) 대중의 분노와 국가주의(nationalism)를 교묘하게 이용했다. 독일인들은 전쟁 이후에 번영(prosperity)을 가져다 줄 강한 지도자를 필요로 했고, 그들은 히틀러가 권좌에 오르면(Hitler's ascension) 국가의 번영을 가져다 줄 것이라 믿었다.

☑ **ascend**
[əsénd]

[a~로 + **scend**올라가다]　　　ⓥ 오르다, 올라가다

10 Through hard work and perseverance, she **ascended** through the ranks to become vice president.

☑ **transcend**
[trænsénd]

[tran~을 넘어 + **scend**올라가다]　　　ⓥ 초월하다, ~을 능가하다

11 Gandhi helped people **transcend** political and class barriers.

｜예 문 해 석｜ **07** 실험실이란 과학 실험과 조사를 위해 만들어진 장소이다. **08** 만족스러운 답을 얻기 위해서는, 조용히 침묵하고 있으라. 그러면 그가 자발적으로 **상세하게 설명하기** 시작할 것이다. **09** 그 일이 많은 미숙련된 **노동자**를 필요로 한다면, 많은 일손이 일을 가볍게 할 수 있다. **10** 근면함과 인내를 통해 그녀는 승진하여 부회장의 자리까지 **올랐다**. **11** Gandhi는 사람들이 정치적 장벽과 계급의 장벽을 **초월하도록** 도왔다.

day
02

☑ **condescend**
[kɑ̀ndisénd]

[con함께하다 + **descend**내려와서]

Ⓥ 1. 잘난 체하다
2. 깔보다, 무시하다

12 When giving a talk, be careful not to **condescend** to your audience.

＊ 어원 summary

PORT
나르다
carry

port + able
나르다 ～수 있는
=portable
휴대용의

portable computer
휴대용 컴퓨터

free trade port
자유무역항

＊최초의 컴퓨터(the first computer)는 휴대가 불가능했다(anything but portable). 무게가 30톤 쯤 나갔고 부피(volume)가 대략 2.4m×0.9m×30m 였다. 요즘 컴퓨터는 상당히 발전했고, 그 중에 울트라북(Ultrabook)은 두께(thickness)가 15mm밖에 안되는 가장 휴대가 용이한 컴퓨터(the most portable of the lot)이다.

☑ **export**
[ikspɔ́ːrt]

[ex밖으로 + **port**나르다]

Ⓥ 수출하다 Ⓝ 수출

13 The **export** of olive oil encouraged the development of pottery, in which the oil was transported. **11 평가원**

⊕**plus** import v. 수입하다 n. 수입

☑ **deport**
[dipɔ́ːrt]

[de(사람을)멀리 + **port**보내다]

Ⓥ 국외로 추방하다, 강제 이송하다

14 He was **deported** from Ecuador when his visa expired.

⊕**plus** ⊜ exile

☑ **transport**
[trænspɔ́ːrt]

[trans건너편으로 + **port**나르다]

Ⓥ 수송하다 Ⓝ 수송

15 Imagining Narnia momentarily **transports** me into another world. **10 평가원**

⊕**plus** public transportation n. 대중 교통

☑ **portfolio**
[pɔːrtfóuliòu]

[**port**나르다 + folio잎사귀, 종이]

Ⓝ 서류첩, (구직용) 작품집

16 To make your job interview successful, you'll need to prepare a **portfolio** of your work.

예문 해석 **12** 강연[연설]을 할 때는 듣는 사람들에게 **잘난 체하지** 않도록 주의하라. **13** 올리브유의 **수출**로 인해, 운송 시에 올리브유를 담는 도자기가 발달하게 되었다. **14** 그는 비자가 만료되었을 때 에콰도르에서 **추방되었다**. **15** 나니아에 대한 상상은 나를 다른 세계로 즉시 **데려다 준다**. **16** 취업 면접에서 성공하기 위해서는 자신의 **작품집**을 준비해야 할 것이다.

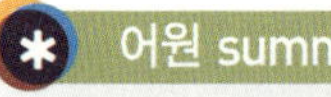
어원 summary

MIT
(=miss)
보내다
send

e + **mit**
밖으로 보내다
=emit
(빛, 열 등을) 내다, 방출하다

access permit
기밀자료 열람허가
emission control
배출 가스 규제

* 북극광(**the northern lights**)은 자연적으로 발생한 불빛인데, 보통 밤에 나타나며 녹색과 적색의 음영을 띤다. 이는 태양 표면의 폭발로 인한 결과이다. 폭발은 전자기(**electromagnetic**) 입자를 방출(**emit**)하고, 이 방출(**emission**)은 지구의 자기장(**earth magnetic field**)과 상호 작용을 일으켜, 입자들을 가시적으로 만든다.

☑ **commit**
[kəmít]

[com모든것을 + **mit**(맡기려고) 보내다] Ⓥ 1. 범하다 2. 위탁하다, 맡기다 3. 전념하다

17 Competition in school and anxieties about future career could be the major causes that stimulates the thought of **committing** suicide.

⊕plus commit a crime 범죄를 저지르다
commit oneself to ~ 전념하다, 헌신하다
commission n. 1. 위임, 위탁 2. 위원회 3. 대행 수수료

☑ **admit**
[ədmít]

[ad~로 + **mit**(들여) 보내주다] Ⓥ 1. 인정하다 2. 허락하다, (입학 등을) 허가하다

18 **Admit** that something has gone wrong, and immediately find out what the consumers' needs are. 08 평가원

⊕plus admission n. 들어감을 허락함, 입장

☑ **omit**
[oumít]

[o~멀리 + **mit**내보내다] Ⓥ 생략하다, 빠뜨리다

19 I'd be annoyed if my name were **omitted** from the invitation list.

☑ **submit**
[səbmít]

[sub(~의 권위, 통제)아래로 + **mit**내보내다] Ⓥ 1. 제출하다 2. 항복하다, 복종하다

20 Companies are required to **submit** monthly financial statements to the board.

⊕plus 2. ⊜ surrender, yield, give in
submission n. 복종, 항복

예문해석 **17** 학교에서의 경쟁, 미래 직업에 대한 불안감과 같은 요인은 자살을 행할 생각을 자극하는 주된 원인들이 될 수 있다. **18** 뭔가 잘못 되었다는 것을 인정하고, 소비자가 무엇을 필요로 하는지 즉시 조사해라. **19** 내 이름이 초대 목록에서 빠져있다면 화가 날 것이다. **20** 회사는 이사회에 매월 재무제표를 제출해야 한다.

☑ **permit**
[pə:*r*mít]

[per통과시켜 + **mit**보내다]　　　ⓥ 허락하다, 허용하다

21 The adult chimpanzee **permitted** the baby chimpanzee
to ride on his back.　08 평가원

⊕ **plus**　permission　n. 허가, 허락

☑ **dismiss**
[dismís]

[dis멀리 + **miss**보내다]　　ⓥ 1. ~을 해산시키다, 해고하다
　　　　　　　　　　　　　　2. ~을 묵살하다, 종결짓다

22 He'd been involved in the scandal and was subsequently
dismissed from his government post.

어원 summary

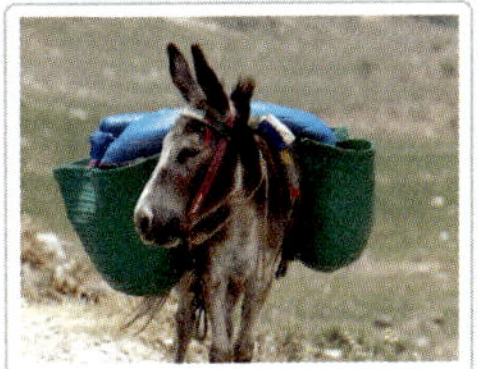

FER
나르다, 가져가다
bring, carry

dif　+　**fer**
(~로 부터)멀리　나르다
=differ
다르다

reference book
참고 도서

referendum
국민투표

*바탄의 죽음의 행진(The Bataan Death March)이란 일본 제국 군대 (the Imperial Japanese Army)가 세계 2차대전(WWII) 당시 3개 월간의 필리핀 바탄 전쟁 이후 76,000명의 미국인과 필리핀 전쟁포로 (American and Filipino prisoners of war)를 강제로 이주시킨 것 (forcible transfer)으로, 이는 수 천만 명의 포로를 사망에 이르게 했 다.

☑ **offer**
[ɔ́(:)fər]

[of~로 + **fer**가져가다]　　ⓥ 1. 제안하다 2. 제공하다 ⓝ 제의, 제안

23 If the coin is tossed and the outcome is concealed, people
will **offer** lower amounts when asked for bets.　12 수능

☑ **refer**
[rifə́:r]

[re다시 + **fer**나르다]　　ⓥ 1. 지시하다, 나타내다 2. 참고하다

24 The McDonaldization of society **refers** to the standardization
of daily lives; a process that is transforming our lives.　12 평가원

⊕ **plus**　refer A to B　A에게 B를 알아보게 하다, 참조하게 하다

☑ **infer**
[infə́:r]

[in안으로 + **fer**(사실, 증거 등을) 나르다]　ⓥ 1. 추론하다(from) 2. ~을 암시하다

25 We can **infer** that ancient Athens enjoyed prosperity from
the planting of many olive trees.　11 평가원

예문해석　21 침팬지는 새끼 침팬지에게 등에 올라타는 것을 **허락했다**. 22 그는 스캔들에 연루되어, 정부직에서 **해고되었**다. 23 만약 동전던지기를 해서 그 결과를 모를 때, 내기에 얼마를 걸겠냐고 하면 사람들은 더 적은 돈을 **건다**. 24 사회의 맥도 날드화는 일상생활의 표준화, 즉 우리 생활이 변화하는 과정을 **일컫는다**. 25 우리는 올리브 나무를 많이 심었다는 사실로부터 고대 아테네가 번영했다는 것을 **추론할** 수 있다.

☑ **defer**
[difə́:r]

[de(시간적으로)떨어진 곳으로(할 일을) + **fer**가져가다] ⓥ 미루다, 연기하다

26 I'll **defer** venting my anger for a moment so that I don't make a scene in public.

☑ **preference**
[préfərəns]

[pre(우선순위에서)앞쪽으로 + **fer**가져오다] ⓝ 1. 선호, 더 좋아함 2. 우선권, 특혜

27 In Japan, protecting foreign customers is more important than providing customer **preference**. 12 평가원

✳ 어원 summary

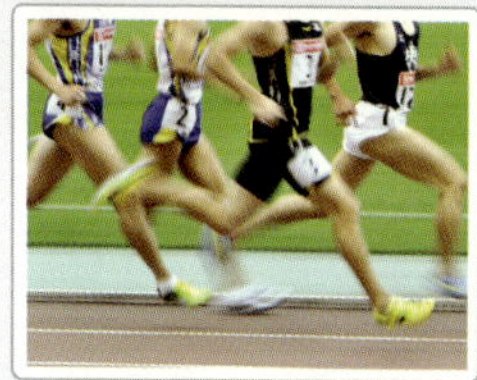

MOV
움직이다
move

➤ **motiv** + ate
움직이게 만들다
=**motivate**
동기를 부여하다

promotional materials
홍보자료

immobilizer
자동차 도난 방지 장치

* 왜 우리는 하루종일(all the hours in a day) 공부하거나 일을 하는가? 우리의 동기(motivation)는 무엇인가? 돈(Money)? 권력(Power)? 사랑(Love)? 우리의 동기(motives)는 계절처럼 다양하다. 우리는 사랑을 위해서 무엇이든 할 수 있을 때도 있지만, 어떤 때는(at other times) 심드렁해지기도 한다. 인간은 정말 이상하지 않은가!

☑ **promote**
[prəmóut]

[pro앞으로 + **mote**(지위가) 이동함] ⓥ 1. 촉진하다, 홍보하다 2. 승진시키다

28 The company handed out free cans of Reddox to subway commuters to **promote** the drink. 12 평가원

⊕plus promotion n. 승진, 촉진

☑ **remove**
[rimú:v]

[re멀리(제거) + **move**움직이다] ⓥ 제거하다, 이동하다

29 The place where you study does not matter if you **remove** yourself from distractions and interruptions. 12 평가원

⊕plus removal n. 제거, 이동

☑ **immobilize**
[imóubəlàiz]

[im부정 + **mobil**움직일 수 있는 + ize(동사)] ⓥ 움직이지 않게 하다, 고정시키다

30 Although photography depicts living things, they are forever **immobilized** in the past. 10 평가원

⊕plus locomotive n. 기관차

예문해석 **26** 나는 사람들 앞에서 소란을 피우지 않으려고 화를 분출하는 일을 잠시 **미뤘다**. **27** 일본에서는 외국 소비자들을 보호하는 것이 소비자가 **선호**하는 것을 제공하는 것보다 더 중요하다. **28** 회사는 음료를 **홍보하기** 위해 지하철로 통근하는 사람들에게 Reddox의 무료 캔을 나눠주었다. **29** 당신이 정신을 산만하게 하는 것이나 방해되는 것을 **차단할** 수만 있다면 공부하는 장소는 중요치 않다. **30** 사진이 살아있는 것을 묘사함에도 불구하고, 그것들은 영원히 과거에 **고정되어** 있다.

A 다음 단어에 해당하는 우리말을 쓰시오.

01 immobilize

02 infer

03 preference

04 dismiss

05 transport

06 condescend

07 descend

08 manufacture

09 emit

10 pedestrian

B 다음 단어에 해당하는 영어단어를 쓰시오.

01 휴대용의

02 원정, 여행

03 범하다, 위탁하다

04 서류첩

05 오르다, 올라가다

06 홍보하다, 승진시키다

07 분만, 진통

08 허락하다, 허용하다

09 제거하다, 이동하다

10 해방, 석방

C 한글 뜻에 맞는 어휘를 찾아서 ✔ 하세요.

01 ☐ impede / ☐ expedite   one's progress   ~의 진행을 방해하다

02 bear ☐ manifest / ☐ manufactured   signs of murder   살인의 명백한 흔적이 있다

03 a speech to ☐ motivate / ☐ mobilize   the players   선수들에게 동기를 부여하는 연설

04 ☐ deport / ☐ export   illegal immigrants   불법 이민자를 추방시키다

05 ☐ defer / ☐ differ   a loan payment   융자 상환금을 연기하다

D 다음 문맥에 알맞은 단어로 가장 적절한 것을 고르시오.

01 A good salesman is able to **[manifest/manipulate]** people's opinions by making the customers believe that their products are necessary.

02 The ballroom's **[elaborate/laborious]** chandelier is made up of nearly six hundred individual crystal fragments.

03 Although evidence proves the suspect is clearly guilty, he still refuses to **[admit/transmit]** that he's responsible for the theft.

04 Readers can **[refer/confer]** to the glossary at the end of the book to find the definitions of underlined words.

05 Several popular singers have agreed to **[labor/collaborate]** on a new song in a joint effort to raise money for charity.

어원 (3) Word roots 형상과 변형

● form ● merge ● ple ●
● flect ● tort ● pend ●
● sembl ● nov ●

Preview

- In the movie, the more cells the alien absorbs, the more **deformed** he becomes.
- Counselors need to learn how to read messages without **distorting** the truth to establish relationships with their clients.
- Everyone commented how the company president bears a striking **resemblance** to a famous comedian.

＊ 어원 summary

FORM

형태, 만들다

form

form

forma (라틴)
→ *forme* (프랑스어)
ⓥ 만들어내다, 구성하다
ⓝ 형태, 형식

chemical formula
화학식

the Reformation
종교 개혁

＊사람들은 집단 내에서 안정(security)과 수용(acceptance)을 바라면서, 다른 구성원들과 종종 행동을 같이한다. 특히 비슷한 나이(age), 문화(culture), 종교(religion), 지위(position) 등으로 구성된 집단 내에서 그러하다. 다른 구성원들과 행동을 같이 하는 것(conform)을 거부(unwillingness)한다면 아무도 그와 어울리려 하지 않는다는 낙인(stigma), 즉 사회적으로 거부(social rejection)당할 위험이 있다.

☑ **reform**
[riːfɔ́ːrm]

[re다시 + **form**만들다]　　　ⓥ 개혁하다, 개화시키다 ⓝ 개혁

01 Artists during the Renaissance **reformed** paintings, and represented objects with lifelike accuracy. ⟨05 수능⟩

⊕plus form　n. 형태, 형식　v. 형성하다
reformation　n. 개혁, 개선

☑ **perform**
[pərfɔ́ːrm]

[per(일을) 완전히, 끝까지 + **form**만들다]　　ⓥ 1. 실행하다, 수행하다
2. 공연하다, 연주하다

02 Their job isn't easy since they have to **perform** dangerous actions in place of the actors. ⟨11 평가원⟩

⊕plus performance　n. 공연, 실적

예문해석 **01** 르네상스 시대의 예술가들은 회화를 **개혁하여**, 대상물을 실물같이 정밀하게 재현하였다. **02** 배우를 대신하여 위험한 액션을 **해야** 하기 때문에, 그들의 일은 쉽지 않다.

day **03**

☑ **deform**
[difɔ́:rm]

[de(정상으로 부터) 분리, 이탈 + **form**형태]

ⓥ ~을 기형으로 만들다, ~을 변형시키다

03 In the movie, the more cells the alien absorbs, the more **deformed** he becomes.

☑ **formula**
[fɔ́:rmjələ]

[**form**형태 + ula(명사)]　　ⓝ 1. 공식, 제조법　2. 상투적인 문구

04 The document explained the mathematical **formula** that describes the Eiffel Tower's curve.

⊕ plus　formulate　v. 말하다, 공식화 하다

✳ 어원 summary

MERGE
담그다, 빠지다
plunge, dip

im + **merge**
안으로　　빠지다
=immerge
(물 따위에) 뛰어 들다

immersion course
집중 훈련[학습] 과정
emergency service
긴급 구조대

*악어(**crocodiles**)는 냉혈(**cold blooded**) 동물이기 때문에 따뜻한 환경에서 살아야 한다. 그들은 주로 수면 아래(**below the surface of the water**)로 잠긴(**submerged**) 상태에서 잠복해 있다(**lie in wait**). 악어가 수면 아래에 잠겨(**submerged**) 있는지 알아보기 위해서는 수면 위(**water surface**)로 터져나오는 공기 방울(**air bubbles**)을 찾아보면 된다.

☑ **merge**
[mə:rdʒ]

[**merge**(속에) 담그다, 빠지다]　　ⓥ 합병하다, 합치다

05 Two of Indonesia's top banks are planning to **merge**.

⊕ plus　M&A(Mergers and Acquisitions)　n. 인수합병

☑ **emerge**
[imə́:rdʒ]

[e밖으로 (나오다) + **merge**잠겨있던 것이]　　ⓥ 나오다, 모습을 드러내다

06 The project was delayed because of unforeseen problems that **emerged**.

⊕ plus　emergence　n. 출현, 발생
　　　　 emergency　n. 비상(사태)

☑ **submerge**
[səbmə́:rdʒ]

[sub(물)아래에 + **merge**가라앉히다]　　ⓥ ~을 물속에 넣다, 물속에 잠기다

07 He **submerged** his feet in the warm water.

예문 해석　**03** 그 영화에서 그 외계인이 더 많은 세포를 흡수할수록 그는 더 **흉측해졌다**. **04** 그 서류는 에펠 타워의 곡선을 설명하는 수학 **공식**을 설명했다. **05** 인도네시아 최고의 두 은행은 **합병**을 계획 중이다. **06** 그 프로젝트는 예상치 못한 문제가 **발생하여** 연기되었다. **07** 그는 따뜻한 물에 발을 **담갔다**.

✱ 어원 summary

PLE
채우다
fill

com + ple(t)
완전히   채워진
=complete
완전한, 완성하다

completion of construction
완공

agricultural implement
농기구

✱자유무역 협정(FTA: free trade agreement)은 상업 거래(commercial exchange)와 관련된 특정 문제(complications)를 최소화하고, 비교 우위(comparative advantage)를 통해 무역을 증진(boost)시킨다. 그러나 협상(negotiations)은 많은 어려움을 내포하고 있으며, 이는 많은 갈등을 암시한다(imply). 그 중에 언어(language)는 전체 절차를 복잡하게(complicate) 만드는 요인이다.

☑ **complement**
[kámpləmənt]

[com완전히(강조) + ple(보충해서) 채우다 + ment(명사)]
ⓝ 보충물, 보완물 ⓥ 보완하다, 보충하다

08 The best picture books contain words and pictures which **complement** each other. `05 평가원`

☑ **implement**
[ímpləmənt]

[im(집)안에 + ple채워 넣는 (물건들) + ment(명사)] ⓝ 도구, 기구 ⓥ 이행하다

09 The state is about to **implement** new laws on industrial pollution.

☑ **supplement**
[sápləmýnt]

[sup아래쪽(부터) + ple채우다 + ment(명사)]   ⓝ 보충물, 부록 ⓥ 보충하다

10 You should **supplement** your diet with vitamin E and calcium.

✱ 어원 summary

FLECT
구부러지다
bend

flex + ible
구부러질 수 있는
=flexible
유연한, 융통성 있는

reflecting mirror
반사경

flextime
근무시간 자유선택제

✱대부분의 사람들은 요가(yoga)를 하려면 유연(flexible)해야 하며, 유연하지 않으면 요가를 하면 안 된다고 생각한다. 그러나 이와는 반대로, 주기적으로 늘릴 수록(flexing your body regularly) 몸은 더 유연해질 수 있다. 이는 긍정적인 피드백 순환(positive feedback cycle)이다.

예문해석 **08** 최고의 그림책은 상호 **보완적인** 글과 그림을 담고 있다. **09** 그 주에서는 산업 공해에 관한 새로운 법을 이행하려고 한다. **10** 당신은 비타민 E와 칼슘으로 식단을 **보충해야** 한다.

☑ **reflect**
[riflékt]

[re되돌려서 + **flect**구부러지다]　　ⓥ 1. 반사하다　2. 반영하다　3. 심사숙고하다

11 The paintings **reflected** the major themes of the times such as love and nature.　07 평가원

⊕**plus** reflection　n. 1. 반사　2. 반영　3. 숙고

☑ **deflect**
[diflékt]

[de분리, 이탈 + **flect**구부러지다]　　ⓥ 비끼다, 빗나가다

12 The politician was able to skillfully **deflect** the reporter's questions concerning the recent allegations of corruption.

⊕**plus** deflection　n. 비뚤어짐, 편향

☑ **inflect**
[inflékt]

[in안으로 + **flect**구부러지다(=변화하다)]　　ⓥ 1. 어미를 변화시키다, 활용하다
　　2. 구부리다

13 English verbs are **inflected** for both the subject and the tense.

⊕**plus** inflected　a. (어미가) 변화된

✳ 어원 summary

TORT
비틀다
twist

con + **tort**
함께　비틀다
= contort
잡아 비틀다, 곡해하다

extortionate prices
부당 가격
The UN Convention Against Torture
고문 방지협약

*곡예사(contortionist)란 극도로 유연해서(flexible) 얇은 상태에서 다리를 들어올려 자신의 머리 뒤쪽으로 넘길 수 있는(인간 매듭(human knot)을 만들 수 있는) 사람일 것이다. 유전(genetics)이 이러한 사람들이 자신의 몸을 비틀(contort) 수 있는 한가지 요소이기도 하지만 연습(practice)과 훈련(training)도 매우 중요하다.

☑ **distort**
[distɔ́:rt]

[dis(정상 상태에서)멀리, 벗어나 + **tort**비틀다]　　ⓥ 비틀다, 왜곡하다

14 Counselors need to learn how to read messages without **distorting** the truth to establish relationships with their clients.　10 평가원

⊕**plus** retort　v. 반박하다, 말대꾸하다
historical distortions　n. 역사 왜곡

예문해석　**11** 그 그림은 사랑과 자연처럼 그 시대의 주요 주제를 **반영하고** 있었다. **12** 그 정치가는 최근의 부패 혐의와 관련한 기자의 질문에 교묘하게 **빠져나갈** 수 있었다. **13** 영어의 동사는 주어와 시제 모두에 따라 **변형된다**. **14** 상담원들은 의뢰인들과 관계를 구축하기 위해 진실을 **왜곡하지** 않으면서, 메세지를 읽어내는 법을 배울 필요가 있다.

☑ **extort**
[ikstɔ́ːrt]

[ex밖으로 + **tort**비틀어(짜내다)] ⓥ 강제로 탈취하다, 무리하게 강요하다

15 Several members of the mafia were on trial for **extorting** money from privately owned companies.

⊕plus extortion n. 강탈, 착취

☑ **torture**
[tɔ́ːrtʃər]

[**tort**(몸과 마음을)비틀다 + ure(명사)] ⓝ 고문, 심한 고통
ⓥ 고문하다, 억지로 구부리다

16 Political opponents of the regime were imprisoned and **tortured**.

⊕plus torturous a. 고문의, 고통스러운

✱ 어원 summary

PEND
매달리다, 무게를 달다, 지불하다
hang, weigh, pay

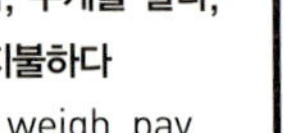

sus + **pend**
아래에서 (움직이지 못하게) 매달다
=suspend
매달다, 중지하다

suspended sentence
집행유예
power on suspended
[컴퓨터] 절전대기

✱ 홍수(flood)가 나면, 흙(soil)은 급류(rapidly flowing water) 속에서 떠있게(suspended) 된다. 홍수가 났을 때 물 색깔이 갈색인 이유가 바로 이것 때문이다. 그러나, 물이 빠져나가면서(recede), 유속(the velocity of the water)이 감소하고 떠있는 상태(suspension)였던 흙이 땅(ground)에 침전(deposit)하게 된다.

☑ **appendix**
[əpéndiks]

[ap~에(붙어) + **pend**매달리다 + ix(명사)] ⓝ 1. 부록 2. 맹장

17 Definitions of all bold-faced words can be found in the **appendix** at the end of the textbook.

⊕plus append v. 덧붙이다, 첨부하다

☑ **expense**
[ikspéns]

[ex밖으로 + **pense**무게를 달다 [지불하다]] ⓝ 비용, 지출

18 I don't think a first-class ticket is worth the added **expense**.

☑ **dispense**
[dispéns]

[dis밖으로 + **pense**무게를 달다 [지불하다]] ⓥ 분배하다, 나누어 주다

19 Pharmacists are certified to **dispense** medication.

⊕plus indispensable a. 없어서는 안 되는

예문해석 **15** 마피아 조직의 몇몇 멤버들은 사기업으로부터 돈을 **갈취한** 혐의로 재판 중에 있었다. **16** 정권의 정적들은 투옥되고 **고문을 당했다**. **17** 모든 볼드체 단어들의 정의는 교재 뒤의 **부록**에서 찾아볼 수 있습니다. **18** 나는 일등석 티켓이, 추가비용을 낼 만한 가치가 있다고 생각하지 않는다. **19** 제약사들은 의약품을 **판매할** 수 있는 면허가 있다.

day
03

☑ **pendulum**
[péndʒələm]

[**pend**아래로 매달려 있는 + ulum(명사)]　　　　ⓝ 진자, (시계)추

20 In 1656, Dutch astronomer Christian Huygens constructed the first **pendulum** clock, revolutionizing timekeeping.　05 수능

☑ **impending**
[impéndiŋ]

[im(어떠한 사건이)~쪽으로 + **pending**매달려 있는〔드리워진〕] ⓐ 곧 닥칠, 임박한

21 Jonathan was unaware of the **impending** disaster.

➕plus　impend　v. 1. 임박하다　2. 매달리다

✳ 어원 summary

SEMBL
닮다, 하나로
be like

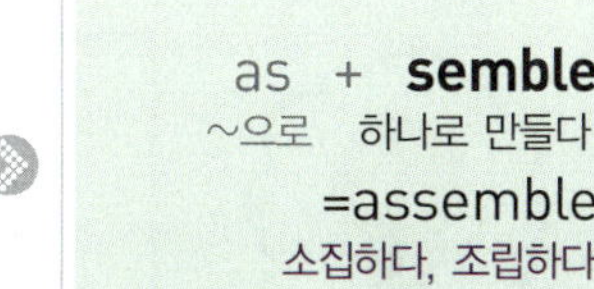

as + **semble**
~으로　하나로 만들다
=assemble
소집하다, 조립하다

assembly line
조립라인

UN General Assembly
UN총회

2011년 9월 17일에, 첫번째 월스트리트 점거 시위대(Occupy Wall Street protesters)는 뉴욕 주코티 공원(Zuccotti Park)에 모였다(assembled). 그 공원은 개인 소유(privately owned)이므로, 경찰이 시위(protest)를 불법 집회(illegal assembly)로 분류(categorize)하고 쫓아내기(evict) 어려울 것이라 생각했다.

☑ **assembly**
[əsémbli]

[as~로 + **sembl(e)**하나로 만들다 + y(명사)]　　　ⓝ 집회, 조립

22 The McDonaldization of society does not refer just to the robotlike **assembly** of food.　12 평가원

➕plus　assembly hall　n. 회의장, 강당

☑ **dissemble**
[disémbəl]

[dis반대, 부정 + **semble**닮아 보이게 하다]　　　ⓥ 숨기다, 가장하다

23 The detective **dissembled** his real intentions for speaking to the murder suspect.

➕plus　dissemblance　n. 은폐, 위장

☑ **semblance**
[sémbləns]

[**sembl(e)**닮아 보이다 + ance(명사)]　　ⓝ 1. 겉모습, 외형　2. 유사, 닮음

24 The country was finally returning to some **semblance** of normality.

예문해석　**20** 1656년 당시 네덜란드의 천문학자인 Christian Huygens는 최초의 **진자**시계를 제작하여 시간 기록 방식에 혁명을 일으켰다. **21** Jonathan은 **임박한** 재난을 인지하지 못하고 있었다. **22** 사회의 맥도날드화는 단지 음식이 로봇처럼 **조립**되는 것만을 가리키는 것은 아니다. **23** 탐정은 살인 용의자에게 말하는 그의 진짜 의도를 **숨겼다**. **24** 국가는 결국 정상과 **비슷**한 상태로 회복되었다.

☑ **resemblance**
[rizémbləns]

[re강조 + **sembl(e)**닮아 보이다 + ance(명사)]　　　　ⓝ 유사, 유사점

25 Everyone commented how the company president bears a striking **resemblance** to a famous comedian.

⊕ plus　resemblant　a. 유사한, 닮은

☑ **ensemble**
[ɑːnsɑ́ːmbəl]

[en강조 + **semble**함께, 동시에]　　　　ⓝ 전체적 효과, 앙상블

26 An **ensemble** of musicians was hired to play in the ballroom of the new hotel.

✳ 어원 summary

✳ 사회가 문제에 직면했을 때, 혁신하지 않으면(either innovate) 그 사회는 죽는다(or die). 아마 로마 사람들(Romans)은 그것을 잘 알고 있었기에 번영할 수(prosperous) 있었던 것 같다. 로마의 혁신(Roman innovations)은 수로(aqueducts)와 하수 시스템(sewage systems)뿐 아니라 전투(warfare), 농업(agriculture), 정부(government) 등의 포괄적인 영역에 이르는 것이었다.

☑ **novelty**
[nάvəlti]

[**novel**새로운 + ty(명사)]　　　　ⓝ 새로움, 진기함

27 Eating shark meat is a **novelty** to many people, but it has been a long tradition to the Chinese.

⊕ plus　novel　a. 새로운, 신기한　n. 소설

☑ **novice**
[nάvis]

[**nov**새로운 + ice(명사)]　　　　ⓝ 초보자, 풋내기

28 Climbing in the Himalayas is not for **novices**, but for experts.

⊕ plus　↔ expert　n. 전문가

☑ **renovate**
[rénəvèit]

[re다시 + **nov**새롭게 + ate(동사)]　　　　ⓥ ~을 수리하다, 혁신하다

29 Once partly burnt down, the hotel has been **renovated** and redecorated by the new owner.

예문해석　**25** 모든 사람은 어떻게 그 회사의 대표가 유명 코미디언과 **닮았**는지에 대해 얘기했다. **26** 음악가들로 이루어진 **합주단**은 새로운 호텔의 무도회장에서 연주하도록 고용되었다. **27** 상어고기를 먹는 일은 많은 이들에게는 **새롭지**만 중국인들에게는 오랜 전통이었다. **28** 히말라야 등반은 전문가를 위한 것이지, **초보자**를 위한 것이 아니다. **29** 부분적으로 타버린 이후에, 새 소유주는 호텔을 **개조하고**, 장식도 새로 바꾸었다.

A 다음 단어에 해당하는 우리말을 쓰시오.

01 emerge

02 reflect

03 distort

04 reform

05 complement

06 pendulum

07 assembly

08 novelty

09 innovate

10 supplement

B 다음 단어에 해당하는 영어단어를 쓰시오.

01 ~을 기형으로 만들다

02 합병하다, 합치다

03 비끼다, 빗나가다

04 강제로 탈취하다

05 ~을 물 속에 넣다

06 부록, 맹장

07 전체적 효과

08 초보자

09 소집하다, 조립하다

10 공식, 제조법

C 한글 뜻에 맞는 어휘를 찾아서 ✓ 하세요.

01 ☐ inform / ☐ perform — well under pressure — 압박감을 느끼면서도 잘 수행해내다

02 ☐ dissemble / ☐ resemble — one's true intentions — 진짜 의도를 숨기다

03 ☐ expended / ☐ suspended — decorations from the ceiling — 천장에 매달린 장식물

04 ☐ supplement / ☐ implement — a strategy — 전략을 실행하다

05 ☐ inflect / ☐ resemble — a verb — 동사를 (어미)변화시키다

D 다음 문맥에 알맞은 단어로 가장 적절한 것을 고르시오.

01 The dirty clothes were **[emerged/immerged]** into a solution of soap and water to remove stains and unpleasant odors.

02 Most people agree that milk is a more suitable **[complement/compliment]** for cookies than soda or fruit juice.

03 The prison guards were accused of **[torture/distortion]** for depriving the inmates of sleep for days at a time.

04 The interpreter was an **[indispensable/expendable]** asset at the meeting, since neither group of businessman could speak the other's language.

05 The construction workers will **[renovate/novelize]** the hotel over the course of a month, and all the rooms will receive new carpet and wallpaper.

어원 (4) Word roots 구축과 유지

● pose ● struct ● sti ●
● sist ● tain ● serv ●

Preview

● When gender stereotypes limit the freedom of individuals, therapists try to **deconstruct** the stereotypes.
● I might take a day off this Friday, would you mind being a **substitute** for me?
● To prove the existence of premonitory dreams, scientific evidence must be **obtained**.

✱ 어원 summary

POSE
놓다
put

ex + **pose**
밖에다   놓다
=expose
노출시키다

bomb disposal
폭탄 처리
volcano in repose
휴화산

✱1911년 12월 14일, 노르웨이인 로알드 아문센(Norwegian Roald Amundsen)과 그의 동료들은 최초로 남극(the South Pole)에 도달했다. 기록상 최대 온도(the highest temperature ever recorded)가 영하 14도였다는 것을 고려하면 외부에 노출되어 있는 것은 지속적인 위협이었다. 너무 오랫동안 외부에 노출(expose yourself for too long)되어 있으면 동상(frostbite)에 걸려 신체를 절단(amputation)해야 할 수도 있기 때문이다.

☑ **disposal**
[dispóuzəl]

[dis떨어뜨려 + pos놓다 + al(명사)]　　　　　　　ⓝ 처분, 처리

01 The shortage of trustworthy informants is aggravated by the overabundance of information at our **disposal**. `12 평가원`

⊕**plus** at one's disposal 마음대로 쓸 수 있는

☑ **disposition**
[dìspəzíʃən]

[dis떨어뜨려, 따로따로 + posi놓다 + tion(명사)]　　　ⓝ 기질, 성향

02 She is renowned for having a cold and jaded **disposition**.

☑ **impose**
[impóuz]

[im안(위)에다 + pose(의무, 짐 등을) 놓다]　　ⓥ (의무 등을) 부과하다, 강요하다

03 Disharmony enters our relationships when we try to **impose** our values on to others. `06 수능`

⊕**plus** imposition n. 지움, 부과함

예문해석 **01** 우리가 **마음대로 쓸 수 있는** 정보가 지나치게 많아지면서, 신뢰할 수 있는 정보원은 더욱 더 부족하게 되었다. **02** 그녀는 차갑고 지쳐있는 **성향**으로 유명하다. **03** 우리가 타인에게 가치를 **부과하려고** 할 때 관계에 불화가 발생한다.

☑ **oppose**
[əpóuz]

[op~에 대항하여 + **pose**놓다]   ⓥ ~에 반대하다, ~을 방해하다

04 I am really upset that your newspaper **opposes** this project.
`06 평가원`

⊕plus opponent n. 적수 a. 적대하는
　　　 opposite a. 정반대의, 반대쪽의

☑ **repose**
[ripóuz]

[re강조 + **pose**(하던 일을) 놓다]   ⓝ 휴식, 수면, 평안 ⓥ 눕다, 휴식하다

05 Wealthy people in western societies spend most of the morning in **repose**, are served lunch, and enjoy shopping.

⊕plus = rest, nap
　　　 reposition n. 저장, 보관

✳ 어원 summary

STRUCT
세우다
build, pile

con + **struct**
함께　　　쌓다
=construct
건설하다, 구성하다

obstacle race
장애물 경주

infrastructure
사회[공공] 기반 시설

*중서부(mid-west)에 정착하던 시기에, 사람들은 종종 잔디로 건물을 건축(construct)했다. 잔디로 만든 집(sod houses)은 벽이 1m 정도 (one meter wide)로 두껍고 내부가 어두웠다. 하지만 건축비용 (construction expenses)이 적게 들었고 단열(insulation)이 잘 되어서, 몹시 추운 겨울 날씨(freezing winter)와 찌는 듯한 여름 날 씨(scorching summer)로부터 보호하기에 완벽했다.

☑ **destruction**
[distrʌ́kʃən]

[de부정, 반대 + **struct**세우다 + tion(명사)]   ⓝ 파괴, 파멸

06 Using natural resources without restoring them will eventually lead to their **destruction**. `08 평가원`

⊕plus ↔ construction n. 건설, 건축
　　　 destructive a. 파괴적인

☑ **instruct**
[instrʌ́kt]

[in(머리)속에 + **struct**(지식을) 쌓아올리다]   ⓥ 가르치다, 지시하다

07 She **instructed** the researchers to present the data in a graphical format.

⊕plus instruction n. 설명, 지시

예문해석 **04** 저는 귀 신문사에서 이 프로젝트에 **반대하는** 것에 화가 납니다. **05** 서양 사회의 부유층은 아침 시간 대부분을 **휴식**하며 보내고, 점심을 먹은 후에는 쇼핑을 즐긴다. **06** 천연자원을 복원 시키지 않고 계속 사용하기만 한다면 결국 **파괴될** 것이다. **07** 그녀는 연구원들에게 그래픽 형태로 데이터를 제시하라고 **지시했다**.

☑ **obstruct**
[əbstrʌ́kt]

[ob방해가 되게 + **struct**세우다] ⓥ 막다, 방해하다

08 The people standing in front of us **obstructed** our view.

⊕ **plus** ⊜ hinder, block, hamper
obstacle n. 장애, 장애물
obstructive a. 방해하는

☑ **structure**
[strʌ́ktʃər]

[**struct**세운 + ure것] ⓝ 1. 구조, 건축물 2. 체계, 짜임새

09 There is an interesting relationship between a country's developmental progress and its population **structure**.
`08 평가원`

⊕ **plus** 2. ⊜ framework, composition, fabric
structuralism n. 구조주의

☑ **deconstruct**
[dì:kənstrʌ́kt]

[de부정, 반대 + con(함께) + **struct**세우다] ⓥ 해체하다, 분해하다

10 When gender stereotypes limit the freedom of individuals, therapists try to **deconstruct** the stereotypes.

⊕ **plus** deconstructionism n. 해체주의

✳ 어원 summary

STI
세우다
set up

con + **stitute**
강조   세우다
=constitute
구성하다

Constitutional amendment
헌법개정
breast-milk substitute
모유 대체품

✳ 국가 위원회(the National Transition Council)가 리비아(Libya)에서 민주 정부(democratic government)를 구성(constitute)하지는 않지만, 위원회는 가까운 미래에 선거가 시행될 것(hold elections)이라고 계속해서 말해왔다. 문제의 핵심(the heart of the matter)은 새로운 헌법(constitution)을 제정(establish)하고 발전(develop)시키는 것이 될 것이다.

☑ **institute**
[ínstətjù:t]

[in안에 + **stitute**세우다] ⓝ 1. 협회, 학회 2. 이공계 대학

11 The ABC Marketing **Institute** also offers very good presentation skills courses. `11 평가원`

⊕ **plus** institutional a. 기관의, 보호시설의
institutionalize v. 제도화하다, 규정하다

`예문해석` **08** 우리 앞에 서 있는 사람들은 우리의 시야를 **가로막았다**. **09** 국가의 발전과 국가의 인구 **구조** 사이에는 흥미로운 관계가 있다. **10** 성편견이 개인의 행동의 자유를 제한할 때, 치료사들은 그 편견을 **해체하려고** 노력한다. **11** ABC 마케팅 **기관**은 또한 매우 훌륭한 프레젠테이션 기술 강의를 제공한다.

☑ **substitute**
[sʌ́bstətjùːt]

[sub아래에(대신) + stitute세워두다]   ⓝ 대체물, 대리자 ⓥ 대신하다

12 I might take a day off this Friday, would you mind being a **substitute** for me?

⊕plus substitutional foods n. 대체식품

☑ **destitute**
[déstətjùːt]

[de멀리 떨어뜨려 + stitute세워 놓은(=버림 받은)]   ⓐ 결핍한, 빈곤한

13 The closing of the factory left many families **destitute** and miserable for a short period of time.

⊕plus ⊜ impoverished, poor, indigent

✱ 어원 summary

SIST
서다
stand

in + **sist**
(자신의 입장)위에   서다
=insist
우기다, 강력히 주장하다

assistant professor
조교수

existentialism
실존주의

✱미국의 민주당원(Democrats)들이 부자가 세금을 더 많이 내야 한다(the rich should be taxed more)고 주장(insist)하고 공화당원들(Republicans)은 과도한 사회 지출(excessive social spending)에 반대하는 입장을 고수(steadfast)함에 따라 미국 정부 내에서 정치적 격차(political divide)를 해소할 방법이 없는 것처럼 보인다. 어느 편이 가장 훌륭한 주장(insistence)을 펼치고 있는가? 선거(election)가 다가오면서, 추측만 가능한 상황(it's anyone's guess)이다.

☑ **resist**
[rizíst]

[re대항하여 + sist서다]   ⓥ 저항하다, 반항하다

14 There are diseases that our bodies cannot successfully **resist** on their own.   05 수능

⊕plus irresistible a. 저항할 수 없는, 억제할 수 없는
       resistance n. 저항, 반항

☑ **exist**
[igzíst]

[ex밖에(보이게) + ist서 있다]   ⓥ 존재하다, 있다

15 There is no evidence that life **exists** on other planets, but that does not prove it cannot **exist**.

⊕plus persist v. 고집하다, 존속하다
       subsist v. 존속하다, 먹고살다

예문해석 **12** 이번 주 금요일에 휴가일 것 같은데, 저 **대신** 근무 해주실 수 있나요? **13** 공장이 문을 닫으면서 많은 가족들은 짧은 시기 동안 **가난**과 불행에 빠졌다. **14** 신체가 스스로 **이겨낼 수 없는** 질병들이 있다. **15** 다른 행성에 생물체가 **존재한다**는 증거는 없지만, 그렇다고 생물체가 **존재할 수 없다**는 것을 입증하지는 않는다.

☑ **assist**
[əsíst]

[as(도우려고) 곁에, ~쪽으로 + sist서다]　　　　ⓥ 돕다, 도움이 되다

16 As an inexperienced lawyer, I was assigned to **assist** an older man, a business attorney. `06 평가원`

⊕ plus　⊜ aid, help, give ~ a hand
assistance　n. 도움, 원조
assistant manager　n. 대리, 부팀장

☑ **consist**
[kənsíst]

[con서로 함께 + sist서 있다]　　　　ⓥ 이루어져 있다, 구성되다

17 Human capital **consists** of the skills and knowledge that an individual uses to produce goods. `05 평가원`

⊕ plus　⊜ be made up of ~, be comprised of ~,
be composed of ~
consist of　~로 구성되다
consistent　a. 한결같은, 일관된

✳ 어원 summary

TAIN
잡다
hold

main + **tain**
손안에　　잡다
=maintain
1. 유지하다, 계속 주장하다
2. 부양하다

maintained school
영국의 공립학교

attainment targets
성취 목표

✳ 건강을 유지하는 것(maintaining one's health)은 중요하다. 노인들은 젊은 사람은 건강하니 얼마나 좋으냐고 종종 말한다. 젊은이(the young)들은 이 말을 믿지 않는다. 만약 10대가 '젊은' 시절에 더 건강한 생활 습관을 취해서(adopt a healthy lifestyle) 평생(throughout their life) 이를 유지(maintain)한다면, 나이가 들어 그 건강의 기쁨을 (the joy of health) 만끽할 것이다.

☑ **sustain**
[səstéin]

[sus아래에서 + tain잡다]　ⓥ 1. 지탱하다, 지속시키다　2. 정당성을 인정하다

18 We work even harder and longer to **sustain** lifestyles that are well above world standards. `06 평가원`

⊕ plus　sustenance　n. 1. 음식물　2. 지속, 유지
sustainability　n. 지속 가능성, 환경 파괴 없이 지속될 수 있음
sustainable development　n. 환경친화적 개발

예문해석　**16** 신입 변호사로서 나는 나이가 많은 사업 분야의 변호사를 **보조하는** 역할을 부여 받았다. **17** 인적자원은 한 개인이 상품을 생산하기 위해 사용하는 기술과 지식으로 **구성된다**. **18** 우리는 세계적인 기준보다 훨씬 높은 수준의 라이프스타일을 **유지하기** 위해 더 열심히, 오랜 시간 근무한다.

☑ **attain** [ətéin]	[at(목표)에 + **tain**손대다]	ⓥ 달성하다, 도달하다

19 The best moments in our lives are often putting forth voluntary efforts to **attain** something difficult. Ⅱ 수능

➕plus ＝ achieve, accomplish, reach

attainment n. 성과, 달성

☑ **contain**
[kəntéin]

[con함께, 모두 + **tain**잡다] ⓥ 담고 있다, 포함하다

20 Fruit peels **contain** essential vitamins and are a source of dietary fiber. 07 수능

➕plus contain oneself 자제하다

overcontain v. (감정 등을) 지나치게 억제하다

☑ **detain**
[ditéin]

[de멀리에 + **tain**잡아두다] ⓥ 1. 감금하다 2. 지체하게 하다

21 Jack, the suspect, was **detained** by the police for further questioning.

➕plus detention n. 감금, (학생을 벌로) 방과후에 남게하기

detainee n. (정치적 이유에 의한) 억류자

☑ **obtain**
[əbtéin]

[ob(to)~쪽으로 + **tain**잡다] ⓥ 얻다, 획득하다

22 To prove the existence of premonitory dreams, scientific evidence must be **obtained**. 12 수능

➕plus ＝ receive, get, gain

☑ **retain**
[ritéin]

[re뒤쪽에(계속) + **tain**잡고 있다] ⓥ 1. 유지하다 2. 계속 가지고 있다

23 Once older people have learned something, they will probably **retain** it as well as younger people. 06 평가원

➕plus retain records of ~를 기록으로 남겨두다

retention n. 유지, 기억

☑ **abstain**
[əbstéin]

[abs(어떤 것에서)떨어져서, ~로부터 + **tain**(자신을) 붙잡다] ⓥ 삼가다, 절제하다

24 A high percentage of women have promised to **abstain** from coffee during pregnancy.

➕plus abstain from 삼가다

abstainee n. 기권자

---

day
04

예문해석 **19** 우리 인생에서 최고의 순간은 무언가 어려운 것을 **성취하기** 위해 자발적으로 더 노력하는 것이다. **20** 과일 껍질은 필수 비타민을 **함유하고** 있으며, 식이섬유의 공급원이다. **21** 용의자 Jack은 추가 심문을 받기 위해 경찰에 의해 **감금되었다.** **22** 예지몽의 실재를 증명하기 위해서는 과학적인 증거를 **획득해야만** 한다. **23** 나이 든 사람도 무언가를 우선 한번 배우고 나면, 젊은 사람들처럼 아마도 그것을 **기억할** 것이다. **24** 높은 비율의 여성들이 임신 기간동안 커피를 **절제하기로** 약속했다.

어원 summary

SERV
간직하다, 지키다
keep, keep safe

pre + **serve**
미리 (안전하게) 지키다
=preserve
보존하다, 보호하다

energy conservation
에너지 보존

preservationist
환경 보호 운동가

*이집트인들(Egyptians)이 왜 그토록 오랜 기간동안 시체(corpse)를 보존하려고(preserve) 했는지는 알 수 없다. 그러나 건조한 기후(dry climate) 지역에서 장기를 제거(removal of organs)하고 린넨천으로 시체를 감싸면(wrap) 매우 오랫동안 시체가 보존(preservation)될 수 밖에 없다는 사실은 알 수 있다.

☑ **reserve**
[rizə́:rv]

[re뒤쪽에 + serve간직하다] ⓥ 1. 남겨두다, 보유하다 2. 예약하다

25 The Johnsons must have **reserved** the wine for a special occasion.

⊕plus in reserve 따로 둔, 예비의
reserved a. 1. 남겨둔 2. 내성적인
reservation n. 보류, 예약

☑ **conserve**
[kənsə́:rv]

[con철저히(강조) + serve간직하다] ⓥ 유지 (보존) 하다, 보호하다

26 The government has not shown any effort to **conserve** our nation's natural resources.

⊕plus ⊜ protect, keep, preserve
conservation n. 보존, 유지, 보호
conservative a. 보수적인

☑ **observe**
[əbzə́:rv]

[ob~를 향하여 + serve지켜보다 (간직하다, 지키다)] ⓥ 1. 관찰하다, 목격하다
2. 준수하다

27 When it comes to talking, I have **observed** two basic personality types. `09 평가원`

⊕plus observation n. 관찰, 정탐
observance n. 준수, 따르기
observatory n. 관측소, 천문대, 기상대

예문 해석 **25** Johnson씨 가족은 특별한 날을 위해 그 와인을 **남겨 두었음에** 틀림없다. **26** 정부는 우리 나라의 천연자원을 **보호하려는** 노력을 보여주지 않았다. **27** 말하는 것에 관해, 나는 두 가지 기본적인 성격 타입을 **관찰했다**.

A 다음 단어에 해당하는 우리말을 쓰시오.

01 conserve _______________
02 obtain _______________
03 consist _______________
04 destitute _______________
05 instruct _______________
06 oppose _______________
07 expose _______________
08 constitute _______________
09 retain _______________
10 institute _______________

B 다음 단어에 해당하는 영어단어를 쓰시오.

01 처분, 처리 _______________
02 휴식, 눕다 _______________
03 구조, 건물 _______________
04 돕다, 도움이 되다 _______________
05 달성하다, 도달하다 _______________
06 남겨두다, 예약하다 _______________
07 파괴, 파멸 _______________
08 존재하다 _______________
09 우기다, 주장하다 _______________
10 유지하다 _______________

C 한글 뜻에 맞는 어휘를 찾아서 ✓ 하세요.

01 ☐ repose / ☐ impose — a tariff on imported goods — 수입품에 대해 관세를 부과하다

02 ☐ substitute / ☐ destitute — the new radio for the old one — 오래된 라디오 대신 새 라디오를 쓰다

03 ☐ sustain / ☐ detain — the arch — 아치를 떠받치다

04 ☐ reserve / ☐ observe — from a safe distance — 안전거리에서 관찰하다

05 ☐ abstain / ☐ attain — from illegal activities — 불법행위를 삼가다

D 다음 문맥에 알맞은 단어로 가장 적절한 것을 고르시오.

01 The symphony conductor is known for his grouchy **[disposition/disposal]**, as very few people have ever seen him smile.

02 The car accident on Main Street is expected to **[destruct/obstruct]** traffic for several hours, so motorists are advised to take a detour.

03 Even though she didn't plan on buying new clothes, Sally found the sales at the shopping mall too good to **[desist/resist]**.

04 Law enforcement officials will **[detain/retain]** the suspected terrorist for at least one week at a local police station.

05 Museum staff will **[deconstruct/destruct]** the temporary exhibit and make arrangements for it to be transported to another city.

어원 (5) Word roots 커뮤니케이션

- vis - spect - dic -
- clude - scribe -
- log -

Preview

- Greenery can create an atmosphere where children are better **supervised**, and buildings better watched.
- The planting of olive trees, which don't produce fruit for thirty years, **indicates** people were optimistic.
- Most systems in human **physiology** are controlled by the body's ability to maintain a state of balance.

✱ 어원 summary

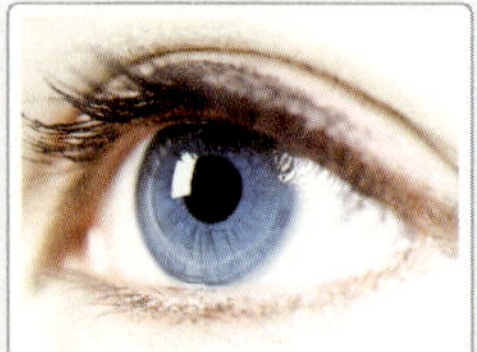

VIS
보다
see

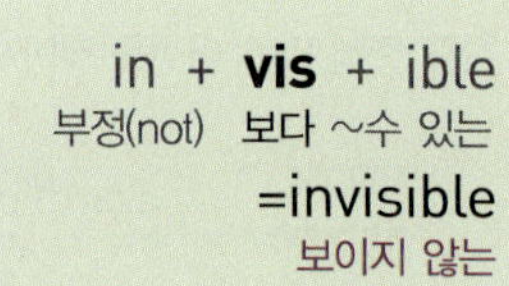

✱ 해리포터(Harry Potter)에서 투명 망토(invisibility cloak)를 입으면 그 사람은 보이지 않게 된다(make the wearer invisible). 시간이 지나면 망토의 투명 능력(ability to be invisible)이 사라지게 되고 결국 각종 마법(spell)에 취약한(vulnerable) 상태로 바뀌어 마법의 공격이 망토를 뚫고 들어가게 된다. 그러나 해리의 망토는 나쁜 공격(unfriendly spells)을 막을 수 있다(deflect).

☑ **revise**
[riváiz]

[re다시 + vise(손)보다]　　　　　　　　　　ⓥ 수정하다, 바꾸다

01 You need to buy the **revised** edition of the textbook.

ⓟplus　revision　n. 교정, 수정
　　　　revised edition　n. 개정판

☑ **supervise**
[súːpərvàiz]

[super위에서 + vise내려다보다]　　　　　ⓥ 감독하다, 관리하다

02 Greenery can create an atmosphere where children are better **supervised**, and buildings better watched.　`07 수능`

ⓟplus　⊜ oversee, manage, monitor
　　　　supervisor　n. 감독자, 지휘자, 통제자
　　　　surveillance　n. 감시, 감독

예문해석　**01** 당신은 교과서의 **개정판**을 구매해야 한다. **02** 화초는 아이들을 더 잘 **감독할** 수 있고, 건물을 더 잘 감시할 수 있는 분위기를 조성할 수 있다.

| ☑ **visualize**
[víʒuəlàiz] | [**vis**보다 + ual(형용사) + ize(동사)]   ⓥ 시각화하다, 마음 속에 떠올리다
03 A picture storybook offers a way for a young child to **visualize** characters and understand the story. `05 평가원`
➕plus visual a. 시각의, 눈에 보이는
         vision n. 시력, 상상력 |
| ☑ **improvise**
[ímprəvàiz] | [im(not) + pro미리 + **vise**보다(= 미리 보지 않다)]   ⓥ 즉석에서 하다
04 In jazz the performers often **improvise** their own melodies. `07 수능` |

day 05

✱ 어원 summary

SPECT
보다
look

in + **spect**
안을 들여다보다
=inspect
면밀하게 살피다, 조사하다

prospective graduate
졸업예정자

usual suspect
유력한 용의자

✱경찰 조사관(police inspector)은 영국 언론(British press)에 의한 개인 휴대폰 해킹(the hacking of private cell phones)조사를 요청했다. 과학 수사(forensics)를 통해 컴퓨터와 휴대폰을 조사(inspection)한 후, 뉴스 오브 더 월드(News of the World)가 실제로 비밀 해킹 작전(secret hacking operation)을 운영(run)한 것이라는 결론을 내렸다.

☑ **aspect** [æspekt]	[a~를 향해 + **spect**보다] ⓝ 양상, 견해, 측면 05 Which **aspect** of military life do new recruits find the most troubling?
☑ **perspective** [pəːrspéktiv]	[per~을 통해서 + **spective**봄] ⓝ 관점, 원근법 06 No matter how many times I draw it, the **perspective** does not look right. `06 수능`
☑ **prospect** [práspekt]	[pro앞을 + **spect**내다보다] ⓝ 전망, 가망 07 Henry was moving the soccer ball down the field, thrilled with the **prospect** of scoring the first goal in his life. `08 평가원` ➕plus prospective a. 예상된

예문해석 **03** 그림이 있는 이야기책은 어린 아이에게 등장 인물을 **시각화하여** 그 이야기를 이해할 수 있게 하는 방법을 제공한다. **04** 재즈음악에서는 연주자들이 종종 자신만의 음악을 **즉석 연주하기도 한다. 05** 군대 생활 중 어떤 **부분**을 가장 어렵다고 생각하나? **06** 내가 몇번이나 다시 그려 보아도, **원근법**이 맞지 않는 것처럼 보였다. **07** Henry는 생애 첫 골을 넣을 **생각**에 흥분된 채, 축구 공을 필드 아래로 몰아갔다.

☑ **specific**
[spəsífik]

[**speci**(특정한)종류를 + fic만드는] ⓐ 구체적인, 특정한 ⓝ 특성, 세부

08 Amy is trying to find out a **specific** word for her feeling.

⊕ **plus** specify v. 명시하다, (일일이) 열거하다

☑ **spectacle**
[spéktəkəl]

[**spect**보다 + acle(명사)] ⓝ 1. 광경, 장관, 구경거리 2. 안경(~s)

09 Observing a blue whale breach the water's surface is one of the most awesome **spectacles** of the sea.

⊕ **plus** spectacular a. 구경거리의, 장관의
　　　　　spectator n. 구경꾼, 관객, 방관자

☑ **suspect**
[səspékt]

[**su**(b)아래에서 위로 + **spect**쳐다보다] ⓥ ~을 의심하다, 추측하다 ⓝ 용의자

10 Mathematicians have long **suspected** that an elegant formula lies behind the monument's graceful shape. `06 평가원`

 **어원 summary**

DIC(T)
말하다
say

dic + tate
(반복해서) 말을　하다
=dictate
구술하다, 받아쓰게 하다

dictatorial regime
독재정권
economic indicator
경제지표

*로버트 가브리엘 무가베(Robert Gabriel Mugabe)(1924~현재)는 짐바브웨 전쟁(Zimbabwe's war)의 후반부에 유명해졌다. 그는 1980년에 내전(civil war)이 발발(break out)하기 전 총리(prime minister)가 되었다. 이후 몇년간 그는 '대통령' 직(the post of 'president')을 창설했으며 국가 운영방식을 지시했다. 그는 명목상(technically) '대통령' 이었지만, 독재자(dictator)처럼 행동했다.

☑ **benediction**
[bènədíkʃən]

[bene좋게 + **dic**말 + ion하기] ⓝ 축복, 축복 기도

11 Most **benedictions** are short in length so they can be easily memorized and recited.

☑ **indicate**
[índikèit]

[in~를 향하여 + **dic**말하다 + ate(동사)] ⓥ 1. 가리키다, 지시하다
　　　　　　　　　　　　　　　　　　　　 2. 나타내다, 표시하다

12 The planting of olive trees, which don't produce fruit for thirty years, **indicates** people were optimistic. `11 평가원`

예 문 해 석 **08** Amy는 그녀의 감정을 나타내는 **구체적인** 단어를 찾으려고 애쓰는 중이다. **09** 흰긴수염고래가 물의 수면 위로 뛰어오르는 것을 관찰하는 것은 바다의 가장 멋진 **장관** 중에 하나이다. **10** 수학자들은 기념물의 우아한 형상이 품격있는 공식을 바탕으로 세워진 것이라 **추측해 왔다**. **11** 대부분의 **감사기도**는 길이가 짧아서 쉽게 기억되고 암송될 수 있다. **12** 30년 동안 열매를 맺지 않는 올리브 나무를 심었다는 것은 사람들이 낙천적이었다는 것을 **보여준다**.

day 05

☑ **dictator**
[díkteitər]
[**dict**말하다 + at(e)동사 + or(사람)]
ⓝ 독재자

13 The **dictator** was unable to stop the rebellion and was replaced by a democratic government.

➕plus ＝ autocrat, despot
dictatorship n. 독재권, 독재 국가
dictatorial a. 독재적인, 독재자의

☑ **predictability**
[pridíktəbíləti]
[pre미리 + **dict**말하기 + ability능력]
ⓝ 예측 가능성

14 Our vacations are being McDonaldized, and the **predictability** of packaged tours is our destiny. ⅠⅡ 평가원

➕plus predict v. 예언하다, 예측하다
prediction n. 예언

☑ **verdict**
[vɔ́ːrdikt]
[ver사실을 + **dict**말하다]
ⓝ 1. 배심원 평결 2. 판정, 판단

15 The trial never ended, Captain. We never reached a **verdict**. But now we know you're guilty.

➕plus conviction n. 유죄판결
final[concluding] argument n. 최종 변론

☑ **indict**
[indáit]
[in~를 향하여 + **dict**(범인이라고) 말하다]
ⓥ 기소하다, 비난하다

16 He was **indicted** for crimes against humanity.

➕plus indictment n. 기소, 비난
indictee n. 피고

✳ 어원 summary

CLUDE
닫다
shut

ex + **clude**
밖에서(못 들어오게) 닫다
=exclude
제외하다, 못 들어오게 하다

exclusive distribution
독점 유통
financial disclosure
재산 공개

＊로마인(Romans)은 유럽에서 절대 광범위한 배척(exclusion)이나 차별(discrimination)을 받지 않을 것이다. 로마는 루마니아(Romania)에서 유래되었지만, 지금은 유럽에 많이 거주하고 있다. 국제 사면위원회(Amnesty International)의 2009년 보고에서, 그들은 로마가 "모든 (유럽)국가들의 공적인 삶(public life)에서 대체로 배제되어(excluded) 있다"고 기술했다.

예문해석 **13** 독재자는 폭동을 멈추게 할 수 없었고, 민주 정부로 대체되었다. **14** 우리의 휴가는 맥도날드화 되고 있으며, 우리의 운명은 **예측이 가능한** 패키지 여행과 같다. **15** 재판은 결코 끝나진 않았습니다, 선장님. 아직 **평결**이 내려지지 않았으니까요. 하지만 이제 우리는 당신이 유죄라는 것을 압니다. **16** 그는 반인륜적 범죄로 **기소되었다.**

☑ **exclusive**
[iksklúsiv]

[ex밖으로 + **clus**닫다 + ive(형용사/명사)]   ⓐ 1. 배타적인, 독점적인 2. 고가의

17 They defensively shrug off the whole business as an **exclusive** realm of little relevance to their lives.   12 평가원

☑ **disclose**
[disklóuz]

[dis부정, 반대 + **close**닫다]   ⓥ 노출시키다, 폭로하다

18 The journalist criticized a member of Parliament severely, but he refused to **disclose** the identity of the politician.

⊕plus reclusive a. 은둔한, 쓸쓸한

☑ **enclose**
[inklóuz]

[en안에 + **close**닫다]   ⓥ 에워싸다, 동봉하다

19 The tennis courts were **enclosed** by a tall chain link fence at the north end of the park.

⊕plus enclosed a. 둘러싸인, 동봉된

☑ **conclude**
[kənklú:d]

[con완전히(강조) + **clude**닫다]   ⓥ 끝내다, 결론짓다

20 Many studies have **concluded** that video game addiction deteriorates the health of the brain.

⊕plus conclusive a. 결정적인, 단호한

☑ **preclude**
[priklú:d]

[pre미리 + **clude**닫다]   ⓥ 1. 막다, 방해하다 2. 배제하다

21 Current levels of technology will **preclude** a manned mission to Mars for several decades.

✳ 어원 summary

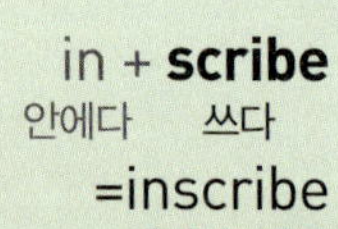

in + **scribe**
안에다   쓰다
=inscribe
새기다, 파다

subscription sales
예약 판매

ascribed status
생득 지위

*기념비의 비문(monumental inscription)은, 일반적으로 묘비(grave marker), 기념 명판(memorial plaque), 교회 기념비(church monument) 등 돌에 새겨져 있는(carved in stone) 글을 말한다. 기념비 비문(monumental inscriptions)의 목적은 죽은 사람을 기리는 것(memorials for the dead)이다. 뚜렷하게 새겨진 묘석(gravestone)은 보통 유족들이 그 곳에 만들어 둔다.

예문해석 **17** 그들은 업계 전체를 그들의 삶과는 거의 관련 없는 **배타적인** 영역으로 여기며 방어적으로 무시한다. **18** 저널리스트는 한 의회의 구성원을 맹렬히 비판했지만, 그 정치인이 누구인지는 **밝히기를** 거부했다. **19** 테니스 코트는 긴 체인으로 연결된 울타리로 공원의 북쪽에 **둘러싸여져** 있었다. **20** 많은 연구는 비디오 게임 중독이 뇌건강을 악화시킨다고 **결론지었다**. **21** 현재의 기술 수준은 몇십 년 동안 화성에 유인 임무를 **불가능하게 할** 것이다.

☑ **describe**
[diskráib]

[de(내려가다) + **scribe**(쓰다)]   ⓥ 서술하다, 묘사하다

22 That's the very word to **describe** how I feel.

⊕plus   ⊜ portray, depict, delineate
description   n. 서술, 묘사
descriptive label   n. 품질표시

day
05

☑ **subscribe**
[səbskráib]

[sub(문서)아래에 + **scribe**(서명을) 쓰다]   ⓥ 구독하다, 가입하다

23 Go **subscribe** to *National Geographic magazine* and make a list of places.

⊕plus   prescribe   v. 처방하다, 규정하다
subscriber   n. 구독자, 기부자

☑ **ascribe**
[əskráib]

[a~에게(어떠한 결과의) + **scribe**(책임이 있다고) 쓰다]   ⓥ ~의 탓으로 돌리다

24 This study **ascribes** steady increase in violent crimes to images seen on television and in movies.

⊕plus   ⊜ attribute, impute
ascribe A to B   A를 B의 탓[덕]으로 돌리다

☑ **transcribe**
[trænskráib]

[trans(책의 내용을 다른 책으로)옮겨 + (s)cribe쓰다]
            ⓥ ~을 베끼다, ~를 필기하다

25 I was **transcribing** their testimony for the court records.

⊕plus   transcript   n. 복사본, 필사록
scribble   v. 갈겨쓰다, 낙서하다

☑ **proscribe**
[prouskráib]

[pro(사람들이 볼 수 있도록) 앞에다 + **scribe**(~하지 말라고) 쓰다]
            ⓥ 금지하다, 배척하다

26 Marriage to one's first cousin is **proscribed** in many states, even though it was acceptable.

⊕plus   ⊜ forbid, prohibit, ban

☑ **circumscribe**
[sə̀:rkəmskràib]

[circum둘레에 + **scribe**(선을) 긋다]   ⓥ 1. ~의 둘레에 선을 긋다
                             2. 한정(제한)하다

27 Our freedom is **circumscribed** by laws.

⊕plus   ⊜ limit, restrict
circumstance   n. 환경, 상황

예문해석 22 그것이 바로 내 기분을 정확히 **묘사하는** 단어이다. 23 내셔널 지오그래픽지를 **구독하여** 장소의 목록을 만들어라. 24 이 연구는 폭력적인 범죄들이 지속적으로 증가하는 것을 텔레비전과 영화에서 보여지는 이미지들의 **탓으로 돌린다**. 25 나는 재판서를 위해 그들의 증언을 **기록하고** 있었다. 26 사촌과 결혼하는 것은 허용가능한 것임에도 불구하고, (미국의) 많은 주에서는 법으로 **금지되어** 있다. 27 우리의 자유는 법으로 **제한되어** 있다.

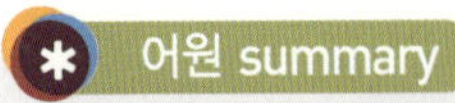

✱ 어원 summary

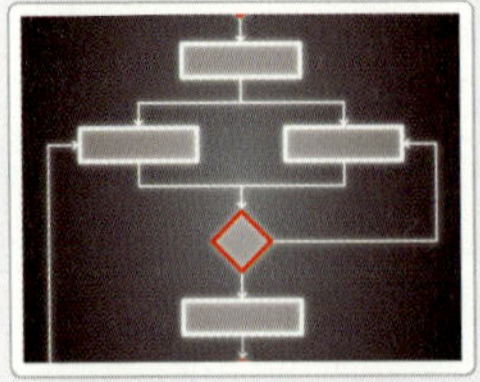

LOG
학문, 말
study of, word, reason

logic + al
말, 이성   형용사
=**logical**
논리적인

interior mono**logue**
내적독백
eco**logical** system
생태계

✱ 논리(logic)에 관한 최초의 지속적인 연구(sustained work)는 그리스 철학자(Greek philosopher)인 아리스토텔레스(Aristotle)에 의해 이루어졌다. 논리(logic)는 타당한 주장(valid argument)에 관한 연구로 특징지어질 수 있다. 이는 두 개의 광범위한 분야로 기호(symbols)에 기초한 수리 논리학(mathematical logic)과 철학 논리(philosophical logic)로 나눌 수 있다.

☑ **analogy**
[ənǽlədʒi]

[ana~에 따라, 비슷하게 + **logy**말함]   ⓝ 유사함, 유추

28 Our manager is fond of drawing **analogies** between business and football.

☑ **monologue**
[mánəlɔ̀ːg]

[mono혼자 + **logue**말하다]   ⓝ 독백

29 The website provides a list of Shakespearean **monologues** in alphabetical order.

➕ **plus** colloquial   a. 구어의, 대화체의
eulogy   n. 찬사, 추도 연설

☑ **physiology**
[fìziálədʒi]

[physio자연 + **logy**학문]   ⓝ 생리학

30 Most systems in human **physiology** are controlled by the body's ability to maintain a state of balance.   `12 수능`

☑ **anthropology**
[æ̀nθrəpálədʒ]

[anthropo사람 + **logy**학문]   ⓝ 인류학

31 The study of kinship is an area of **anthropology** that I find interesting.

➕ **plus** anthology   n. 명시선집

☑ **mythology**
[miθálədʒi]

[mytho신화 + **logy**학문]   ⓝ 신화, 신화학

32 Mina is so interested in Greek **mythology** that she decided to read the stories in Greek.

➕ **plus** methodology   n. 방법론

예문 해석 **28** 우리 부장은 사업과 축구를 **비유**하는 것을 좋아한다. **29** 그 웹사이트는 셰익스피어 **독백** 리스트를 알파벳순으로 제공한다. **30** 인간 **생리**의 대부분의 시스템은 균형을 유지할 수 있는 신체의 능력에 의해 제어된다. **31** 친족에 관한 연구는 내가 흥미롭게 여기는 **인류학** 분야이다. **32** Mina는 그리스어로 이야기들을 읽어야 겠다고 결심할 정도로 그리스 **신화**에 매우 관심이 많다.

EXERCISES

A 다음 단어에 해당하는 우리말을 쓰시오.

01 invisible _______________
02 prospect _______________
03 suspect _______________
04 dictator _______________
05 exclude _______________
06 mythology _______________
07 circumscribe _______________
08 transcribe _______________
09 enclose _______________
10 inscribe _______________

B 다음 단어에 해당하는 영어단어를 쓰시오.

01 인류학 _______________
02 유사함, 유추 _______________
03 금지하다, 배척하다 _______________
04 방해하다, 배제하다 _______________
05 기소하다, 비난하다 _______________
06 광경, 구경거리 _______________
07 눈에 보이게 하다 _______________
08 받아쓰게 하다 _______________
09 평결, 판정 _______________
10 구체적인, 특정한 _______________

C 한글 뜻에 맞는 어휘를 찾아서 ✔ 하세요.

01 ☐ supervise / ☐ improvise — a team of workers — 직원들로 구성된 한 팀을 감독하다

02 ☐ suspect / ☐ inspect — a diamond for flaws — 다이아몬드에 결함이 있는지 검사하다

03 ☐ ascribe / ☐ prescribe — the policy to a political party — 그 정책을 한 정당의 탓으로 돌리다

04 recite a Shakespearean ☐ loquacity / ☐ monologue — 셰익스피어 독백을 암송하다

05 ☐ indict / ☐ indicate — one's personal preference — 개인 취향을 나타내다

D 다음 문맥에 알맞은 단어로 가장 적절한 것을 고르시오.

01 The chef did not have enough ground beef for the recipe, so she **[improvised/televised]** by using ground pork instead.

02 By taking pictures from a helicopter, the photographer was able to capture a unique aerial **[spectacular/perspective]** of the temple grounds.

03 The **[predictability/dictionary]** of the novel left most readers unsurprised by the story's conclusion.

04 Members of the country club have **[exclusive/reclusive]** access to its golf course, so non-members must use the public course.

05 Customers that **[subscribe/describe]** to *Fitness Magazine* receive a new issue in the mail each month for a fraction of the cover price.

어원 (6) Word roots 나눔과 정

● equi ● tribute ● cept ●
● sume ● cord ● pathy ●
● spire ●

Preview

- The defining moments of our lives are usually not the passive, or **receptive**, relaxing times.
- Darwin's theories of evolution **presume** that individuals should act to preserve their own interests.
- When someone cannot breathe properly, you need to perform artificial **respiration**.

✳ 어원 summary

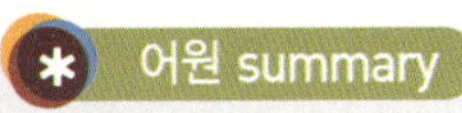

EQUI
같은
equal

equal + lize
같게   만들다(동사)

=equalize
동등하게 하다

equation of motion
운동 방정식

equilateral triangle
정삼각형

*만인은 법 앞에 평등하고(**equal before the law**), 차별(**dis-crimination**)없이 평등한 법의 보호를 받을 자격이 있다(**entitled to equal protection**). 모든 사람들은 성별(**gender**), 인종(**ethnicity**), 종교(**religion**), 사회 경제적 지위(**socio-economic status**) 등에 관계없이 동일한 법의 적용을 받아야 한다. 그러나 사실 평등(**equality**)이 평등하게 적용되지 않는 것이 현실이다.

☑ **equation**
[i(:)kwéiʒən]

[equ(좌변과 우변을) 같게 + at(e)만든(동사) + ion것(명사)]   ⓝ 방정식, 등식

01 Solve the **equation** $5x - 3 = 27$.

  ⊕plus equilibrium   n. 평형, 균형
           equality   n. 평등, 동등

☑ **equivalent**
[ikwívələnt]

[equi같은 + val가치 + ent의]   ⓐ 동등한, 맞먹는 ⓝ 등가물

02 The calorie content found in one of these hamburgers is **equivalent** to that of eleven moderately sized salads.

☑ **adequate**
[ǽdikwit]

[ad(to)(기준, 요구량)과 + equ같게 (만들어진) + ate(형용사)]   ⓐ 충분한, 적절한

03 The word 'fantastic' was not **adequate** to describe the lunar voyage of Apollo 11.

예문해석   **01** $5x - 3 = 27$이라는 **방정식**을 풀어라. **02** 이 햄버거 중 하나에서 발견된 칼로리 정보는 보통 사이즈의 샐러드 11개의 칼로리 정보**와 동일하다**. **03** 환상적이란 말은 아폴로 11호의 달 여행을 묘사하는 데 **충분치** 않았다.

☐ **equivocate**
[ikwívəkèit]

[**equi**같은 + voc소리로 + ate만들다(동사)]　　ⓥ 얼버무리다, 모호하게 말하다

04 The applicant **equivocated** when asked about his last job, thus failing to get the position.

⊕ plus　equivocal　a. 모호한, 불분명한

✳ 어원 summary

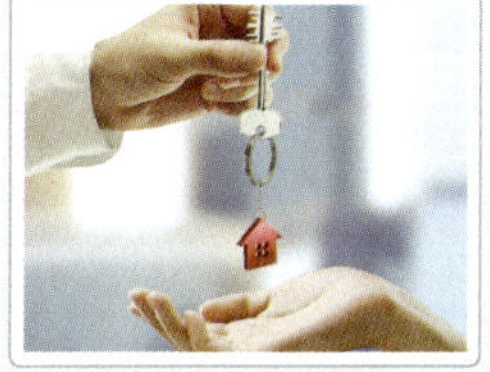

TRIBUTE
주다
give

dis + **tribute**
각각　　주다
=distribute
분배하다, 퍼뜨리다

distribution center
물류 센터
tribute album
헌정 앨범

day
06

✳적기 공급(just in time)은 주요 세계 기업(major global firms)이 차용하고 있는 유통 전략(distribution strategy)이다. 이는 재고품(inventory)과 운송 비용(carrying costs)을 줄임으로써 기업의 이익(company's bottom-line)을 증진(boost)시키는 데 기여하며, 자금을 풀게한다(free up cash). 즉, 자금을 유통시켜 사업의 발전에 기여(contribute)하게 한다.

☐ **attribute**
[ətríbjuːt]

[at~에 + **tribute**(원인을) 주다]　　ⓝ 속성, 특성
ⓥ 1. ~ 덕분으로 보다, ~의 탓으로 하다　2. 작품으로 여기다

05 Many people are **attributing** the warmer winters to global climate change.

⊕ plus　attributable　a. ~가 원인인, ~에 기인하는

☐ **contribute**
[kəntríbjuːt]

[con(남과)함께 + **tribute**(나누어) 주다]　　ⓥ 1. 기부하다　2. ~의 원인이 되다

06 Dining with friends **contributes** to consuming more calories.　08 평가원

⊕ plus　contribution　n. 기부, 기여

☐ **tribute**
[tríbjuːt]

[**tribute**갖다 주는 것]　　ⓝ 감사의 표시, 공물

07 The statue erected at City Hall was in **tribute** to one of New York's most beloved mayors.

⊕ plus　tribute album　n. 헌정 앨범
retribution　n. 응징, 징벌

예문해석　**04** 그 지원자는 그의 마지막 직업에 대해 질문받았을 때 말을 **얼버무려서** 결국 그 일자리를 얻을 수 없었다. **05** 많은 사람들은 더 따뜻해진 겨울을 지구 온난화 **탓으로 돌린다. 06** 친구들과 저녁식사를 하는 것은 칼로리를 더 많이 소비하는데 **기여한다. 07** 시청에 세워진 조각상은 뉴욕에서 가장 사랑받았던 시장 중 한 명에게 **헌정**된 것이었다.

＊ 어원 summary

CEPT
잡다
take

con + **ceive**
강조 개념을 잡다
=conceive
상상하다, 생각하다

data capture
데이터 수집

susceptibility test
감수성 검사

＊ 유로(euro)는 유럽 통화 동맹(European Monetary Union)을 창설하고자 했던 11개국이 1991년 고안(conceive)했다. 이후 2002년 1월 1일에 유로가 성립되었으며(come into existence) 현재는 3억 명이 넘는 유럽인들이 사용하고 있다. 다음 주요 통화(major currency)가 무엇이 될지 누가 상상(conceive)할 수 있을까? 하지만 당신은 가까운 미래에 놀라운 소식을 듣게 될지도(receive surprising news) 모른다.

☑ **concept**
[kánsept]

[con완전히(강조) + **cept**(생각을) 잡은 것] 　ⓝ 개념, 구상

08 Some students failed to grasp even the simplest mathematical **concepts**.

⊕plus conception n. 구상
　　　 conceit n. 자만, 자부심

☑ **capture**
[kǽptʃər]

[**capt**잡다 + ure(동사/명사)] 　ⓥ 붙잡다 ⓝ 포획

09 The technique of suggestion, which **captures** people's minds, plays a key role in the process. 09 평가원

⊕plus captivity n. 감금, 억류

☑ **deceit**
[disíːt]

[de(부정적) + **ceit**잡다 (속이다)] 　ⓝ 사기, 기만

10 When induced to give spoken or written witness to something they doubt, people will often feel bad about their **deceit**. 12 평가원

⊕plus ＝ deception, fraud
　　　 deceitful a. 기만적인, 사기의

☑ **receptive**
[riséptiv]

[re다시, 되돌려 + **cept**받다 + ive(형용사)] 　ⓐ 수용하는, 잘 받아들이는

11 The defining moments of our lives are usually not the passive, **receptive**, or relaxing times. 11 수능

⊕plus reception desk n. 접수처, 프론트

예문해석 **08** 몇몇 학생들은 가장 간단한 수학적 **개념**조차 이해하지 못했다. **09** 사람들의 마음을 **사로잡는** 제안의 기술은 그 과정에서 중요한 역할을 한다. **10** 사람들은 확신하지 못하는 무언가에 대해 구술 혹은 서면으로 증언을 하도록 유도당했을 때, 자신이 **기만** 당하고 있다는 것에 대해 안 좋은 기분을 느낄 것이다. **11** 우리 인생의 결정적인 순간은 보통 수동적이고, **수용적**이며, 느긋한 순간이 아니다.

☑ **per·ceive**
[pərsí:v]

[per철저히 + ceive잡다]　ⓥ 1. 감지하다, 알아차리다　2. 이해하다, 파악하다

12 Children who do badly on school tests often **perceive** themselves to be failures, but that is not true.　11 평가원

⊕plus　perception　n. 지각, 인식

☑ **sus·cep·tible**
[səséptəbəl]

[sus아래에서 + cept잡을, 떠받칠 + ible수 있는]　ⓐ 영향을 받기 쉬운, 민감한

13 Infants and older people are more **susceptible** to infections.

⊕plus　susceptibility　n. 민감

day
06

✳ 어원 summary

SUME
취하다
take

con + **sume**
강조　취하다
=consume
1. 소비하다　2. 먹다, 마시다

assumed name
가명
consumer goods
소비재

✳물은 가장 귀중한 자원(resource)이다. 담수 공급(fresh water supply)이 되지 않으면 우리는 살 수 없다. 인구 증가(population growth)와 함께 담수의 소비(consumption)도 증가하고 있지만 강수 패턴(rainfall patterns)이 변하고 있어, 우리의 미래는 더 위기에 처한(perilous) 상태. 전문가들은 사용 가능한 물이 곧 고갈(deplete)될 것이라 추측(presume)하며, 수자원 보호(protection of water resources)를 위한 국제적인 방안 모색을 재개(resume)해야 한다고 주장한다.

☑ **as·sume**
[əsjú:m]

[as~쪽으로 + sume취하다]　ⓥ 1. (사실이라고) 추정하다
2. (임무를) 맡다, 책임지다　3. ~인 체하다

14 To **assume** that dreams about death are a premonition of actual death is a mistake.　12 수능

⊕plus　assumption　n. 추정
assumably　ad. 아마

☑ **pre·sume**
[prizú:m]

[pre미리 + sume(생각을) 취하다]　ⓥ 추정하다, 간주하다

15 Darwin's theories of evolution **presume** that individuals should act to preserve their own interests.　12 평가원

⊕plus　presumptuous　a. 주제 넘은, 건방진

예문해석　12 학교 시험 성적이 좋지 못한 아이들은 종종 스스로를 실패자로 **인지한다**. 하지만 그것은 사실이 아니다. 13 유아와 노인은 감염에 보다 더 **취약하다**. 14 죽음에 관한 꿈이 실제 죽음의 예지몽이라고 **가정하는** 것은 실수이다. 15 다윈의 진화론은 개인이 스스로의 이익을 지키기 위해 행동해야 한다고 **가정한다**.

☑ **resume**
[rizú:m]

[re(쉬었다가)다시 + **sume**(일을 손에) 잡다]　　ⓥ 다시 시작하다, 재개하다

16 If our situation changes, we will call you to **resume** delivery.
`11 수능`

⊕plus résumé n. 이력서

※ 어원 summary

CORD
심장, 마음
heart

ac + **cord**
～으로 (하나의)마음
=accord
일치하다, 조화시키다

false concord
불일치

concordance
용어 색인

*플라자 합의(the Plaza Accord)는 통화 시장(currency market)에 개입(intervene)하여 달러가치를 떨어뜨리기(depreciate) 위한 G5 국가 간의 합의(agreement)이다. 달러가치는 일본 엔화 대비 51% 하락하여 이 합의는 주된 목적을 성취했지만, 사람들이 달러 표시 자산을 급히 청산하려고 함에 따라 시장에 불화(discord)가 일어났다.

☑ **discord**
[dísko:rd]

[dis부정, 반대 + **cord**(같은) 마음] ⓝ 불일치, 불화 ⓥ 일치하지 않다, 불화하다

17 The proposal to construct a maximum security prison was the source of **discord** among leaders of our community.

⊕plus concord n. 일치, 조화

☑ **core**
[kɔ:r]

[**core**심장] ⓝ 응어리, 핵심 ⓐ 핵심의, 중심적인

18 Acquiring 2,000 **core** words will allow you to understand 80 or 90 percent of everything in English. `06 평가원`

☑ **accordingly**
[əkɔ́:rdiŋli]

[ac(to)～으로 + **cord**(하나의) 마음 + ing(형용사) + ly(부사)] ⓐⓓ 따라서, 그러므로

19 Our team of researchers are among the best in their respective fields and are paid **accordingly**.

⊕plus in accordance with ～를 따라

☑ **cordial**
[kɔ́:rdʒəl]

[**cord**마음(으로부터) + ial의] ⓐ 진심의, 다정한

20 We happily accepted the couple's **cordial** invitation to a dinner party at their home.

예문해석 **16** 저희 상황이 바뀌게 되면, 배송을 **재개하기** 위해 전화 드리겠습니다. **17** 경비가 삼엄한 교도소를 건설하는 제안은 우리 지역 공동체 리더들 사이에 **불화**의 원인이었다. **18** 2,000개의 **핵심** 단어를 습득하면 영어의 80~90%를 이해할 수 있을 것이다. **19** 우리 팀 연구원들은 그들 각각의 분야에서 최고이고 **그에 따라서** 급여를 받는다. **20** 우리는 그 커플의 집에서 하는 저녁 식사 파티라는 **따뜻한** 초대에 흔쾌히 응했다.

✳ 어원 summary

PATHY
감정, 고통
feeling

sym + **path** + ize
같은　　감정　　동사
=sympathize
동정하다, 공감하다

sympathy effect
동정 효과

apatheism
종교나 신의 존재에 대한 무관심

✳타인을 동정하는(sympathetic) 일보다 사회의 어떤 측면에 동정심을 느끼기가 더 쉽다. 집이 없는 거리의 아이들(street children)이야 말로 당신의 동정(sympathy)이 진정으로 필요한 아이들이다. 집에서 쫓겨나 거리에 살게 되면서 아이들은 비참(wretched)하고, 폭력적(violent)이며 가망이 없는(hopeless) 삶을 살고 있다.

☑ **antipathy**
[æntípəθi]

[anti반대하는 + **pathy**감정]　　　　　ⓝ 반감, 혐오

21 There should be mediation involving other countries to avoid bringing about more **antipathy** between the two continents.

⊕ **plus**　⊜ aversion, distaste, hostility

☑ **apathy**
[ǽpəθi]

[a없음 + **pathy**감동, 감정]　　　　　ⓝ 무감정, 무관심

22 There is a growing **apathy** among the voters, since neither candidate is an attractive choice.

⊕ **plus**　empathy　n. 감정이입, 공감
　　　　　sympathy　n. 공감, 동정

☑ **passion**
[pǽʃən]

[pass(강한)느낌 + ion(명사)]　　　　　ⓝ 열정, 열애

23 I think the most important aspect of success has to do with finding a real **passion** for something in life.　`05 평가원`

⊕ **plus**　passionate　a. 열정적인
　　　　　compassion　n. 동정, 동정심

☑ **pathetic**
[pəθétik]

[path느낌, 고통 + etic(형용사)]　　　ⓐ 1. 불쌍한, 가슴 아픈　2. 한심한

24 You should avoid using words like "**pathetic** excuses" to anyone you are talking to.

⊕ **plus**　⊜ sympathetic, compassionate
　　　　　pathos　n. 비애감, 동정, 연민

`예문해석`　**21** 두 대륙 사이에는 더 이상 **반감**을 갖는 것을 피하도록 다른 나라들이 중재해야 한다.　**22** 유권자들 사이에는 어떤 후보도 매력적인 선택이 아니기 때문에 **무관심**이 증가하고 있다.　**23** 나는 성공의 가장 중요한 측면이 삶에서 무언가를 향한 진정한 **열정**을 발견하는 것과 관련 있다고 생각한다.　**24** 당신이 얘기하고 있는 누군가에게 '**한심한** 변명'이라는 말은 쓰지 않도록 해야 한다.

✳ 어원 summary

SPIRE
숨쉬다
breathe

in + spire
안에다 (생각을)불어넣다
=inspire
고무하다, 영감을 주다

respiratory system
호흡계
conspiracy theory
음모설

✳우리는 때로 우리가 더 나은 삶을 살도록 고무시키는(inspiring) 사람들의 이야기를 듣게 된다. 마하트마 간디(Mahatma Gandhi)는 한 세대를 고취시켰다(inspired a generation). 그는 사람들이 스스로가 이등 시민(second-class citizens)이 아니며, 더 가치있고 평등하다고 믿도록 영감(inspiration)을 주었다. 그가 살았던 시대는 변화를 위한 적절한 시기(right for change)였으며, 그는 그 변화를 촉발(trigger)시키는 역할을 한 것이다.

☑ **aspire**
[əspáiər]

[a~을 향해 + spire가쁜 숨을 쉬다]　　　ⓥ 열망하다, 포부를 가지다

25 You will meet a number of film students who **aspire** to be documentary makers at the film festival.

⊕plus aspiration n. 포부, 큰 뜻

☑ **conspiracy**
[kənspírəsi]

[con함께 + spir(e)숨쉬다 + acy(명사)]　　　ⓝ 음모, 공모

26 The investigators uncovered a **conspiracy** to assassinate a senior member of Parliament.

⊕plus conspire v. 공모하다, 음모를 꾸미다

☑ **expire**
[ikspáiər]

[ex밖으로 + (s)pire(죽기 전에 마지막) 숨을 쉬다]　　　ⓥ 만기가 되다

27 James went to the airport without knowing his passport **expired** last month.

⊕plus expiration n. 만료, 만기

☑ **perspire**
[pərspáiər]

[per(피부를) 통과하여 + spire숨쉬다]　　　ⓥ 땀을 흘리다

28 The actors were **perspiring** heavily under the stage lights.

⊕plus perspiration n. 땀(= sweat)

☑ **respiration**
[rèspəréiʃən]

[re다시, 계속 반복해서 + spir(e)숨쉬다 + ation(명사)]　　　ⓝ 호흡

29 When someone cannot breathe properly, you need to perform artificial **respiration**.

예문해석 **25** 당신은 영화제의 다큐멘터리 제작자가 되기를 **열망하는** 영화를 공부하는 학생들을 많이 만나게 될 것이다. **26** 조사원들은 의회의 고위 간부들을 암살하려는 **음모**를 밝혀냈다. **27** James는 여권이 **만료된** 것을 모른 채 공항으로 갔다. **28** 그 연기자들은 무대 조명 아래서 심하게 **땀을 흘리고** 있었다. **29** 만약 누군가가 호흡 곤란을 겪고 있다면, 당신은 인공 **호흡**을 실시해야 할 것이다.

A 다음 단어에 해당하는 우리말을 쓰시오.

01 distribute ________________
02 equivocate ________________
03 tribute ________________
04 conceive ________________
05 presume ________________
06 consume ________________
07 capture ________________
08 accordingly ________________
09 pathetic ________________
10 conspiracy ________________

B 다음 단어에 해당하는 영어단어를 쓰시오.

01 기부하다, 기여하다 ________________
02 동등하게 하다 ________________
03 수용하는 ________________
04 사기, 기만 ________________
05 일치하다, 조화시키다 ________________
06 무감정, 무관심 ________________
07 땀을 흘리다 ________________
08 고무하다, 영감을 주다 ________________
09 진심의, 다정한 ________________
10 열망하다 ________________

C 한글 뜻에 맞는 어휘를 찾아서 ✓ 하세요.

01 ☐ adequate / ☐ equivocal — amounts of food — 충분한 양의 음식

02 the date contract will — ☐ expire / ☐ inspire — 계약이 만기될 날짜

03 ☐ deceit / ☐ perceive — possible threats — 가능한 위험을 감지하다

04 ☐ assume / ☐ resume — control of a situation — 상황 통제임무를 맡다

05 ☐ apathy / ☐ antipathy — towards a rival team — 경쟁 팀에 대한 적대감

D 다음 문맥에 알맞은 단어로 가장 적절한 것을 고르시오.

01 It is useful to remember that 1.6 kilometers is **[ambivalent/equivalent]** to one mile when traveling across the United Kingdom or the United States.

02 The keynote speaker will discuss the most important **[attributes/distribution]** to look for when hiring new staff members.

03 Children and adults alike are both more **[susceptible/suspicious]** to the common cold in the fall and winter than other seasons of the year.

04 The football game is scheduled to **[assume/resume]** after a twenty minute halftime break.

05 The injuries to the passenger's chest and lungs made **[respiration/perspiration]** difficult after the traffic accident.

어원 (7) Word roots 법률과 범죄

● duct/duce ● valid ●
● cred ● leg ● test ● heir ●
● just/judi ● crim ●

Preview

● Lavender and green apple are among the best smells to help lower anxiety and **induce** sleep.
● The bacteria **prevail** until doctors discover an antibiotic that can kill most of them.
● Worries about your health and safety are **legitimate** concerns that many people share.

 어원 summary

DUCT
(=duce)
이끌다
lead

re + pro + **duce**
다시 앞으로 이끌다
=reproduce
복사하다, 번식하다

reproductive organ
생식 기관
deductive approach
연역적 접근

*상업화(commercialization)는 반 고흐(Van Gogh)의 그림을 끊임없이 대량생산(mass production)하는 결과를 낳았다. 마찬가지로, 복제품(art reproduction)을 제작(fabricate)하는 제조업자들과 그것을 구매하는 소비자들은 그 작품들을 대중화시키면서 작품의 가치를 높인다. 역설적으로 그것들은 진품의 고유성(uniqueness)을 희석시키면서 금전적인 가치를 떨어뜨린다(deduct).

☑ **conduct**
[kəndʌ́kt]

[con(모두를) 함께 + **duct**끌고 가다]

ⓥ 1. 행동하다, 수행하다
2. 인도하다, 지휘하다

01 The reputation of an airline will be damaged if a survey is **conducted** just after a plane crash. ▎10 수능

☑ **deduct**
[didʌ́kt]

[de(금액, 값을) 아래로 + **duct**끌어내리다]

ⓥ 빼다, 공제하다

02 When you make a transaction with this debit card, the amount owed will be immediately **deducted** from your bank account.

☑ **abduct**
[æbdʌ́kt]

[ab(강제로) 멀리 + **duct**데려가다]

ⓥ 유괴하다, 납치하다

03 My sister claims to have been **abducted** by aliens, but no one believes her.

⊕plus abduction n. 유괴, 납치

예문해석 **01** 만약 조사가 비행기 추락사고 직후에 **수행된다면** 항공사의 평판은 나빠질 것이다. **02** 이 직불 카드로 거래할 때, 빚진 금액이 즉시 당신의 은행 계좌에서 **빠져나갈** 것이다. **03** 내 여동생은 외계인에게 **납치되었다고** 주장하는데, 아무도 그녀를 믿지 않는다.

☑ **induce**
[indʒúːs]

[in안으로 + duce이끌다]   ⓥ 1. 유도하다, 귀납추론하다 2. 야기하다

04 Lavender and green apple are among the best smells to help lower anxiety and **induce** sleep. 12 평가원

➕plus seduce v. 유혹하다, 꾀어 ~하게 하다

☑ **deduce**
[didʒúːs]

[de(이미 알려진 사실로부터) 아래로 + duce(결론을)이끌어내다]   ⓥ 추론하다, 연역하다

05 From the rotting food in the fridge, the detective **deduced** no one had been living in the house for some time.

day
07

☑ **conducive**
[kəndʒúːsiv]

[con함께 + duc(특정 목표까지) 이끌다 + ive(형용사)]   ⓐ ~에 좋은, ~에 도움이 되는

06 The noisy environment of the dorms was not very **conducive** to studying.

☑ **aqueduct**
[ǽkwədʌkt]

[aque물을 + duct이끌다(운반하다)]   ⓝ 송수로

07 The Romans built **aqueducts** to carry water to villages far from rivers or streams.

✳ 어원 summary

VALID
강하다, 가치있다
be strong, be worth

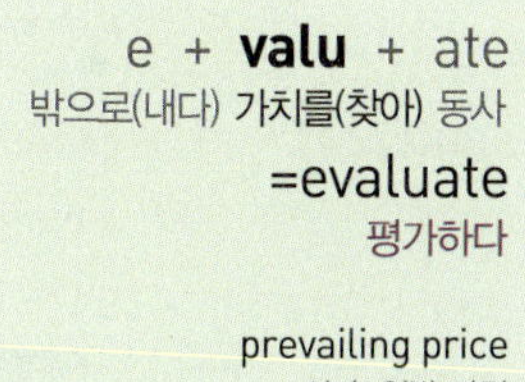

*색깔(color), 선명도(clarity), 컷(cut), 캐럿(carat)이라는 4C는 다이아몬드의 질을 평가(evaluate)하는 데 사용된다. 다이아몬드의 가치(value)를 평가하는 것의 복잡한 단계(the level of complexity)를 고려할때, 다이아몬드의 가격을 정하는 데에는 전문가(professionals)가 필요하다. 반면에, 금의 가격은 무게(weight)와 등급(grade)에 의해 계산되므로, 금은 더 유동성이 높은 자산(liquid asset)이 되었다.

☑ **devaluation**
[dìːvæljuéiʃən]

[de(실제보다)아래로 + valuation(가치를) 평가하는 것] ⓝ 평가 절하, 가치 감소

08 The government announced a further **devaluation** of the currency.

예문해석 **04** 라벤더와 풋사과는 불안감을 낮춰주고 수면을 **유도하는데** 좋은 향기 중 하나이다. **05** 냉장고에 있는 썩은 음식으로부터, 탐정은 한동안 아무도 이 집에 살지 않았었다는 것을 **추론할** 수 있었다. **06** 기숙사의 시끄러운 환경은 공부하는 데 **도움이 되질** 않는다. **07** 로마인들은 먼 강이나 시내에서 마을로 물을 운반하기 위해서 **송수로를** 지었다. **08** 정부는 향후 통화 **가치가 떨어질** 것이라 발표했다.

☑ **valid**
[vǽlid]

[**valid**강한, 힘이 센]　　　　ⓐ 1. 유효한, 효과 있는　2. 타당한

09 This license has expired and is no longer **valid**; therefore you are not allowed to cross the border.

☑ **prevail**
[privéil]

[**pre**앞에, 먼저(= ~보다 더) + **vail**강하다]　ⓥ 1. 널리 퍼지다, 유행하다　2. 이기다

10 The bacteria will **prevail** until doctors discover an antibiotic that can kill most of them. 　07 평가원

⊕plus prevalent　a. 널리 퍼진, 유행하는, 일반적인

✱ 어원 summary

CRED
믿다
believe, trust

dis + **credit**
부정, 반대　신용
=discredit
신용을 떨어뜨리다

credit card
신용 카드

credit analyst
신용 등급 조사원

✱많은 소식통(sources)과 정부 기관(government agencies)에서는 '기후 변화(climate change)' 이야기를 계속해서 유언비어로 퍼뜨리고 있다(scare monger). 그러나 단호한 개인들로 구성된 강경 단체(hardcore group)는 이 메시지의 신용도(credit)를 떨어뜨리고, 기후 변화에 관한 주장의 기반을 약화시키면서, 신뢰도(credibility)를 하락(undermine)시키려 노력하고 있다.

☑ **credulous**
[krédʒələs]

[**cred**(너무 쉽게) 믿는 + **ulous**경향의]　　ⓐ 잘 믿는, 속기 쉬운

11 None of the employees were **credulous** enough to believe the rumors of a merger.

⊕plus incredulous　a. 의심 많은

☑ **incredible**
[inkrédəbəl]

[**in**부정 + **cred**믿다 + **ible**할 수 있는]　ⓐ 1. 대단한　2. 믿기 힘든, 의심스러운

12 Considering the habitat, it seems **incredible** that the trees live so long or even survive at all. 　11 수능

☑ **creed**
[kri:d]

[**creed**(라틴어 '나는 믿는다' 에서 유래]　　ⓝ 신념, 신앙고백

13 The doctors at this hospital follow a **creed** that requires them to only act for the benefit of their patients.

⊕plus accredit　v. 인정하다, 신임하다

예문해석　**09** 이 허가증은 만료되어, 더 이상 **유효하지** 않기 때문에 당신은 국경을 넘어갈 수 없다. **10** 의사가 박테리아의 대부분을 죽일 수 있는 항생제를 발견하기 전까지 박테리아는 **만연할** 것이다. **11** 어떤 직원도 합병에 대한 소문을 믿을 만큼 **잘 속지는** 않았다. **12** 나무의 서식지를 고려했을 때, 나무가 그렇게 오래 살았다는 것, 아니 살아 남았다는 것 자체가 **대단한** 듯하다. **13** 이 병원의 의사들은 오로지 환자들의 이익을 위해서만 행동하기를 요구하는 **신념**을 따른다.

어원 summary

LEG
법
law

leg + al
법　　형용사
=legal
법률의, 합법의

legislative council
상원, 입법부

legislative veto
의회의 거부권

*로우 대 웨이드 사건(**Roe vs Wade**)(1973)은 미국 역사상 가장 큰 분쟁을 초래한(**divisive**) 판결(**ruling**)이었으며, 낙태(**abortion**)에 초점을 맞추고 있다. 판결은 여성이 낙태(**abortion**)할 법적 권리(**legal right**)가 있다고 법률로 제정(**legislate**)했다. 오늘날, 어느 정도까지 낙태가 합법적(**legal**)이며 누가 그 합법성(**legality**)을 결정할 지에 관한 논쟁(**debate**)은 여전히 진행 중이다.

day 07

☑ **legacy**
[légəsi]

[**leg**위임하다 + acy(명사)]　　　ⓝ 유산, 조상의 유물

14 My grandmother died and left me a small **legacy**.

☑ **legislation**
[lèdʒisléiʃən]

[**leg(i)**법 + slat(e)동사 + ion(명사)]　　　ⓝ 법률 제정, 입법 행위

15 She had introduced **legislation** for protecting the environment, and they passed the legislation this week.

⊕plus legislative　a. 입법의, 입법부의

☑ **legitimate**
[lidʒítəmit]

[**legi**법 + timate(형용사)]　　　ⓐ 합법적인, 타당한, 적당한

16 Worries about your health and safety are **legitimate** concerns that many people share. 12 수능

어원 summary

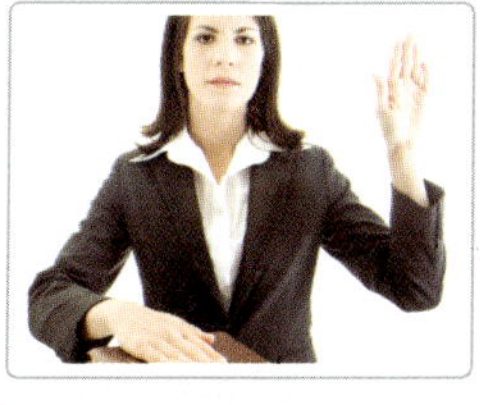

TEST
증인, 증언하다
witness

test + ify
증인을　만들다
=testify
증언하다

Attestation Clause
선서 약관

Protestant
개신교

*국회 위원회 청문회(**congressional committee hearing**)에서 위원회 구성원들은 다양한 정보원(**a wealth of sources**)으로부터 증언(**testimonials**)을 듣는다. 그들은 문제가 되는 주제를 충분히 이해하기 위해 청문회를 진행하는데, 이는 어떻게 문제에 대응해야 하고 그 문제가 어떤 영향(**repercussion**)을 초래할지 국회(**congress**)에 자문할 수 있도록 하기 위한 것이다.

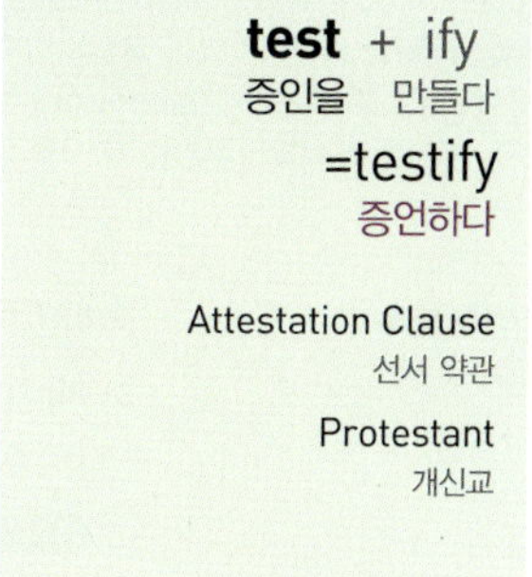

예문해석 **14** 우리 할머니는 돌아가실 때 나에게 작은 **유산**을 남기셨다. **15** 그녀는 환경 보호 **법안**을 소개했고, 그들은 이번 주에 그 법안을 통과시켰다. **16** 건강과 안전에 대한 걱정들은 많은 사람들이 공유하는 **타당한** 관심이다.

☑ **testimony**
[téstəmouni]

[testi증인 + mony행동, 상태] ⓝ 증언, 증거

17 The popularity of diet fads is a **testimony** to the fact that people want a quick fix for their health and weight problems.

➕ plus testimonial n. 추천서, 기념물

☑ **attest**
[ətést]

[at~을 향해 + **test**(사실을) 증언하다] ⓥ 입증하다, 증언하다

18 The witness **attested** to the truth of the defendant's statement.

☑ **contest**
[kántest]

[con(증인들이)함께(서로 옳다고) + **test**(법정에서) 증언하다] ⓝ 경쟁, 논쟁 ⓥ 논쟁하다

19 You see the world as one big **contest**, where everyone is competing against everybody else. II 수능

☑ **protest**
[prətést]

[pro(사람들)앞에서 + **test**증언하다 (주장하다)] ⓥ 반대하다 ⓝ 항의, 시위

20 More and more citizens are joining the **protest** against the government's decision to raise income taxes.

✳ 어원 summary

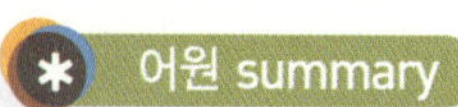

HEIR
상속인
heir

here(s) + **dity**
상속인   것(명사)
=heredity
상속, 유전

heir at law
법정 상속인

hereditary disease
유전병

✱ 상속세(heredity tax)는 정당한가? 자손(offspring)이나 상속자(heir)에게 물려주는 것은 비과세(tax free)가 되어야 할까? 상위 계층(the upper class)은 상속세(inheritance tax)를 피하기 위해 법의 헛점(loophole)을 이용하고 있다. 등록이 되지 않는(unregistered) 금이나 다이아몬드와 같은 귀중품(precious item)을 구매하는 것이다. 이렇게 하면 세금(tax)을 내지 않고도 부를 상속할 수 있다.

☑ **heiress**
[έəris]

[heir상속인 + ess(여성명사)] ⓝ 상속녀, 여자 상속인

21 Hilton will be a hotel **heiress**, but nobody can say if she will be happy.

➕ plus heir n. (남자) 상속인, 계승자

예문해석 **17** 다이어트 열풍의 인기는 사람들이 건강 및 체중 문제에 대해 즉각적으로 효과가 있는 해결책을 원하고 있다는 **증거**이다. **18** 목격자는 피고의 진술이 사실임을 **증언했다**. **19** 당신은 세상을 만인이 만인과 경쟁하는 커다란 **경쟁의 장으로** 여긴다. **20** 점점 더 많은 시민들이 소득세 인상을 결정한 정부에 반대하는 **시위**에 참여하고 있다. **21** Hilton은 호텔 **상속녀가** 될 것이지만, 아무도 그녀가 행복할 것이라 말할 수 없다.

☑ **here**ditary
[həɾédətèɾi]

[**heredit**상속되는 + ary(형용사)]   ⓐ 유전성의, 세습의

22 North Korea seems to be keeping its **hereditary** succession of power.

⊕plus heredity n. 유전, 세습

☑ **heritage**
[héɾitidʒ]

[**herit**상속하다 + age(명사)]   ⓝ 세습재산, 유산

23 The child acquires the **heritage** of his culture by observing and imitating adults.　**Ⅱ 수능**

⊕plus blood heritage n. 혈통

day 07

☑ **in**herit
[inhéɾit]

[in만들다 + **herit**상속인(으로)]   ⓥ 상속하다, 물려받다

24 Violet, the oldest of the sisters, was supposed to **inherit** her parents' money.

⊕plus inheritance n. 유산, 상속
　　　 disinherit v. 상속권을 박탈하다

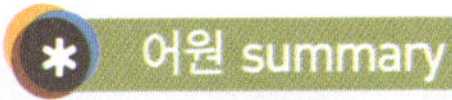

어원 summary

JUST
(=judi)
법, 올바름
law, right

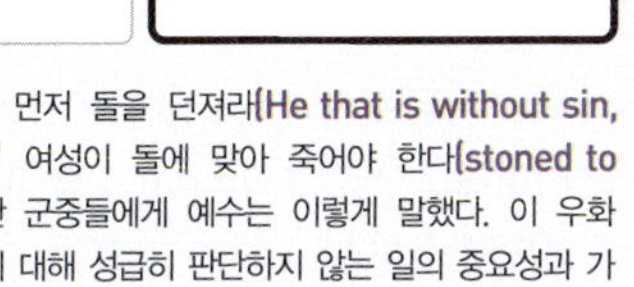

ju + dg + ment
법을　말하다　명사
=judgment
판결, 판단(력)

juridical days
재판일

Chief Judge
수석 판사

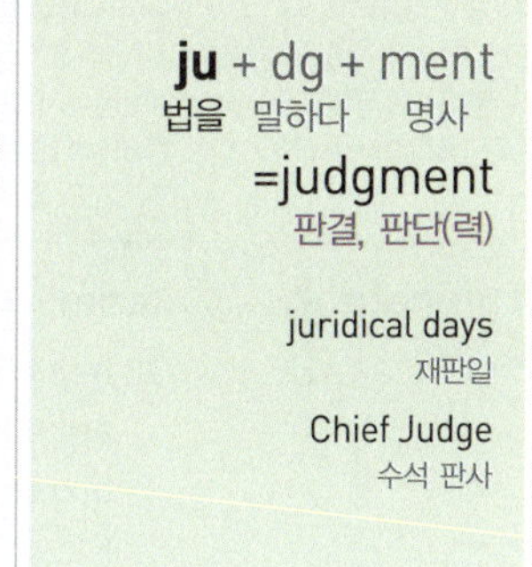

* "죄가 없는 자는 누구든 먼저 돌을 던져라(He that is without sin, cast the first stone)," 여성이 돌에 맞아 죽어야 한다(stoned to death)고 판단(judge)한 군중들에게 예수는 이렇게 말했다. 이 우화(parable)는 다른 사람에 대해 성급히 판단하지 않는 일의 중요성과 가지고 있는 정보가 틀릴 수 있기 때문에 자비(mercy)를 가지고 형을 감해 주는 것(reducing a sentence)이 훌륭한 일이라는 점을 강조한다.

☑ **judicious**
[dʒuːdíʃəs]

[**ju**법 (올바름) + dic말하다 + ious(형용사)]   ⓐ 분별력 있는, 현명한

25 A **judicious** mother makes sure that her children are properly dressed for the weather before letting them go outside.

⊕plus prejudice n. 선입견, 편견
　　　 judicial a. 사법의, 재판의

예문해석 **22** 북한은 권력 **세습**을 유지할 것으로 보인다. **23** 그 아이는 성인을 관찰하고 흉내내면서 자신이 속한 문화 유산을 습득한다. **24** 그들 자매 중 가장 맏이인 Violet이 원래 그녀 부모님의 재산을 **물려받도록** 되어 있었다. **25 현명한** 어머니는 아이들을 밖으로 나가게 하기 전에 날씨에 맞게 적절히 옷을 입었는지 확인한다.

☑ **jurisdiction**
[dʒùərisdíkʃən]

[**juris**법을 + diction말하는 것]　　　　ⓝ 사법권, 관할

26 This court does not have **jurisdiction** over crimes committed in another state.

➕ **plus** jury n. 배심원단

☑ **justify**
[dʒʌ́stəfài]

[**just**올바른 + ify(동사)]　　　　ⓥ 정당화하다

27 Many people use their cleverness to **justify** and excuse themselves for the messiness of their workspaces.　12 수능

✲ 어원 summary

CRIM
범죄
crime

de + **criminal** + ize
반대　　유죄로　　만들다
=decriminalize
처벌 대상에서 제외하다

criminal law
형(사)법

common criminal
상습범

✲ 범죄(crime)란 불법적인 행위(illegal activity)로 정의된다. 하지만 만약 어떤 사람이 외국에서 합법적인 행동(legal action)을 저질렀는데, 같은 행동(the same action)이 자국에서는 범죄(crime)로 취급받는다면, 이 사람은 범죄자라고 해야 할까? 한국 정부는 미국계 한국인 래퍼를 암스테르담(Amsterdam)에서 마리화내(marijuana)를 핀 죄로 고발(charge)했다. 이는 정당(fair)한가?

☑ **criminate**
[krímənèit]

[**crimin**죄를 + ate만들어 씌우다]　　ⓥ ~에게 죄를 지우다, 고발하다

28 In exchange for a reduced sentence, the mafia henchman agreed to **criminate** high ranking members of the organized crime family.

☑ **incriminate**
[inkrímənèit]

[in~에게 + **criminate**죄를 씌우다]　　ⓥ 죄를 씌우다, 말려들게 하다

29 The suspect's fingerprints at the crime scene **incriminated** him.

☑ **recriminate**
[rikrímənèit]

[re되받아 + **criminate**죄를 씌우다(비난하다)]　ⓥ 되받아 비난하다, 맞고소하다

30 The political debate featured the candidates throwing **recriminations** at one another, without either providing possible solutions to their nation's woes.

예문해석 **26** 이 법정은 다른 주에서 일어난 범죄에 대해서는 **관할권**이 없다. **27** 많은 사람들은 지저분한 근무장소를 스스로에게 **정당화하고**, 이에 대해 변명하기 위해 영리함을 이용한다. **28** 감형의 대가로, 마피아의 심복은 범죄 조직에서 높은 서열에 있는 조직원의 **유죄를 증명하기로** 동의했다. **29** 범죄 현장에 있는 용의자의 지문은 그를 **유죄인 것처럼 보이게 했다**. **30** 정치적 논쟁은 나라의 문제에 대한 가능한 해결책을 제공하지 않은 채, 후보자들의 서로에 대한 **비난**을 특징으로 했다.

A 다음 단어에 해당하는 우리말을 쓰시오.

01 deduct ___________
02 valid ___________
03 legacy ___________
04 jurisdiction ___________
05 heiress ___________
06 testify ___________
07 aqueduct ___________
08 legal ___________
09 inherit ___________
10 testimony ___________

B 다음 단어에 해당하는 영어단어를 쓰시오.

01 추론하다, 연역하다 ___________
02 평가하다 ___________
03 신용을 떨어뜨리다 ___________
04 법률 제정 ___________
05 반대하다, 항의, 시위 ___________
06 정당화하다 ___________
07 처벌 대상에서 제외하다 ___________
08 대단한, 믿기 힘든 ___________
09 유괴하다, 납치하다 ___________
10 복사하다, 번식하다 ___________

C 한글 뜻에 맞는 어휘를 찾아서 ✔ 하세요.

01 ☐ conduce / ☐ conduct business in a professional manner 전문가적인 태도로 업무를 수행하다

02 being ☐ judicious / ☐ judgmental with money 돈에 대한 신중함

03 medication to ☐ induce / ☐ abduct vomiting 구토를 유도하는 약

04 ☐ prevail / ☐ evaluate over adversity 역경을 이겨내다

05 ☐ contest / ☐ attest to the benefits of yoga 요가의 유익함을 입증하다

D 다음 문맥에 알맞은 단어로 가장 적절한 것을 고르시오.

01 Open communication and honesty are **[reproductive/conducive]** to a healthy relationship between two people.

02 The **[devaluation/validity]** of the U.S. dollar has made the United States a more favorable destination for overseas travelers.

03 Insurance companies cannot afford to be **[credulous/credible]** when receiving a claim from one of their customers.

04 Few political experts viewed the inexperienced candidate as a **[legitimate/legislative]** threat to the incumbent.

05 Color blindness and other **[heterosexual/hereditary]** diseases are passed from a parent to its offspring through defective genes.

어원 (8) Word roots　진행과 흐름(流)

- fl • cur • vent •
- cede/cease •
- grad/gress •
- vade •

Preview

- The teacher tries to make her students understand that themes **recur** throughout classical music.
- Lower pesticide costs, higher yields, and higher **revenues** made the transgenic crop more profitable.
- It is a mistake to imagine that when we see the non-value in a value, the value **ceases** to exist.

✳ 어원 summary

FL
흐르다
flow

flu + id
흐르다 형용사
=fluid
유동체(액체, 기체), 유동적인

fluid assets
유동 자산
flow velocity
유속(流速)

* 최근의 연구는 양수(**amniotic fluid**)(임신한 여성의 양막낭에 들어 있는 물로서 아이에게 영양을 공급하고 아이를 보호하기 위한 것)에 상당한 양의 줄기 세포(**stem cells**)가 함유되어 있다는 것을 보여준다. 이 양막의 줄기세포는 다양한 형태로 분화될 수 있으며 다양한 세포 형태로 발달할 수 있어서, 향후 신체에 응용(**application**)하는 데 유용할 것이다.

☑ **float**
[flout]

[float떠오르다]　　　　　ⓥ 1. 뜨다, 띄우다　2. 방황하다, 헤매다

01 Brightly colored toys **floated** north and west along the Alaskan coast and across the Bering Sea. 12 수능

　⊕plus　float around　(소문 등이) 떠돌아다니다
　afloat　a. 물에 떠서, 불안정하여

☑ **fluent**
[flúːənt]

[flu(말 등이)(물)흐르듯 + ent한]　　　ⓐ 1. 유창한　2. 완만한, 유연한

02 I was quite impressed by Gladwell's **fluent** and uncomplicated style of writing.

　⊕plus　fluency　n. 유창성
　affluent　a. 풍부한, 부유한

예문해석　**01** 밝은 색상의 장난감은 알래스카 해안을 따라 북쪽으로, 서쪽으로 **떠다니다가** 베링 해협을 건너갔다. **02** 나는 Gladwell의 **유창하고** 간결한 문체에 매우 감명 받았다.

☑ **influenza**
[ìnfluénzə]

[in(나쁜 기운이)안으로 + **fl**흘러(들어오다) + (u)enza(명사)]

ⓝ 유행성 감기, 독감

03 Why should my aunt die of **influenza**? She has just come through pneumonia without a struggle the year before.

☑ **fluctuate**
[flʌ́ktʃuèit]

[**fluctu**(파도처럼) 물결치다 + ate(동사)]

ⓥ 변동하다, 오르내리다

04 Recent crude oil prices have **fluctuated** between $100 and $130 US dollars per barrel.

➕plus fluctuation n. 변동, 오르내림

☑ **influx**
[ínflʌ̀ks]

[in안으로 + **flux**흐르다]

ⓝ 유입, 쇄도

05 The quiet mountain town becomes more lively each year during the winter **influx** of skiers.

➕plus flux n. 1. 유동 2. 지속적인 변화

☑ **superfluous**
[su:pə́rfluəs]

[super위로 + **flu**(넘쳐)흐르 + ous는]

ⓐ 여분의, 불필요한

06 Try not to include any **superfluous** remarks in your official report.

☑ **influential**
[ìnfluénʃəl]

[in안으로 + **flu**흐르다 + ential(형용사)]

ⓐ 영향력 있는

07 Edwin Armstrong is often considered the most prolific and **influential** inventor in radio history. `12 평가원`

➕plus influence n. 영향, 영향력

✱ 어원 summary

CUR
달리다
run

cur(r) + ent
달리다(흐르다) 형용사

=**current**
현재의, 흐름, 경향

electric current
전류

current affairs
시사(정치적, 사회적 사건)

✱과학자들에 따르면, 지구온난화(**global warming**)는 해류(**ocean currents**)에 영향을 미치기 시작했으며 이는 기상 패턴과 물고기의 이동 경로에 악영향(**detrimental impact**)을 미칠 수 있다고 한다. 아이러니하게도, 북아메리카 대륙의 해류가 지구 온난화로 인해 증가하는 융빙(**glacial melt**)에 의해 방해 받는다면, 유럽에 또 다른 빙하기(**ice age**)가 찾아올 수도 있다.

예문해석 **03** 왜 우리 숙모가 **독감**으로 죽어야 하는가? 숙모는 재작년에 폐렴에서 완전히 극복한 지 얼마 안된 상태이다. **04** 최근 원유 가격은 배럴당 100달러에서 130달러 사이를 **오르내렸다**. **05** 그 조용한 산촌은 겨울 스키객의 **유입**으로 매해마다 더 활기를 띠게 된다. **06** 공식적인 보고에서 어떤 **불필요한** 언급도 포함시키지 않도록 노력하세요. **07** Edwin Armstrong은 라디오 역사에서 종종 가장 유능하고 **영향력 있는** 발명가로 여겨진다.

☑ **incur**
[inkə́:r]

[in~를 향하여 + **cur**달리다(run)] Ⓥ (좋지 않은 상황을) 초래하다

08 He **incurred** an enormous gambling debt.

⊕ plus ＝ provoke

☑ **recur**
[rikə́:r]

[re다시, 뒤로 + **cur**달리다] Ⓥ 1. 회상하다 2. 반복되다, (문제가) 다시 제기되다

09 The teacher tries to make her students understand that themes **recur** throughout classical music. ⅠⅠ 수능

⊕ plus recurrent a. 재발하는

☑ **concur**
[kənkə́:r]

[con함께 + **cur**달리다] Ⓥ 일치하다, 동의하다

10 I'd like to **concur** with my colleague's comment about the English lectures.

⊕ plus concurrent a. 동시 발생의

☑ **excursion**
[ikskə́:rʒən]

[ex밖으로 + **cur**달리다 + sion(명사)] Ⓝ 소풍, 짧은 여행

11 My father's friend gave me a chance to take an **excursion** to Niagara Falls last year.

⊕ plus excursive a. 본론에서 벗어난, 산만한
excurrent a. 유출하는, 흘러나오는

☑ **occur**
[əkə́:r]

[oc(특정 사건이)~쪽으로 + **cur**달리다] Ⓥ 일어나다, 생기다

12 More than 70 percent of all breast cancer **occur** in women who have no known risk factors.

⊕ plus occurrence n. 발생, 사건

✳ 어원 summary

VENT
오다
come

Advent
대림절(크리스마스 전 4주)

venture capital
벤처 자금

✳ 주요 종교(**religion**) 중에 그 역사가 가장 짧은 이슬람교는 아마 그 이전의 종교보다 더 정밀하게 문서화(**document**)되어 있을 것이다. 이슬람의 출현(**advent**)은 무하마드 이븐 압둘라(서기570~632) 덕분이다. 그는 서기 610년에 최초로 코란의 계시(**Koranic revelation**)를 받았고, 서기 613년부터 이 계시를 설교하기(**preach**) 시작했다.

예문해석 **08** 그는 엄청난 도박 빚을 **지게 되었다**. **09** 그 선생님은 학생들에게 클래식 음악에서 주제가 **반복된다는** 것을 이해 시키려고 노력한다. **10** 저도 그 영어 강의에 대한 제 동료의 평에 **동의하려고** 합니다. **11** 작년에 아버지의 친구분께서 나에게 나이아가라 폭포로 **여행갈** 기회를 주셨다. **12** 70% 이상의 유방암이 위험 요인이 없는 여성에게 **생긴다**.

☑ **convene**
[kənvíːn]

[con함께(한 곳에) + vene오다]　　ⓥ 소집하다, 개최되다, 회합하다

13 A panel of investigators **convened** under the president's orders to review the case.

☑ **intervene**
[ìntərvíːn]

[inter(양자)사이에 + vene(끼어들어)오다]　　ⓥ 1. 방해하다
2. 중재하다, 간섭하다

14 The police had to **intervene** when the protesters on the street blocked traffic.

☑ **revenue**
[révənjùː]

[re(돈이)다시, 되돌아 + ven(ue)오다]　　ⓝ 세입, 수익

15 Lower pesticide costs, higher yields, and higher **revenues** made the transgenic crop more profitable.　`09 수능`

day
08

☑ **venture**
[véntʃə(r)]

[vent(미래의 일들이 앞으로) 다가오다 + ure(명사)]　ⓝ 모험, 모험적 사업
ⓥ 위험을 무릅쓰고 나서다

16 Microsoft was **venturing** into the computer software industry at that moment.

✳ 어원 summary

pre + **cede**
앞으로　　가다
=precede
앞서다, 앞장서다

cease-fire
정전, 휴전

exceed capacity
초과 용량

*1990년 이라크가 쿠웨이트를 침공(**invasion**)하기 전(**preceding**)에, 이라크는 공격(**attack**)하지 않을 것이라고 거듭 주장했다. 쿠웨이트 국경(**border**)에 군인의 수가 10만명을 초과(**exceed**)했을 때에도(7월 31일, 평상시의 3배), 이라크는 여전히 공격하지 않을 것이라고 세상을 안심시켰다(**assure**). 그러나 8월 2일, 이라크는 쿠웨이트를 공격했다.

☑ **deceased**
[disíːst]

[de멀리, 아래로 + cease가다]　　ⓐ 사망한, 고(故)~

17 The **deceased**, Billy Startsman, was a highly respected professor at the college.

➕plus **decease** n. 사망 v. 사망하다

`예문해석` **13** 회장의 지시 하에 그 사건을 검토하기 위해 조사원단이 **소집되었다**. **14** 거리의 시위대가 교통을 막자 경찰이 **개입해야 했다**. **15** 더 낮은 살충제 비용과 더 높은 생산량, 더 높은 **수익**은 이식 유전자를 가진 식물이 더 많은 이익을 남길 수 있게 해 주었다. **16** 마이크로소프트는 그 당시 컴퓨터 소프트웨어 산업에 **위험을 무릅쓰고** 진출 중이었다. **17** 고(故) Billy Startsman은 그 대학에서 굉장히 존경받는 교수였다.

☑ **exceed**
[iksíːd]

[ex밖으로 + **ceed**가다]   ⓥ 초과하다, ~을 능가하다

18 He was **exceeding** the speed limit by 15 miles an hour and found a police car following him.

⊕plus excess n. 초과, 과잉 a. 초과한
      excessive a. 과도한, 지나친

☑ **proceed**
[prousíːd]

[pro앞으로 + **ceed**가다]   ⓥ ~을 계속 진행하다, 나아가다

19 Virginia took off her coat and **proceeded** to work on her thesis right away.

⊕plus procession n. 행렬, 행진
      procedure n. 순서, 절차

☑ **successive**
[səksésiv]

[suc~의 아래에서 바짝 따라 + **cess**가다 + ive(형용사)]   ⓐ 연속하는, 계속적인

20 The team has had five **successive** victories and fans are expecting another victory today at this stadium.

⊕plus successor n. 후계자
      succession n. 연속, 계속

☑ **cease**
[siːs]

[**cease**물러가다]   ⓥ 그만두다, 중지하다

21 It is a mistake to imagine that when we see the value of something to be zero, the value **ceases** to exist. ⅠⅠ 수능

⊕plus ⊜ discontinue, quit, stop
      ceaseless a. 끊임없는, 부단한

☑ **concede**
[kənsíːd]

[con완전히(강조) + **cede**물러가다(양보하다)]   ⓥ 인정하다, 부여하다

22 I **conceded** that I had made a number of critical errors, and I apologized for that.

⊕plus concession n. 양보, 면허
      concededly ad. 명백하게, 분명히

☑ **incessant**
[insésənt]

[in부정 + **cess**=cease멈추다 + ant(형용사)]   ⓐ 끊임없는, 쉴새 없는

23 The child's **incessant** talking started to irritate her, but she calmed herself down and continued to listen to him.

⊕plus incessantly ad. 끊임없이

예문해석   **18** 그는 제한 속도를 15mph **초과하고** 있었고, 뒤에 경찰차가 따라오는 것을 발견했다. **19** Virginia는 코트를 벗고 곧바로 논문 작업에 **계속** 착수했다. **20** 그 팀은 5연승을 거두었고, 팬들은 오늘 이 경기장에서 팀이 또 승리하기를 기대하고 있다. **21** 어떤 것의 가치를 0이라고 볼 때, 이제 그 가치의 존재가 **멈춘다**고 생각하는 것은 잘못된 생각이다. **22** 나는 내가 많은 중대한 실수를 했다는 것을 **인정했고**, 그에 대해 사과했다. **23** 아이들의 **쉴 새 없는** 이야기에 그녀는 짜증이 나기 시작했지만, 마음을 가라앉히고 계속해서 이야기를 들어주었다.

☑ **recess**
[ri:sés]

[re뒤로 + **cess**멈추다]   Ⓝ 쉼, 휴식

24 Children earned tickets for running the quarter-mile track during lunch **recess**.

➕plus recede v. 물러가다, 멀어지다
recession n. 경기 후퇴

✳ 어원 summary

GRAD
(=gress)
나아가다, 등급
walk, grade

de + **grade**
아래로   등급
=degrade
(지위, 질을) 떨어뜨리다

graduate school
대학원

grade point average
평균 평점

day
08

✳채광 작업**(mining operations)**은 광산 주변의 토양의 질을 저하시킨다**(degrade)**. 이는 주로 폐석 폐기물**(spoil dumps)** 때문이다. 예를 들어, 석탄 폐석으로부터 나온 화학물질**(chemical)**은 광산 표면에 침전되어 표토를 침출시키고 점차적으로**(gradually)** 토양과 그 아래의 지하수면의 질을 저하**(degrade)**시킨다.

☑ **progress**
[prágres]

[pro앞으로 + **gress**나아가다]   Ⓝ 1. 진전 2. 경과, 추이
Ⓥ 진전을 보이다, 나아가다

25 There has been significant **progress** in understanding the HIV virus.

➕plus progressive a. 전진하는, 진보하는
⟷ regress v. 퇴보하다 n. 퇴보, 타락

☑ **aggressive**
[əgrésiv]

[ag~를 향하여 + **gress**나아가다 + ive(형용사)]   Ⓐ 공격적인, 적극적인

26 People have been using birth order to account for personality factors such as an **aggressive** behavior. 09 수능

➕plus aggressively ad. 공격적으로, 적극적으로

☑ **congress**
[káŋgrəs]

[con함께 + **gress**(모임에) 가다]   Ⓝ 국회, 의회, 집회

27 The president has lost the support of **Congress**.

➕plus National Assembly n. (한국의) 국회
Parliament n. (영국의) 국회

예문해석 **24** 아이들은 점심 **휴식**시간 동안 0.25 마일 구간을 달리기 하여 티켓을 획득했다. **25** 에이즈(HIV) 바이러스를 이해하는 데 상당한 **진전**이 있었다. **26** 사람들은 출생 순위를 통해 **공격적인** 행동과 같은 성격 요인을 설명해왔다. **27** 대통령은 **국회**의 지지를 잃었다.

☑ **gradual**
[grǽdʒuəl]

[gradu(단계적으로)나아가 + al는]　　ⓐ 점차적인, 서서히 일어나는

28 Pay toilets have been **gradually** fading out of sight. `07 평가원`

⊕ plus　graduate　n. 대학 졸업자　v. 졸업하다

☑ **ingredient**
[ingrí:diənt]

[in~안으로 + gredi(들어)가다 + ent(명사)]　　ⓝ 성분, 원료, 재료

29 Our restaurant uses only the finest **ingredients** to cook our gourmet entrees.

⊕ plus　= component, element, factor

✳ 어원 summary

VADE
가다
go

in + **vade**
안으로　가다
=invade
침략하다

invasion of privacy
사생활 침해

evasive action
회피 행동

✳ 세계화(**globalization**)가 진행되면서, 새로운 위협(**threat**)이 발생했다. 바로 침입(**invasion**)이다! 새로운 동(곤충)식물종이 점차 새로운 환경에 편승하고(**hitch a ride**) 있으며 그들이 진입하는 생태계(**ecosystem**)를 침범(**invade**)하고 훼손하고 있다. 그들의 무자비한 파괴(**destruction**)는 외래종(**non-native species**)들의 개체 수를 억제할 어떠한 천적(**natural predator**)도 없다는 사실을 짐작케 한다.

☑ **evade**
[ivéid]

[e밖으로 + vade(몰래 빠져나)가다]　　ⓥ 피하다, 면하다

30 I could tell that he was trying to **evade** the issue.

⊕ plus　evasion　n. 회피, 기피
　　　　evasive　a. 책임 회피의, 얼머무리는

☑ **pervade**
[pərvéid]

[per~에 두루 + vade(퍼져나)가다]　　ⓥ 널리 퍼지다, 배어들다

31 A sense of defeat **pervaded** the surrounded soldiers.

⊕ plus　↔ permeate, penetrate

☑ **pervasive**
[pərvéisiv]

[per~에 두루 + va(de)(퍼져나)가다 + sive(형용사)]　　ⓐ 가득찬, 어디에나 있는

32 This explains why time pressure is **pervasive** and to some extent accounts for the increase in rates of depression.

⊕ plus　pervasion　n. 만연, 침투

예문해석　**28** 유료 화장실은 **점차** 사라지고 있다. **29** 우리 식당은 미식가용 주요 메뉴를 요리하는데 최고의 **재료**만을 사용합니다. **30** 나는 그가 그 사안을 **피하고** 있음을 알 수 있었다. **31** 주변을 둘러싼 군인들 사이에 패배감이 **퍼졌다**. **32** 이는 왜 시간 압박이 **만연하며**, 우울증 발병률이 증가하는 이유가 되는지 어느 정도 설명해 준다.

A 다음 단어에 해당하는 우리말을 쓰시오.

01 influential ____________________
02 fluid ____________________
03 incur ____________________
04 advent ____________________
05 revenue ____________________
06 proceed ____________________
07 incessant ____________________
08 congress ____________________
09 invade ____________________
10 excursion ____________________

B 다음 단어에 해당하는 영어단어를 쓰시오.

01 유행성 감기, 독감 ____________________
02 현재의, 흐름 ____________________
03 소집하다 ____________________
04 앞서다, 앞장서다 ____________________
05 인정하다, 부여하다 ____________________
06 널리 퍼지다 ____________________
07 지위를 떨어뜨리다 ____________________
08 유입, 쇄도 ____________________
09 넘다, 상회하다 ____________________
10 휴식 ____________________

C 한글 뜻에 맞는 어휘를 찾아서 ✓ 하세요.

01 ☐ intervene / ☐ convene in an armed conflict — 무력 충돌을 중재하다

02 a ☐ influential / ☐ superfluous amount of food — 남아도는 음식량

03 a ☐ decreased / ☐ deceased relative — 고인이 된 친척

04 in order to ☐ cease / ☐ recede firing — 사격을 중지시키기 위해

05 ☐ pervasive / ☐ evasive computer viruses — 널리 퍼진 컴퓨터 바이러스

D 다음 문맥에 알맞은 단어로 가장 적절한 것을 고르시오.

01 All least two doctors must **[concur/occur]** with the diagnosis before scheduling a surgical operation.

02 The value of the stock market is known to **[float/fluctuate]** on a daily basis, but over several decades its performance is more consistent.

03 The conservative party has been able to gain seats in the Parliament in three **[excessive/successive]** elections.

04 Polar bears are known to be **[aggressive/progressive]** towards humans, especially they cannot find any other prey.

05 The fugitives were able to **[pervade/evade]** capture by the police by hiding underground in the sewers for three days.

어원 (9) Word roots　힘과 운동(力學)

● tract ● tend ●
● rupt ● press ●
● ject ● pel ●

Preview

- The DNA **extracted** from the bits of whale skin reveals their relationship to each other.
- It is said that two **corrupt** judges in the state have taken millions of dollars in bribes.
- She started **compulsively** drawing and painting all the wondrous things she was discovering.

✳ 어원 summary

TRACT
끌다
draw

at + **tract**
~로　끌다
=attract
끌다, 유인하다

opposites attract
정반대의 사람에게 끌린다
contracted interest rate
약정금리

✳ 서커스 기술(circus skills)과 우리가 아는 훈련된 동물(trained animals)이 있는 근대 서커스는 18세기 영국에서 등장했다(appear). 흥미로운 광경과 소리(exciting sights and sounds)가 많은 열광적인 군중들(eager spectators)을 끌어모았다(attract). 매력 (attractions) 요소는 제한적이었지만, 그것이 관중들로 하여금 축제와 같은 분위기에서 주의를 딴 데로 돌리게(detract) 하지는 않았다.

☑ **contract**
[kántrækt]

[con함께 + **tract**끌다]　ⓝ 계약 ⓥ 1. 수축하다　2. 계약하다

01 The football player signed a two-year **contract** to play for another club.

☑ **distract**
[distrǽkt]

[dis멀리, 다른 쪽으로 + **tract**(주의를) 끌다]　ⓥ 주의를 딴 데로 돌리다, 기분 전환시키다

02 The place does not matter – as long as you remove yourself from **distractions** and interruptions.　12 평가원

⊕plus distraction　n. 기분전환, 오락

☑ **abstract**
[ǽbstrækt]

[abs멀리 떨어지도록 + **tract**끌어내다]　ⓐ 추상적인 ⓝ 개요, 초록 ⓥ 끌어내다

03 Your essay is too **abstract** to understand, so could you just make it specific?

예문해석　**01** 그 미식 축구 선수는 또 다른 팀에서 활동한다는 내용의 2년짜리 **계약서**에 사인했다. **02** 주의를 **산만하게 하는** 것이나 방해로부터 스스로 자유로울 수 있다면, 장소는 중요하지 않다. **03** 네 에세이는 너무 **추상적이라** 이해할 수 없어. 구체적으로 써 주겠니?

☑ **extract**
[ikstrǽkt]

[ex밖으로 + tract끌어내다]　　ⓥ 뽑다, 추출하다 ⓝ 추출물

04 The DNA **extracted** from the bits of whale skin reveals their relationship to each other. 　12 수능

☑ **protract**
[proutrǽkt]

[pro앞으로 + tract(시간을) 길게 끌다]　　ⓥ 오래 끌다, ~을 연장하다

05 A disagreement over minor issues **protracted** negotiations.

⊕plus　protractor　n. 1. 오래 끄는 것, 사람　2. 각도기

✳ 어원 summary

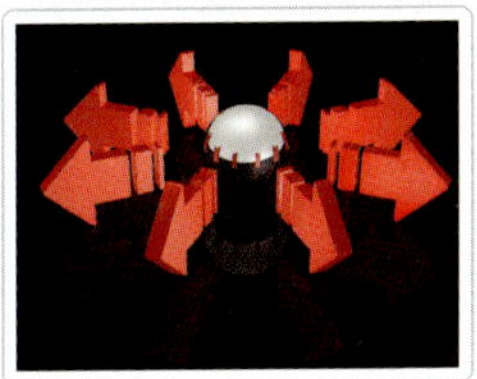

TEND
뻗다
stretch

ex + **tend**
밖으로　뻗다
=extend
연장하다, 확대하다

extended family
대가족

intensive care
집중 치료

✳1828년에 앤드류 잭슨은 미국 대통령으로 선출(elect)되었고, 영토를 서부로 확장시키겠다(expand)고 약속했다. 그러한 생각에는 미국이 문명(civilization)을 확장시킬(extend) 권리가 있고 심지어 그러한 의무가 있다는 사상 때문이었다. 그의 정책은 원주민 인디언과 멕시코 당국(authorities)과의 논쟁(contention) 및 대립(confrontation)으로 이어지게 되었다.

day 09

☑ **contend**
[kənténd]

[con함께, 서로(가지려고) + tend(손을) 뻗다]　　ⓥ 1. 주장하다, 논쟁하다　2. 싸우다, 경쟁하다

06 He **contends** that the liquid solution is killing helpful germs and encouraging the growth of super bacteria. 　05 평가원

⊕plus　contention　n. 말다툼, 논쟁
　　　　contentious　a. 논쟁하기 좋아하는

☑ **attend**
[əténd]

[at(to)~로 + tend(마음, 노력을) 뻗다]　　ⓥ 참석하다, ~에 다니다

07 The six absentees were asked to make an apology for not being able to **attend**.

☑ **intend**
[inténd]

[in~을 향하여 + tend(마음을) 뻗다]　　ⓥ ~할 작정이다, 예정하다, 의도하다

08 The education system is **intended** to be reformed in the near future, but the question is exactly how much it will cost.

예문해석　**04** 고래의 피부 조직에서 **추출한** DNA는 고래들 사이의 관계를 보여준다. **05** 사소한 문제에 관한 의견 불일치로 인해 협상이 길어졌다. **06** 그는 그 용액이 유익한 균을 죽이고 있으며 수퍼 박테리아의 성장을 촉진하고 있다고 **주장한다**. **07** 그 여섯 명의 불참자는 **참석하지** 못한 것에 대해 사과하도록 요청 받았다. **08** 그 교육제도는 가까운 미래에 개혁될 **예정이**었지만, 문제는 정확히 비용이 얼마나 드는가이다.

☑ **intensive**
[inténsiv]

[in∼을 향하여 + **ten(마음을) 뻗다** + sive(형용사)] ⓐ 강한, 집중적인

09 He added that short, **intensive** training is supposed to be uncomfortable. 07 평가원

⊕plus intense a. 강렬한, 격렬한

☑ **pretend**
[priténd]

[pre(자신의 주장을)앞에 + **tend뻗다 (내놓다)**] ⓥ ∼인 척하다, ∼라고 상상하다

10 When we ran into each other at school, she sometimes **pretended** not to recognize me. 12 평가원

☑ **distend**
[disténd]

[dis멀리 + **tend뻗다**] ⓥ 팽창하다

11 The woman's **distended** stomach baffled the medical staff, as tests proved she was not pregnant.

☑ **superintend**
[sù:pərinténd]

[super위에서 + in∼을 향하여 + **tend(마음을) 뻗다**] ⓥ 관리하다, 감독하다

12 There are only a few homeschooling parents who **superintend** their children's education in the poorer areas.

✱ 어원 summary

RUPT
깨지다, 부서지다, 터지다
break, burst out

e + **rupt**
밖으로 터지다
=erupt
분출하다, 폭발하다

volcanic eruption
화산분출

disruptive behavior
분열성 행동

✱"2006년 5월에 세계에서 가장 큰 이화산(**mud volcano**)이 동자바에서 폭발(**erupt**)했고, 이후로 계속 폭발 중이며 인근 마을들의 생활을 파괴시키(**disrupt**)고 있다. 인근 천연 가스(**natural gas**)의 소유주는 화산이 그들의 시추 작업(**drilling operation**)의 결과가 아니며 먼 지역에서 발생한 지진의 결과(**the result of a distant earthquake**)라고 주장했다.

☑ **abrupt**
[əbrʌ́pt]

[ab(off)분리, 이탈 + **rupt깨지다 (끊기다)**] ⓐ 갑작스러운, 뜻밖의

13 If a person is telling the truth, his or her manner will not change significantly or **abruptly**. 07 평가원

⊕plus abruptly ad. 갑자기, 뜻밖에

예문 해석 **09** 짧은 기간 **집중적으로** 훈련을 받는 것은 불편할 수 있다고 그는 덧붙였다. **10** 우리가 학교에서 서로 우연히 마주쳤을 때, 그녀는 때로 나를 못본 **척 했다**. **11** 그 여성의 **부풀어 오른** 배는 의료진을 당황하게 했는데, 이는 테스트 결과 그녀가 임신이 아니었다는 것이 증명되었기 때문이다. **12** 더 빈곤한 지역에서는 자녀의 교육을 **직접 지도하는** 홈 스쿨링을 하는 학부모들의 수가 매우 적다. **13** 만약에 어떤 사람이 진실을 이야기하고 있다면, 그의 태도가 크게 변하거나 **갑자기** 변하지는 않을 것이다.

☑ **bankrupt**
[bǽŋkrʌpt]

[bank(환전상의)책상 + **rupt**부서진]   ⓝ 파산자 ⓐ 파산한

14 The agency went **bankrupt** and was ultimately unable to pay its staff.

⊕ plus bankruptcy n. 파산(상태)

☑ **corrupt**
[kərʌ́pt]

[cor완전히 + **rupt**부수다]   ⓐ 타락한, 부정한 ⓥ 타락시키다

15 It is said that two **corrupt** judges in the state have taken millions of dollars in bribes.

☑ **disrupt**
[disrʌ́pt]

[dis산산이 + **rupt**부수다]   ⓥ 붕괴시키다, 분열시키다

16 Do you fear that crime, war, or terrorist attacks will **disrupt** the economy and your security? ｜12 수능｜

day 09

☑ **interrupt**
[ìntərʌ́pt]

[inter사이에 들어가 + **rupt**깨뜨리다]   ⓥ 방해하다, 중단시키다

17 Please don't **interrupt** until I am finished; otherwise I won't let you enjoy your sleep tonight.

⊕ plus interruption n. 중단, 방해

☑ **rupture**
[rʌ́ptʃər]

[**rupt**부서지다 + ure동작, 상태]   ⓝ 파열, 불화

18 The doctors discovered a **rupture** in the patient's abdominal area and have scheduled a surgical operation to correct the problem.

✳ 어원 summary

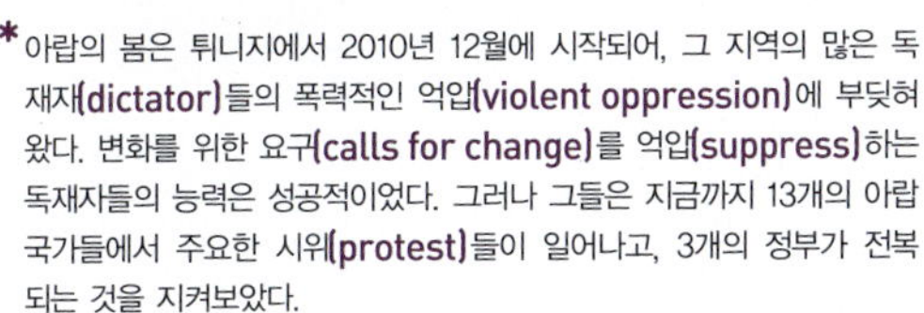

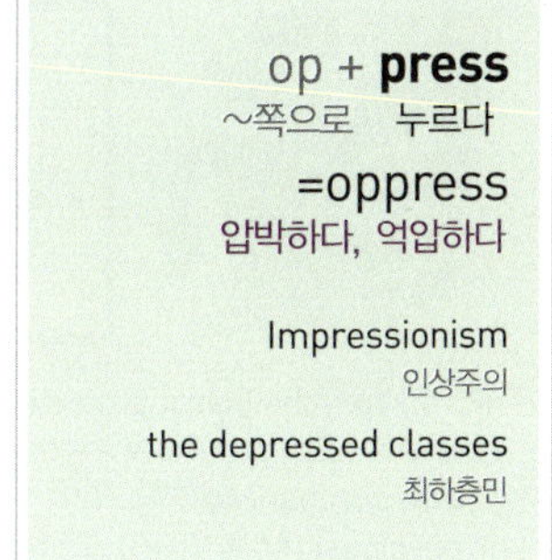

✱ 아랍의 봄은 튀니지에서 2010년 12월에 시작되어, 그 지역의 많은 독재자(**dictator**)들의 폭력적인 억압(**violent oppression**)에 부딪혀 왔다. 변화를 위한 요구(**calls for change**)를 억압(**suppress**)하는 독재자들의 능력은 성공적이었다. 그러나 그들은 지금까지 13개의 아랍 국가들에서 주요한 시위(**protest**)들이 일어나고, 3개의 정부가 전복되는 것을 지켜보았다.

예문해석 **14** 그 대행 업체는 **파산해서** 결국 직원들에게 월급을 줄 수 없었다. **15** 그 주(州)의 **부패한** 판사 두 명이 수백만 달러의 뇌물을 받았다고 한다. **16** 범죄, 전쟁, 혹은 테러 공격이 경제와 당신의 안정을 **어지럽힐까봐** 두려워 하는가? **17** 내가 끝내기 전까진 **방해하지** 마. 그렇지 않으면 너도 오늘 밤에 잠을 못자게 될 거야. **18** 의료진은 그 환자의 복부 **파열**을 발견해 문제를 바로 잡기 위해 외과 수술 일정을 잡았다.

compression
[kəmpréʃən]

[com함께 + **press**누르다 + ion(명사)]　　　ⓝ 압축, 요약

19 The **compression** of a lengthy novel into a few paragraphs is a skill that takes lots of practice.

⊕plus　compress　v. 압축하다

---

depress
[diprés]

[de아래로 + **press**(마음을) 내리누르다]　　　ⓥ 우울하게 하다, 침체시키다

20 Losing both his job and his girlfriend in the same week **depressed** Michael considerably.

---

impress
[imprés]

[im(마음)속에 + **press**깊이 눌러 새기다]　　　ⓥ ～에게 인상을 주다

21 If you can take a different angle from the rest of the class in a paper, you're more likely to **impress** your professors.

---

pressure
[préʃər]

[**press**누르다 + ure명사]　　　ⓝ 압력, 기압, 압박감

22 During a regular examination a doctor checks weight, vision, hearing and blood **pressure**.　05 수능

⊕plus　press　n. 언론, 출판사　v. 누르다, 압박을 가하다

---

suppress
[səprés]

[sup밑으로 + **press**내리누르다]　　　ⓥ 억압하다, 진압하다

23 After listening to that man's insulting remarks, I had to **suppress** my urge to attack him.

⊕plus　suppression　n. 억압, 진압

✱ 어원 summary

JECT
던지다
throw

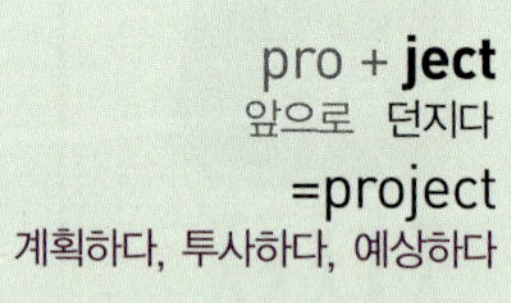

✱ 심리적인 투사(psychological projection)는 무의식적으로 거부하는 믿음을 무의식 중에 타인에게 투영시키는(project) 심리적 방어 기제(defense mechanism)이다. 투사는 자신이 원치 않는 무의식적인(unconscious) 바람을 의식적으로는(conscious) 모르는 상태에서 표현하도록 허용함으로써 불안감을 줄여 준다(reduce anxiety). 일례로는 자신의 결점을 가지고 타인을 비난하는(blame) 것이 있다.

예문해석　**19** 긴 소설을 몇 단락으로 **요약**하는 것은 많은 연습을 필요로 한다. **20** 직업과 여자 친구를 같은 주에 잃게 된 것은 Michael을 상당히 **우울하게 했다**. **21** 만약 보고서에서 수업의 다른 학생들과 다른 시각을 취한다면, 교수님들에게 좋은 **인상을 줄 수** 있을 것이다. **22** 정기 검진 동안 의사는 몸무게, 시력, 청력, 혈압을 검사한다. **23** 그 남성의 모욕적인 발언을 듣고, 나는 그를 공격하려는 충동을 **억눌렀다**.

☑ **eject**
[idʒékt]

[e밖으로 + **ject**던지다]　　　　　　ⓥ 쫓아내다, 축출하다

24 The pilot of the fighter jet **ejected** from the aircraft only moments before it crashed into the ground.

☑ **inject**
[indʒékt]

[in안으로 + **ject**던지다]　　　　　　ⓥ 주사하다, 주입하다

25 The young winners of the design competition are **injecting** new life into the fashion industry.

⊕plus injection　n. 주입, 주사

☑ **object**
[ábdʒikt]

[ob~를 향하여(길을 가로막는 것을) + **ject**던지다]　ⓝ 물체, 목적 ⓥ 반대하다

26 A moving **object** continues to move unless an opposing force is used to stop it.　06 수능

⊕plus objective　n. 목표, 목적 a. 목적의, 객관적인

☑ **reject**
[ridʒékt]

[re다시, 되돌려 + **ject**던지다]　　　　　ⓥ 거절하다, 거부하다

27 The reason he does not always appear friendly may be that he is afraid you will **reject** him.　07 평가원

☑ **subject**
[sÁbdʒekt]

[sub아래에 + **ject**던지다 [놓다]]　ⓝ 1. 주제, 학과　2. 피실험자
　　　　　　　　　　　　　　ⓐ 영향을 받는 ⓥ 복종시키다

28 All fares and rules are **subject** to change without notice.

⊕plus be subject to　영향 받기 쉬운, (피해 등을) 입기 쉬운

✱ 어원 summary

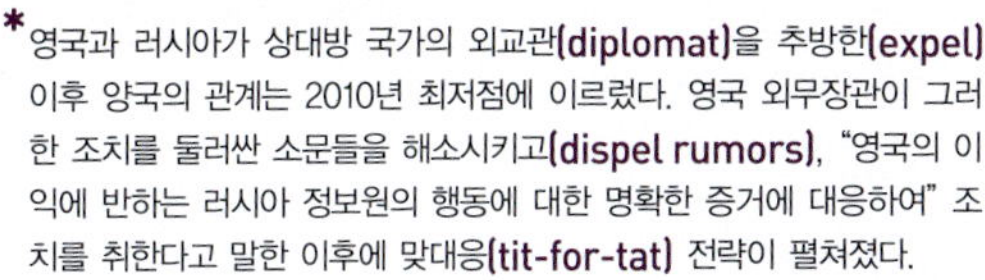

✱영국과 러시아가 상대방 국가의 외교관(diplomat)을 추방한(expel) 이후 양국의 관계는 2010년 최저점에 이르렀다. 영국 외무장관이 그러한 조치를 둘러싼 소문들을 해소시키고(dispel rumors), "영국의 이익에 반하는 러시아 정보원의 행동에 대한 명확한 증거에 대응하여" 조치를 취한다고 말한 이후에 맞대응(tit-for-tat) 전략이 펼쳐졌다.

예문해석　**24** 전투기 조종사는 그것이 땅으로 추락하기 직전에 기체에서 **탈출했다**. **25** 디자인 대회의 젊은 우승자는 패션 업계에 새로운 활력을 **불어 넣고** 있다. **26** 움직이는 **물체**는 이를 멈추는 반대되는 힘이 작용하지 않는 한 계속 움직인다. **27** 그가 항상 다정하게 보이지 않는 이유는 당신이 그를 **거절할까봐** 두렵기 때문일지도 모른다. **28** 모든 요금과 규정은 사전통보 없이 변경될 수 있습니다.

☑ **compel**
[kəmpél]

[com(소들을 모두)함께 + **pel**(~쪽으로) 몰다]　　ⓥ 억지로 시키다, 강요하다

29 The student's violent behavior **compelled** the principal to call the police.

➕plus compelling a. 1. 강제적인, 강력한 2. 주목하지 않을 수 없는

☑ **compulsive**
[kəmpʌ́lsiv]

[compel과 동일 어원]　　ⓐ 강박적인, ~에 사로잡힌

30 She started **compulsively** drawing and painting all the wondrous things she was discovering. 12 평가원

➕plus compulsory a. 강제적인, 의무적인

☑ **dispel**
[dispél]

[dis멀리 + **pel**몰아내다]　　ⓥ 쫓아버리다, 없애다

31 The actress made no effort to **dispel** the rumors about being in a relationship with a famous musician.

➕plus dispellable a. 떨쳐버릴 수 있는

☑ **impulse**
[ímpʌls]

[im~쪽으로 + **pulse**몰다]　　ⓝ 1. 추진력, 자극 2. 충동

32 An instantaneous and strong **impulse** moved him to battle with his desperate fate. 11 평가원

➕plus impulsive a. 충동적인, 추진력이 있는

☑ **propel**
[prəpél]

[pro앞으로 + **pel**몰다]　　ⓥ 추진하다, 나아가게 하다

33 He placed the tiniest bit of excess pressure on his chopsticks, **propelling** his tofu through the air. 11 평가원

➕plus propeller n. 1. 추진물 2. 프로펠러

☑ **repel**
[ripél]

[re다시, 뒤로 + **pel**몰아내다]　　ⓥ 쫓아버리다, 격퇴하다

34 The wheat is genetically engineered to **repel** insects.

➕plus repellent a. 역겨운, 혐오감을 주는 n. 방충제

☑ **repulsive**
[ripʌ́lsiv]

[re다시, 뒤로 + **puls**몰아내다 + ive(형용사)]　　ⓐ 불쾌한, 혐오감을 일으키는

35 The woman asked about what can be done to stop the **repulsive** smell coming from her husband.

➕plus repulse v. 격퇴하다, 물리치다
　　　　 repulsion n. 거절, 혐오

예문해석 **29** 학생의 공격적인 행동은 교장이 경찰을 부르도록 **몰아갔다**. **30** 그녀는 자신이 발견했던 경이로운 것들을 이끌리듯 그리고 채색하기 시작했다. **31** 그 여배우는 한 유명한 음악가와 사귄다는 관계에 대한 소문을 **없애려는** 노력을 하지 않았다. **32** 즉각적이고 강한 **충동**으로 인해 그는 자신의 절망적인 운명과 싸우게 되었다. **33** 그가 젓가락에 힘을 조금 지나치게 주었더니, 두부가 공중으로 튕겨 **나갔다**. **34** 그 밀은 유전공학적으로 벌레를 **쫓아** 내도록 만들어졌다. **35** 그 여성은 자신의 남편으로부터 나오는 **불쾌한** 냄새를 멈추기 위해 무엇을 해야할 지 물었다.

A 다음 단어에 해당하는 우리말을 쓰시오.

01 oppress
02 disrupt
03 intensive
04 protract
05 bankrupt
06 repel
07 eject
08 compel
09 impulse
10 compression

B 다음 단어에 해당하는 영어단어를 쓰시오.

01 추상적인, 초록
02 분출하다, 폭발하다
03 파열, 불화
04 계약, 수축하다
05 우울하게 하다
06 쫓아버리다
07 억압하다, 진압하다
08 영향을 받는, 복종시키다
09 관리하다, 감독하다
10 반대하다, 목적

C 한글 뜻에 맞는 어휘를 찾아서 ✔ 하세요.

01 ☐ intend / ☐ contend with inclement weather — 궂은 날씨와 싸우다

02 things that can ☐ subtract / ☐ distract a driver — 운전자를 산만하게 할 수 있는 것들

03 a ☐ corrupt / ☐ disrupt police force — 부패 경찰

04 ☐ project / ☐ reject future sales figures — 앞으로의 판매수치를 예상하다

05 a volunteer test ☐ subject / ☐ object — 자발적인 테스트 대상자

D 다음 문맥에 알맞은 단어로 가장 적절한 것을 고르시오.

01 The dentist was able to **[extract/detract]** all four of the patient's wisdom teeth without any major complications.

02 The head of the accounting department would often **[corrupt/interrupt]** presentations if he felt key information was missing.

03 Each year medical professionals **[deject/inject]** countless people with the influenza vaccine as a form of preventative health care.

04 The **[repulsive/propulsive]** odor from the city's garbage dump was a concern for residents, especially on windy days.

05 Being a **[compulsive/compulsory]** liar, Bennett was known amongst his friends for avoiding the truth at every opportunity.

어원 (10) Word roots 공동, 관통, 동작

- sym - co -
- per - trans -
- en -

Preview

- The solutions to independent clues link together in a consistent way to form a **coherent** unity.
- The components of dieting discipline form a master plan for long-term, **permanent** weight loss.
- Every rise in our levels of expectation **entails** an equal rise in the dangers of humiliation.

✳ 어원 summary

SYM
함께, 같은
with, together

sym + phony
함께(내는) 소리
=symphony
교향곡

symphony orchestra
교향악단
photosynthesis
광합성

* 'PLAY! A Video Game Symphony'는 비디오게임의 음악을 특색으로**(feature)**하는 콘서트 시리즈로서, 오케스트라**(orchestra)**에 의해 라이브로 연주**(perform)**된다. 콘서트는 지역 교향악단**(local symphony players)**과 합창단**(choirs)**에 의해 연주되며, 게임의 동영상과 통합되어**(synthesized)** 있다.

☑ **symbiosis**
[sìmbaióusis]

[**sym**함께 + biosis살기]

ⓝ 공생

01 The bird called the red-billed oxpecker lives in **symbiosis** with the hippopotamus.

☑ **synchronize**
[síŋkrənàiz]

[**syn**같은 + chron시간(으로) + ize만들다(맞추다)]

ⓥ 동시에 일어나다, 일치시키다

02 The dancers practiced until they **synchronized** their movements.

☑ **synthesize**
[sínθəsàiz]

[**syn**함께 + thesize(put)두다]

ⓥ 합성하다, 종합하다

03 She **synthesized** the treatment from traditional and modern philosophies of medicine.

➕plus photosynthesis n. 광합성

예문해석 **01** 붉은부리 할미새라 불리는 그 새는 하마와 **공생**관계를 이루며 산다. **02** 무희들은 서로 동작을 **일치시킬** 때까지 연습했다. **03** 그녀는 전통 의약 철학과 현대 의약 철학의 치료법을 **종합했다**.

☑ **symmetry** [símətri]	[**sym**똑같은 + metry측정, 치수]	ⓝ 대칭, 균형

04 Most people should be able to notice the perfect **symmetry** of the designs of the two buildings.

⊕ plus ↔ asymmetric a. 비대칭의, 불균형의

☑ **symposium** [simpóuziəm]	[**sym**함께 + posium술 마시는 사람(과) = '술잔치']	ⓝ 심포지엄, 학술 토론

05 Professor James is bound to participate in a **symposium** on protecting the environment.

어원 summary

CO
(=com, col, cor)
함께, 완전히(강조용법)
with, together,
completely

co + oper + ate
함께　　일　　하다
=cooperate
협동하다, 협력하다

cooperative society
협동조합
compound interest
복리

*동물은 상당한 협동(**cooperation**) 수준을 보인다. 코끼리, 늑대, 꿀벌, 말벌 등은 협동심이 매우 강하다(**highly cooperative**). 개미 같은 특정 종(**certain species**)의 협동은 페로몬(**pheromone**)에 의해 이루어진다. 사실, 말벌(**wasp**)은 인간보다도 협동을 잘 하는 것으로 나타나 있다.

day
10

☑ **coincide** [kòuinsáid]	[**co**함께 + incide~안으로 떨어지다]	ⓥ 동시에 일어나다, 일치하다

06 The parade is scheduled to **coincide** with the city's 200th birthday.

⊕ plus ＝ coexist, synchronize
coincidence n. 우연의 일치, 동시 발생

☑ **collapse** [kəlǽps]	[**col**함께 + lapse넘어지다]	ⓥ 무너지다, 쓰러지다

07 The civilization **collapsed** for reasons that are still unknown.

☑ **collide** [kəláid]	[**col**함께 + lide치다]	ⓥ 충돌하다, 부딪치다

08 Efforts to make the corporation more environmentally friendly **collided** with the decision to cut costs.

⊕ plus collision n. 충돌, 의견대립

> **예문해석** **04** 대부분의 사람들은 두 건물의 디자인이 완벽히 **대칭**을 이룬다는 것을 알아차릴 수 있을 것이다. **05** James 교수는 환경 보호에 관한 **심포지엄**에 참가하기로 되어 있다. **06** 퍼레이드는 시의 200주년 기념일에 **동시에 진행**될 예정이다. **07** 그 문명은 여전히 밝혀지지 않은 이유로 **몰락했다**. **08** 그 회사를 더 환경 친화적인 곳으로 만들고자 하는 노력은 비용을 절감하고자 하는 결정과 **충돌을 일으켰다**.

☑ **commemorate**
[kəmémərèit]
[com완전히(강조) + memorate기억나게 하다]　　　ⓥ 기념하다
09 A large mural **commemorating** the singer was painted in the lobby of the concert hall.

☑ **compound**
[kámpaund]
[com함께 + pound(put)두다]　　　ⓝ 복합체, 화합물
10 Water is a **compound** of hydrogen and oxygen.
➕plus be compounded of/from　~으로 구성되다
be compounded by　~ 때문에 악화되다

☑ **coherent**
[kouhíərənt]
[co함께 + here붙다 + (e)nt(형용사)]　　　ⓐ 일관성 있는, 논리 정연한
11 The solutions to independent clues link together in a consistent way to form a **coherent** unity. 12 평가원

☑ **correspond**
[kɔ̀:rəspánd]
[cor서로 + respond응답하다]　　　ⓥ 일치하다, 부합하다
12 In some countries, the role of the president **corresponds** to that of a prime minister.
➕plus ⊜ agree, match
correspondent　기자, 특파원

☑ **incompatible**
[ìnkəmpǽtəbl]
[in(not)부정 + com함께 + pat고통받을 (동정해 줄) + ible수 있는]
ⓐ 양립할 수 없는, 호환할 수 없는(with)
13 Zoo life is utterly **incompatible** with an animal's most deeply-rooted survival instincts. 12 평가원
➕plus ⊜ contradictory, incongruous

☑ **contaminate**
[kəntǽmənèit]
[con함께 + tam만져서(더럽히다) + inate(동사)]　　　ⓥ 오염시키다
14 He cleared away the sand that would have choked and **contaminated** the fresh flow of water. 05 평가원

☑ **coordinate**
[kouɔ́:rdəneit]
[co함께 + ordin순서(에 따라 배열하다) + ate(동사)]
ⓥ 편성하다, 조화시키다
ⓐ 대등한 ⓝ 대등물
15 Many citizens complained that the government did nothing to **coordinate** the city planning activities.
➕plus coordinator n. 조정자, 코디네이터(의상)

예문해석 **09** 그 가수를 **기념하는** 큰 벽화는 콘서트 홀 로비에 그려져 있었다. **10** 물은 수소와 산소의 **합성물**이다. **11** 개별 단서에 대한 해결책이 모순되지 않게 연결되어 **일관성 있는** 하나의 개체를 형성한다. **12** 몇몇 나라에서, 대통령의 역할은 총리의 역할에 **상응한다**. **13** 동물원의 삶은 동물의 가장 근원적인 생존 본능과 완전한 **양립이 불가능하다**. **14** 그는 깨끗한 물이 흐르는 것을 막거나 **오염시킬** 수 있는 모래를 깨끗이 치웠다. **15** 많은 시민들은 정부가 도시 계획 활동을 **편성하는** 일에 손을 놓고 있다고 불평했다.

✳ 어원 summary

PER
완전히, 줄곧, 뚫고, 나쁘게
through, completely,
to ill effect

per + **sist**
줄곧 (가만히)서 있다

=persist
고집하다, 주장하다

perfect storm
더할 수 없이 나쁜 상황

persistent vegetative state
지속적 식물인간 상태

✳잉글랜드와 스코틀랜드 지방의 500명이 넘는 상습(**persistent**) 무단 결석생(**truant**)은 자선 단체(**charity**)인 Rathbone에 의해 조사되었다. 비록 몇몇 학생은 중·고등학교 수업을 2년씩이나 빠지고 있는 것으로 밝혀졌음에도 불구하고, 벌금(fine)이나 구금(**imprisonment**) 등 부모에 대한 제재(**sanction**)가 그들이 무단 결석을 막도록 설득(**persuade**) 하지는 못한다고 68%가 대답했다.

day
10

☑ **perplex**
[pərpléks]

[**per**완전히 + plex얽히게 하다]   ⓥ 난처하게 하다, 당황케 하다

16 Questions about the meaning of life have always **perplexed** humankind.

⊕ plus   ≒   puzzle, bewilder, confuse

☑ **perish**
[périʃ]

[**per**완전히 + ish가다]   ⓥ 죽다, 사라지다

17 Nearly half of the climbers **perished** in the avalanche on the north face of the mountain.

☑ **persecute**
[pə́ːrsikjùːt]

[**per**철저히 (못살게) + secute뒤쫓다]   ⓥ 박해하다, 괴롭히다

18 The Kings of the Joseon Dynasty relentlessly **persecuted** Catholics who fought against Confucianism.

☑ **perennial**
[pəréniəl]

[**per**(through)줄곧 + enni(year)해 + al(형용사)]   ⓐ 사철을 통한, 연중 끊이지 않는

19 Tornados are a **perennial** problem for residents of the central region of the United States.

☑ **perpetual**
[pərpétʃuəl]

[**per**줄곧 + pet추구하 + ual는]   ⓐ 영속하는, 영구의

20 Classical music is like **perpetually** wet clay which a musician can mold according to personal tastes. `07 평가원`

⊕ plus   perpetuate   v. ~을 영속시키다

`예문해석` **16** 삶의 의미에 관한 질문은 항상 인류를 **당혹케 해 왔다**. **17** 그 산의 북쪽에서 일어난 눈사태로 거의 반 이상의 등산객이 **죽었다**. **18** 조선왕조의 왕들은 유교에 맞서 싸우는 카톨릭 교도를 끊임없이 **박해했다**. **19** 토네이도는 미국 중부 지역의 거주민에게 계속 **반복되는** 문제이다. **20** 클래식 음악은 연주자가 개인적인 취향에 따라 만들어 낼 수 있는, **영원히** 굳지 않는 점토와 같다.

☑ **permanent**
[pə́ːrmənənt]

[**per**줄곧 + man남아 있는 + ent(형용사)]　　ⓐ 영속하는, 영구적인

21 The components of dieting discipline form a master plan for long-term, **permanent** weight loss.　05 평가원

☑ **perseverance**
[pə̀ːrsəvíərəns]

[**per**완전히 + sever(e)엄격하게(지키다) + ance(명사)]　ⓝ 인내력, 참을성, 끈기

22 The businessman was congratulated for his **perseverance** when finally making the lucrative deal after months of trying.

⊕ plus　persevere　v. 인내심을 갖고 하다

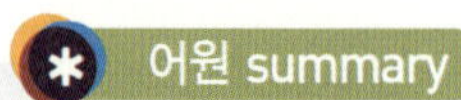 어원 summary

TRANS
가로질러, 옮겨
across

trans + plant
옮겨　　심다
=**transplant**
이식하다, 옮겨심다

organ transplant
장기 이식

radio transmission
무선 송신

*17살의 중국인 남자아이는 그의 어머니에게 온라인으로 자신의 신장(**kidney**)을 20,000위안(3000달러)에 팔았다고 고백했다(**confess**). 그 아이는 애플사의 아이패드2를 갖고 싶어했고, 자신의 장기를 이식(**transplant**)한 대가로 받은 돈으로 그것을 샀다. 수술(**operation**)로 인해 수많은 합병증(**complications**)이 발생했고, 그의 삶이 더 나빠졌다.

☑ **transatlantic**
[trænzətlǽntik]

[**trans**가로질러 + atlantic대서양]　ⓐ 대서양을 횡단하는 ⓝ 미국인, 유럽인

23 Mr. Potter was sailing for Europe on one of the greatest **transatlantic** ocean liners.　11 평가원

☑ **transit**
[trǽnzit]

[**trans**가로질러 + it지나가다] ⓥ 통과하다, 횡단하다 ⓝ 1. 통행운송 2. 변화, 추이

24 According to the theory of demographic **transition**, nations go through several developmental stages.　08 평가원

⊕ plus　public transit system　n. 대중 교통 체계
　　　　transit lounge　n. 환승 라운지

☑ **transmit**
[trænzmít]

[**trans**가로질러 + mit보내다]　　ⓥ 1. 보내다, 전달하다 2. 전도하다

25 Electric bulbs **transmit** light but keep out the oxygen that would cause their hot filaments to burn up.　08 수능

예문해석　**21** 다이어트 원칙의 그 구성요소들은 장기적이고 **영구적인** 체중 감소를 위한 종합 계획을 형성한다. **22** 그 경영자가 마침내 여러 달 끝에 수익성이 높은 거래를 성사시켰을 때 그는 그의 **끈기**에 대해 축하 받았다. **23** Potter씨는 **대서양을 횡단하는** 가장 큰 원양 정기선 중 하나를 타고 유럽으로 항해했다. **24** 인구 **변천** 이론에 따르면, 국가는 몇 단계의 발전 과정을 거친다. **25** 전구는 빛을 **전달하고** 뜨거운 필라멘트가 다 타버리게 할 수 있는 산소는 막는다.

☑ **transparent**
[trænspέərənt]

[**trans**~을 통과하여 + parent보이는]   ⓐ 투명한, 명백한

26 Citizens of that country are asking for a more **transparent** democratic government, but there seems no chance to gain one this year.

➕ plus ⊜ clear, see-through, lucid
↔ opaque a. 불투명한

☑ **translate**
[trænsléit]

[**trans**(언어를)가로질러 + late옮기다]   ⓥ 번역하다, 다른 언어로 옮기다

27 The book published in 2002 has been **translated** into more than 25 languages.

➕ plus ⊜ interpret
translate A into B A를 B로 번역하다

✳ 어원 summary

EN
~안에(넣다), 강조용법
in(to), make

en + danger
~안에(넣다)   위험
=**endanger**
위험에 빠뜨리다

endangered species
멸종 위기에 처한 동물의 종(種)

embarkation card
출국 카드

*산호초(Coral reef)는 세계에서 가장 심각한 멸종위기에 처한 (endangered) 생태계 중 하나이다. 산호초는 동식물을 비롯하여 다양한 종이 생존하도록 돕는데, 그들의 생물다양성(biodiversity)은 어떤 생태계(ecosystem)보다도 더 규모가 클 것이다. 산호초는 세계 해양 표면의 0.1%도 차지하지 않지만 25%의 바다 생물종(marine species)에게 서식지를 제공한다.

☑ **enhance**
[inhǽns]

[**en**강조 + hance높은]   ⓥ 향상시키다, 강화하다

28 Activities like errands and chores for a child **enhance** the value of hard work and persistence. 09 수능

➕ plus ⊜ improve, strengthen, reinforce

☑ **enlighten**
[inláitn]

[**en**강조 + lighten밝게 하다]   ⓥ 계몽하다, 교화하다

29 There are only a few **enlightened** people with a clear mind and good taste within a century. 06 수능

➕ plus ⊜ educate, illuminate

예문 해석 **26** 그 나라의 국민들은 더 **투명한** 민주 정부를 요구하고 있지만, 올해는 그런 정부를 얻기 힘들 것으로 보인다. **27** 2002년에 출판된 그 책은 25개 이상의 언어로 **번역되었다.** **28** 아이들의 심부름이나 허드렛 일과 같은 활동은 열심히 일하는 것의 가치와 끈기를 **강화시킨다.** **29** 한 세기 내에 명확한 생각을 갖고 있거나 훌륭한 심미안을 갖고 있는 **개화된** 사람들은 아주 극소수이다.

☑ **enrollment**
[inróulmənt]

[en〜안에(써 넣다) + roll(두루마리로 된)명부 + ment(명사)]　　ⓝ 등록, 입학

30 The graph shows changes in school **enrollment** rates of the population from 1970 to 2006. 09 수능

⊕plus　⊜ register, sign up for
enroll　v. 입학시키다, 등록하다
be expelled from　〜에서 제적되다

☑ **entail**
[intéil]

[en안으로 + tail홈(을 만들다)]　　ⓥ 수반하다, 〜을 필요로 하다

31 Every rise in our levels of expectation **entails** an equal rise in the dangers of humiliation. 11 평가원

⊕plus　⊜ involve, require
⊝ rule out, leave out　〜을 배제하다, 〜을 빼다

☑ **engrave**
[ingréiv]

[en안에 (위에) + grave새기다]　　ⓥ 새기다, 새겨 장식하다

32 The word 'record' was neatly **engraved** in gold on a black and red hardcover book. 12 수능

⊕plus　⊜ etch, inscribe

☑ **entitle**
[intáitl]

[en안에 + title제목을 (붙이다)]　　ⓥ 자격을 부여하다, 〜라고 칭하다

33 Full-time employees are **entitled** to receive health insurance.

⊕plus　⊜ authorize, empower, give the title of
be entitled to　〜할 권리가 있다

☑ **encounter**
[inkáuntər]

[en안에 + counter(적들과 마주쳐) 대립하는]　　ⓥ 1. 직면하다, 부딪히다
2. (우연히) 마주치다

34 It can be terrifying to **encounter** a bear in the forest, especially when hiking alone.

⊕plus　⊜ 1. face, confront
⊜ 2. come across, bump into

☑ **enchant**
[intʃǽnt]

[en〜안에 + chant노래하다, 찬양하다]　　ⓥ 넋을 잃게 만들다, 〜에 마법을 걸다

35 We were all **enchanted** by the unworldly landscape of New Zealand.

⊕plus　⊜ fascinate, charm, captivate

예문해석　**30** 이 그래프는 1970년부터 2006년까지 전체 인구당 학교 **등록율**의 변화를 보여준다. **31** 우리의 기대감이 높아질 때마다 굴욕감을 느낄 위험성도 동일하게 높이지는 결과를 **수반한다. 32** 검정색과 빨간색의 하드커버 책에 금색으로 '기록' 이라는 단어가 **새겨져** 있었다. **33** 상근 직원에게는 건강 보험을 **제공한다. 34** 특히 혼자 등산할 때, 숲 속에서 곰을 **만나** 공포에 떨게 될 수도 있다. **35** 우리 모두는 뉴질랜드의 **초자연적인** 풍경에 넋을 잃었다.

EXERCISES

A 다음 단어에 해당하는 우리말을 쓰시오.

01 permanent ___________
02 perplex ___________
03 collapse ___________
04 commemorate ___________
05 correspond ___________
06 symbiosis ___________
07 enlighten ___________
08 transmit ___________
09 enrollment ___________
10 contaminate ___________

B 다음 단어에 해당하는 영어단어를 쓰시오.

01 동시에 일어나다 ___________
02 일관성 있는 ___________
03 죽다, 사라지다 ___________
04 영속하는 ___________
05 대칭, 균형 ___________
06 대서양 횡단의 ___________
07 넋을 잃게 만들다 ___________
08 새기다 ___________
09 고집하다, 주장하다 ___________
10 충돌하다 ___________

C 한글 뜻에 맞는 어휘를 찾아서 ✔ 하세요.

01 ☐ synthesize / ☐ sympathize a sound 소리를 합성하다

02 a(n) ☐ incompatible / ☐ comparative file format 호환할 수 없는 파일 형식

03 the city's ☐ perished / ☐ perennial housing shortage 도시의 반복되는 주택 부족

04 a person ☐ entitled / ☐ subtitled to extra benefits 추가혜택을 받은 사람

05 a successful kidney ☐ translate / ☐ transplant 성공적인 신장 이식

D 다음 문맥에 알맞은 단어로 가장 적절한 것을 고르시오.

01 All of the ballet dancers were able to [**synchronize/synthesize**] their movements and appeared to function as one unit.

02 The criminal was given a reduced prison sentence for his willingness to [**coordinate/cooperate**] with the police.

03 Oppressive regimes are known to [**persecute/perpetuate**] journalists who criticize any part of the government.

04 Even though the runner sprained her ankle, her relentless [**perplex/perseverance**] enabled her to finish the race.

05 Most people store leftovers in [**transmitted/transparent**] containers, so they can see their contents without opening them.

어원 (11) Word roots 앞, 전진, 반복

● fore ● pre ●
● pro ● re ●

Preview

- Bristlecone pines grow in rocky areas where the soil is poor and **precipitation** is slight.
- **Prolific** writers are not always great writers, but it is noteworthy for them to continue writing lots of new things.
- Some sports scientists are using technology to evaluate and **rehabilitate** the functions of the human body

 어원 summary

FORE
앞, 미리
before

fore + cast
미리　(정보를)던지다
=forecast
예보하다

foreclosure
압류, 저당물권 상실
weather forecast
일기예보

* 토네이도까지는 아니지만 큰 우박(hail)과 강한 바람(strong wind)을 동반하는 뇌우(thunderstorm)가 극심해질 것인지, 잠재적으로(potentially) 치명적인 토네이도(deadly tornado)로 발전할 가능성이 있는지를 구분할 때, 그 두 징후의 차이가 아주 미묘(subtle)해서 예보(forecast)가 힘들다. 일기 예보자(forecasters)는 관찰(observation)과 컴퓨터 데이터(computer data) 검토를 통해, 강한 기상 불안정(strong weather instability)을 보이거나 바람 변화도(wind gradients)가 심한 지역을 찾아내어 구체적인 일기예보(forecast)를 가능케 한다.

☑ **forerunner**
[fɔ́ːrrʌ̀nər]

[fore앞서 + runner달리는 사람]　　　　　　ⓝ 선구자, 전신, 전조

01 The League of Nations, founded after World War I, was the **forerunner** of organization known as the United Nations.

➕plus　forefather(s)　n. 조상, 선조
forerun　v. ~에 앞서다, ~의 전조가 되다

☑ **foremost**
[fɔ́ːrmòust]

[fore앞(가장) + most(최상급 접미사)]　　　　ⓐ 맨 앞의, 으뜸가는

02 Virginia Woolf was the **foremost** feminist writer of the 20th century.

예문해석 **01** 제 1 차 세계대전 이후에 창설된 동맹국은 국제연합(UN)으로 알려진 기관의 **전신**이었다. **02** 버지니아 울프는 20세기에 **가장 선구적인** 여성주의 작가였다.

☑ **foreshadow**
[fɔːrʃǽdou]

[fore앞에 + shadow그림자를 던지다]　　ⓥ 전조가 되다, 조짐을 나타내다

03 The hot weather and lack of rain in the spring **foreshadowed** the long drought that lasted until late summer.

☑ **foretell**
[fɔːrtél]

[fore미리 + tell말하다]　　ⓥ 예언하다, ~의 전조를 보이다

04 Those who can **foretell** the future narrow down the infinite range of possible futures to one or a few. 　05 수능

⊕plus foresee ｖ. 예견하다, 예지하다

☑ **foresight**
[fɔ́ːrsàit]

[fore미리 + sight앞을 내다 봄]　　ⓝ 선견지명, 신중함

05 Early planners of New York City showed tremendous **foresight** in their design of the water system.

☑ **foreboding**
[fɔːrbóudiŋ]

[fore미리 + bod(e)널리 알리 + ing~는]　ⓝ 불길한 예감, 전조 ⓐ 예감이 드는

06 Brian had a sense of **foreboding** that something bad was happening that would be irrevocable.

day 11

＊ 어원 summary

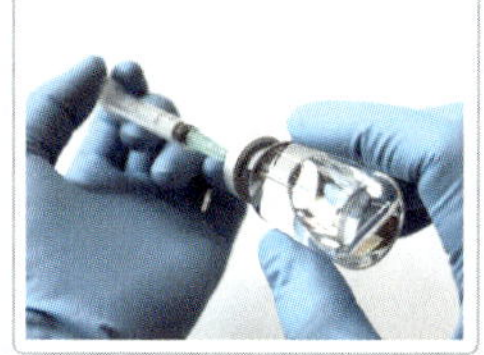

PRE
앞(서), ~보다 더
before

pre + caution
앞서　　조심

=precaution
조심, 예방조치

precautionary approach
예방적 접근

precooked foods
조리 식품

＊범죄의 희생자가 되지 않기 위해 미리 조심(precaution)하라. 범죄의 목표물(target)이 되지 않기 위해서, 눈에 띄는(conspicuous) 옷이나 보석을 착용하지 말고 지나치게 많은 현금을 가지고 다니지 말라. 또한 당신이 먹는 모든 음식으로 인해 어떤 심각한 건강 문제(health issue)도 일으키지 않도록 미리 조리되어(precooked) 있어야 한다는 점을 기억하라.

☑ **predominant**
[pridámənənt]

[pre(다른 것들보다) 앞서 + domin지배 + ant하는] ⓐ 우월한, 권력있는, 지배적인

07 Rome was the **predominant** power in the Mediterranean region for many centuries.

⊕plus ⊜ capital, preeminent, dominant
⊝ minor, negligible, trivial　a. 사소한

예문해석 03 더운 날씨와 봄에 내린 적은 비는 늦여름까지 지속될 긴 가뭄의 **조짐을** 보였다. 04 미래를 **예언할 수 있는** 사람들은 가능한 미래의 무한한 범위를 몇 가지로 좁힐 수 있다. 05 뉴욕시의 초기 계획은 수로 시스템의 디자인에 있어서 대단한 **선견지명을** 보여 주었다. 06 Brian은 돌이킬 수 없는 좋지 않은 일이 벌어지고 있다는 **예감이 들었다.** 07 로마는 지중해 지역에서 수 세기 동안 **지배적인** 국가였다.

☑ **prehistoric**
[prìːhistɔ́ːrik]

[**pre**이전 + histor(y)역사 + ic(형용사)]   ⓐ 선사 시대의

08 We know little about timekeeping and how humans measured the passage of time in **prehistoric** eras.   `12 평가원`

☑ **preliminary**
[prilímənèri]

[**pre**앞 + limin문지방, 입구 + ary(형용사)]   ⓐ 예비적인 ⓝ 사전 준비

09 The university's basketball team won its game in the **preliminary** stage and will be advancing to the next round of the tournament.

☑ **premise**
[prémis]

[**pre**앞으로 + mise보내다 = '뒤따르는 명제의 앞에 오는 것']   ⓝ 전제
ⓥ 전제로 하다

10 According to the passage, what would be the basic **premises** of the argument?

⊕plus preface   n. 서문, 머리말

☑ **preoccupy**
[priːάkjəpài]

[**pre**미리 + occupy차지하다]   ⓥ ～을 먼저 점유하다, ～에 몰두하게 하다

11 Records and artifacts show that some people were **preoccupied** with measuring the passage of time.   `12 평가원`

⊕plus be preoccupied with ～에 몰두하다

☑ **prerequisite**
[priːrékwəzit]

[**pre**미리 + requisite필수품, 필요 조건]   ⓐ 필수의, 전제가 되는
ⓝ 필요 조건, 필수 과목

12 Passing a written exam is a **prerequisite** for taking the advanced course.

⊕plus ⊜ precondition, requirement

☑ **prestigious**
[prestídʒiəs]

[**pre**앞 + stig묶다 + ious(형용사)]   ⓐ 고급의, 일류의

13 It does not make any difference whether you are a member of the most **prestigious** social club.

⊕plus ⊜ prominent, renowned
prestigious university   n. 명문대, 일류대

☑ **premonition**
[prìːməníʃən]

[**pre**앞선 + monition경고, 고지]   ⓝ 징후, 전조

14 If you learn that something in one of your dreams happened in reality, you will assume the dream was a **premonition**.   `12 수능`

예문해석 08 우리는 **선사 시대**에 사람들이 어떻게 시간을 기록하고, 어떻게 시간의 흐름을 측정했는지에 대해 거의 아는 바가 없다. 09 그 대학 농구부는 **예선전**에서 승리하여 시합의 다음 라운드로 향하게 될 것이다. 10 다음 글에 따르면, 주장의 기본 **전제**는 무엇인가? 11 기록과 인공물들은 몇몇 사람들이 시간의 흐름을 측정하는 것에 **사로잡혀** 있었다는 것을 보여준다. 12 필기 시험을 통과하는 것은 고급 과정을 수강하기 위한 **필수 조건**이다. 13 당신이 **고급** 사교 클럽의 회원이라고 해도 달라지는 것은 없을 것이다. 14 만약에 꿈에 나왔던 것이 실제 현실에서 일어났다는 것을 안다면, 당신은 그 꿈이 **예지몽**이었다고 여기게 될 것이다.

| 16 | 17 | 18 | 19 | 20 | 21 | 22 | 23 | 24 | 25 | 26 | 27 | 28 | 29 | 30 |

☑ **preconception**
[prì:kənsépʃən]

[**pre**앞선 + conception생각] 　ⓝ 선입견, 편견

15 You need to abandon **preconceptions** when you first go into the lecture on feminism.

⊕plus　＝ bias, prejudice
　　　　　unbiased　a. 편견이 없는

☑ **preponderance**
[pripándərəns]

[**pre**더욱 + ponder무게가 나가다 + ance(명사)]　ⓝ 능가, 우세, 압도적 다수

16 The **preponderance** of evidence suggests the crash was an accident.

☑ **precipitation**
[prisìpətéiʃən]

[**pre**먼저 (곤두박이로) (떨어지다) + cipit머리가 + action(명사)]　ⓝ 1. 낙하, 추락
　　　　　　　　　　　　　　　　　　　　　　　　　　　　　　　　2. 강수량

17 Bristlecone pines grow in rocky areas where the soil is poor and **precipitation** is slight.　II 수능

⊕plus　precipitate　v. 1. 촉진시키다　2. 거꾸로 떨어뜨리다
　　　　　snowfall　　n. 강설량
　　　　　precipice　　n. 벼랑

☑ **predicament**
[pridíkəmənt]

[**pre**(사람들) 앞에서 + dic말하다 + ament상태]　ⓝ 곤경, 궁지

18 With no money and no job, he found himself in a real **predicament**.

⊕plus　＝ dilemma, mess, quandary

⋇ 어원 summary

PRO
앞으로
forward

pro + long
앞쪽으로　길게(늘이다)
＝prolong
연장하다, 늘이다

the Prophets
예언서

habitual procrastination
습관적인 늑장

∗ NBA는 단체교섭(collective bargaining) 합의가 만료(expire)된 때를 기점으로, 현재 사무실은 폐쇄(lockout) 상태이다. 폐쇄 상태가 길어지는(prolonged) 것은 결국 다 돈 문제로 귀결된다. NBA 소유주는 3억 달러가 넘는 손실(loss)을 청구하고 있다. 그러나 지금까지 거의 진전(progress)이 없다.

예문 해석　**15** 처음으로 여성학 **강의**를 들으러 갈 때 선입견을 버릴 필요가 있다. **16** 압도적인 증거가 그 충돌이 사고였음을 보여준다. **17** 캘리포니아 전나무는 토양이 척박하고 **강수량**이 적으며, 바위가 많은 지역에서 자란다. **18** 돈도, 일자리도 없이 그는 자신이 진짜 **곤경**에 빠져 있음을 깨달았다.

☑ **proclaim**
[proukléim]

[**pro**앞으로 (밖으로) + claim외치다]　　　ⓥ 선언하다, 공포하다

19 She **proclaimed** that she would run for governor.

　⊕ plus　⊜ declare, pronounce
　　　　　proclamation　n. 선언서, 선포

☑ **prohibit**
[prouhíbit]

[**pro**앞에다 + hibit붙잡고 있다]　　　ⓥ 금하다, 금지하다

20 Smoking is **prohibited** in all Smithsonian facilities.　05 평가원

　⊕ plus　⊜ forbid, impede, ban
　　　　　⊖ let, permit, allow　v. 허락하다, 허가하다

☑ **prominent**
[prámənənt]

[**pro**앞으로 + min(툭)튀어나 + ent온]　　　ⓐ 현저한, 두드러진

21 Distance learning has recently become **prominent** in the
　field of further education.　05 평가원

　⊕ plus　⊜ noticeable, distinguished, notable, outstanding

☑ **prosperous**
[práspərəs]

[**pro**~에 따라 + sper기대, 희망 + ous(형용사)]　　　ⓐ 번영한, 번창한

22 In a **prosperous** country like this, you would never imagine
　bumping into a lot of people suffering from hunger, but you will.

　⊕ plus　⊜ thriving, flourishing, affluent

☑ **prophetic**
[prəfétik]

[**pro**앞서 + phet말하다 + ic(형용사)]　　　ⓐ 예언의, 예언적인

23 Dreams have been regarded as **prophetic** communications
　when properly decoded.　12 수능

☑ **procrastinate**
[proukrǽstənèit]

[**pro**앞으로 (미래로) + crastin내일에 속한 + ate(동사)]　　　ⓥ 미루다, 질질 끌다

24 Mom told me to stop **procrastinating** and get back to the
　assignments due tomorrow.

　⊕ plus　⊜ delay, stall, drag one's feet

☑ **prolific**
[proulífik]

[**proli**자손을 + crastin내일에 속한 + fic(많이) 만들어내는]　　　ⓐ 다작하는, 다산하는

25 **Prolific** writers are not always great writers, but it is
　noteworthy for them to continue writing lots of new things.

　⊕ plus　⊜ abundant, fruitful, copious
　　　　　⊖ unproductive　a. 수확이 없는, 비생산적인

예문해석　**19** 그녀는 주지사 선거에 출마하겠다고 **선언했다**. **20** 스미소니언의 시설에서는 흡연 **금지이다**. **21** 원격 교육은 최근 성인 교육 분야에서 **두드러지게** 활용되고 있다. **22** 이렇게 **부유한** 나라에서 당신은 배고픔으로 고통받는 많은 이들과 마주칠 거라 상상도 못했을 테지만, 많이 마주칠 것이다. **23** 제대로 해몽되었을 때, 꿈은 **예언의** 전달 통로라고 간주되어 왔다. **24** 엄마는 **미루지** 말고, 내일이 마감인 과제를 다시 시작하라고 말씀하셨다. **25** **다작하는** 작가가 항상 훌륭한 작가는 아니지만, 그들이 계속해서 많은 새로운 글을 쓰는 것은 주목할 만하다.

☑ **prodigal**
[prǽdigəl]

[pro(d)(돈을) 앞으로 (멀리) + ig몰아 + al내는] ⓐ 낭비하는, 방탕한

26 The **prodigal** son in the Bible returns to his father's embrace in beggar's clothes.

⊕ plus　⊜ extravagant
　　　⊝ frugal, thrifty a. 검소한, 절약하는

⚹ 어원 summary

RE
다시, 뒤에다, 강조용법
again, back

re + locate
다시 장소를 정하다
=relocate
재배치하다, 이전시키다

relocation camp
난민 수용소
retail outlet
소매 판매점

*일자리가 더 구하기 어려워 진다는 것에 대한 두려움을 감안하면, 당신은 처음 제안(offer)을 받았던 곳으로 옮기고(relocate) 싶어질지도 모른다. 하지만 전문가(expert)들은 이렇게 하는 것이 항상 합리적이지는 않다고 말한다. 전근(relocation)에 드는 비용(cost)이 적지 않다. 많은 고용주들은 최소한의 전근 비용만을 부담할 것이다. 그러나 직원들은 옮기기 전에 전근 조건을 가능한 상세하게 알아야만 한다.

day 11

☑ **repent**
[ripént]

[re강조용법 + pent뉘우치다] ⓥ 후회하다, 뉘우치다

27 The inmate **repented** for his heinous crime every day of his twenty-year prison sentence.

⊕ plus　⊜ regret, atone

☑ **replace**
[ripléis]

[re다시 + place놓다] ⓥ 1. 대체하다, 바꾸다 2. 제자리에 놓다

28 I have a hard time believing that electronic reading devices will **replace** conventional paper books.

⊕ plus　replace A with B A를 B로 바꾸다
　　　⊜ substitute B for A

☑ **reinforce**
[rìːinfɔ́ːrs]

[re다시 + force힘을] ⓥ 강화하다, 늘리다

29 Our motto is intended to **reinforce** the idea that each employee is responsible for our company's success.

⊕ plus　⊜ increase, strengthen
　　　reinforcement n. 강화, 보강

예문해석　**26** 성경에 나오는 **방탕한** 아들은 거지 옷을 입고 아버지의 품으로 돌아온다. **27** 그 수감자는 20년 간 감옥 생활을 하는 동안 자신이 매일 저질렀던 악한 범죄행위에 대해 **후회했다**. **28** 나는 전자책이 종이책을 **대체하게** 될 것이라는 것을 받아들이기 힘들다. **29** 우리의 좌우명은 각 직원이 우리 회사의 성공에 책임이 있다는 생각을 **강조하고자** 의도된 것이다.

☐ **reconcile**
[rékənsàil]

[**re**다시 + concile함께 데려오다(만나게 하다)] ⓥ 화해시키다, 조정하다

30 It is becoming more common for couples to see a marriage counselor in order to **reconcile** their differences.

⊕plus ⊜ harmonize, make up, settle
compromise v. 타협하다, 양보하다, 약화시키다
reconciliation n. 화해, 중재, 조화

☐ **restrain**
[ri:stréin]

[**re**뒤에다 + strain묶어(두다)] ⓥ 억제하다, 제한하다

31 Photographers were asked to **restrain** themselves from taking pictures until the end of the show.

⊕plus ⊜ inhibit, control, restrict

☐ **retail**
[rí:teil]

[**re**강조용법 + tail자르다] ⓝ 소매, 소매상

32 We are looking for more **retail** outlets for our products to increase our sales volume.

⊕plus ⊖ wholesale n. 도매
out of stock 품절된
retail at ~ v. ~의 값으로 소매되다

☐ **retreat**
[ri:trí:t]

[**re**뒤로 + treat끌어당기다] ⓥ 후퇴하다, 물러서다 ⓝ 후퇴, 철회

33 The children rushed excitedly down to the beach to gather seashells during the initial **retreat** of water. 09 평가원

⊕plus ⊖ march on, advance toward v. ~을 향해 진격하다

☐ **rehabilitate**
[rì:həbílətèit]

[**re**다시 + habilit할 수 있게 + ate하다] ⓥ 재활 치료를 하다, 사회 복귀를 돕다

34 Some sports scientists are using technology to evaluate and **rehabilitate** the functions of the human body. 11 수능

⊕plus rehabilitation program n. 재활 프로그램
rehabilitate a juvenile delinquent 비행 청소년을 갱생시키다

☐ **recruit**
[rikrú:t]

[**re**다시 + cruit키우다] ⓝ 신병, 신입 회원 ⓥ 신입을 모집하다

35 We **recruited** outside supporters to help us carry out these new programs. 07 평가원

⊕plus ⊖ dismiss, lay off, fire v. 해고하다

예문해석 **30** 연인이 두 사람 간 차이의 화해점을 찾고자 결혼 상담가를 찾아가는 일이 더욱 보편화되고 있다. **31** 사진사들은 그 쇼가 끝나고 나서야 촬영을 자제하도록 요청 받았다. **32** 우리는 판매량을 증가시키기 위해, 우리 제품을 판매할 더 많은 소매 판매처를 찾고 있다. **33** 첫 썰물 때 아이들은 즐거워하며 조개 껍데기를 주으러 해안가로 서둘러 내려갔다. **34** 몇몇 스포츠 과학자들은 인체의 기능을 측정하고 **재활시키기** 위해 기술을 활용하고 있다. **35** 우리는 이 새로운 프로그램들을 수행하기 위해 외부 지원인력을 **모집했다.**

A 다음 단어에 해당하는 우리말을 쓰시오.

01 foretell
02 prehistoric
03 rehabilitate
04 relocate
05 prosperous
06 proclaim
07 precipitation
08 prerequisite
09 forecast
10 repent

B 다음 단어에 해당하는 영어단어를 쓰시오.

01 선구자, 전조
02 현저한, 두드러진
03 선입견, 편견
04 전제, 전제로 하다
05 강화하다, 늘리다
06 소매
07 미루다
08 징후, 전조
09 낭비하는
10 대체하다

C 한글 뜻에 맞는 어휘를 찾아서 ✓ 하세요.

01 a harness to ☐ restrain ☐ rehabilitate — 애완용 동물을 억누르는 목줄

02 a writer's ability to ☐ foreshadow ☐ forerun events — 사건의 전조를 나타내는 작가의 능력

03 a woman ☐ precipitated ☐ preoccupied with her appearance — 자신의 외모에 집착하는 여성

04 ☐ prohibit ☐ precaution outside food and beverages — 외부 음료와 음식을 금지하다

05 one of the most ☐ prolific ☐ prodigal songwriters — 다작하는 작사 및 작곡가 중 한 명

D 다음 문맥에 알맞은 단어로 가장 적절한 것을 고르시오.

01 The **[preponderance/precautionary]** of evidence was gathered in the private home of the main suspect.

02 Motorists must carry a copy of their driver's license with them as proof they are **[proficient/prominent]** behind the wheel of a car.

03 The high school student was ecstatic upon learning she had been accepted by a **[preoccupied/prestigious]** university.

04 The commander ordered his troops to **[restrain/retreat]** before they were completely surrounded by the enemy.

05 Tara found herself in an unusual **[predicament/prediction]** and had to ask several friends for assistance.

어원 (12) Word roots 초과, 아래, 분리

- over - out -
- sur/super -
- sub - under -
- de -

Preview

- The hare was **overtaken** by the tortoise who moved studiously toward the goal.
- If rewards were possible, employees would be more likely to strive to **outperform** expectations.
- The two theories **underlying** the tremendous progress of physics were mutually incompatible.

✻ 어원 summary

OVER
넘어, 위에, 과도하게

over + look
넘겨   보다
=**overlook**
간과하다, 내려다 보다

overwhelming victory
압도적 승리
Overtaking Prohibited
추월 금지

* 감람산에서는 예루살렘의 고대 도시인 성전산이 내려다보인다 **(overlook)**. 유대교**(Judaism)**, 이슬람교**(Islam)**, 기독교**(Christianity)**, 로마 이교도**(Roman paganism)** 등 최소 4개의 종교가 성전산을 이용한 것으로 알려져 있다. 그 지역은 이스라엘의 통제하에 있으며, 매일 매일의**(day-to-day)** 운영은 이슬람 종교조합에 의해 감독**(oversee)**된다.

☑ **overlap**
[òuvərlǽp]

[**over**위에 + lap(부분적으로) 포개다]   ⓥ 1. 겹치다 2. 일부분이 일치하다

01 You can choose to watch either sport when baseball season **overlaps** football season.

⊕ plus ⊜ be folded, be piled up

☑ **overall**
[óuvərɔ̀:l]

[**over**위에 + all모든 것]   ⓐ 전부의 ⓐⓓ 전체로

02 **Overall**, there are only two continents whose percentage of forest loss is greater than five percent. 12 수능

☑ **overcharge**
[òuvərtʃá:rdʒ]

[**over**과다하게 + charge비용을 청구하다] ⓥ 과잉 청구하다, ~너무 많이 싣다

03 There are several tips for you not to be **overcharged** for car repairs in a strange area.

예 문 해 석 **01** 당신은 야구 시즌과 축구 시즌이 **겹칠** 때 어떤 스포츠를 관람할지를 선택할 수 있다. **02 전체적으로**, 삼림 손실률이 5%이상인 대륙은 두 곳이다. **03** 낯선 지역에서 자동차 수리를 받았을 때 **바가지를 쓰지** 않기 위한 몇 가지 팁이 있습니다.

☑ **overtake**
[òuvərtéik]

[**over**따라 + take잡다]　　　　　　　　Ⓥ 따라잡다, 추월하다

04 The hare was **overtaken** by the tortoise who moved studiously toward the goal. ⅠⅠ 평가원

⊕plus ＝ outdo, exceed, surpass

☑ **overthrow**
[òuvərθróu]

[**over**넘어져, 쓰러져 + throw던지다]　Ⓥ ~을 뒤엎다, 폐지하다 ⓝ 전복, 타도

05 Old ideas have been **overthrown** and replaced by radically different new ones. 05 평가원

⊕plus overturn v. 뒤집다 n. 전복, 타도

☑ **overwhelm**
[òuvərhwélm]

[**over**넘어져, 쓰러져 + whelm뒤집다]　Ⓥ 압도하다, 당황하게 하다

06 At times it can be **overwhelming** when you have no understanding of a situation. 06 수능

☑ **overshadow**
[òuvərʃǽdou]

[**over**위에 + shadow그늘지게 하다]　Ⓥ 그늘지게 하다, 빛을 잃게 하다

07 The revised edition of his book **overshadowed** Vasari's own achievements as a painter and architect. 12 수능

☑ **overestimate**
[òuvəréstəmeit]

[**over**너무 높게 + estimate평가하다]　Ⓥ 과대평가하다

08 **Overestimating** your ability sometimes boosts up your energy, but it can lead you to have unrealistic goals.

⊕plus ⊖ depreciate, devaluate, underestimate v. 과소평가하다

✳ 어원 summary

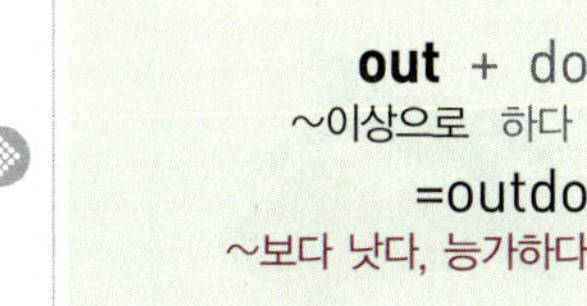

✱ 우스꽝스러운 일화(anecdote)에 관한 한, 칼 도넬리를 능가하는(outdo) 코미디언은 거의 없다. 밀수한 물건(smuggling package)을 콘서트 장에 가져간 이야기이든, 동료 코미디언(fellow comedian)과 신기한 춤을 춘 내용이든, 도넬리는 항상 당황스럽고(embarrassing) 바보 같은(ridiculous) 상황을 즐기며, 이 분야에서 타의 추종을 불허한다.

예문해석 04 토끼는 목표를 향해 열심히 전진하는 거북이에게 **따라잡혔다.** 05 오래된 생각은 **폐지되고**, 본질적으로 다른 새로운 생각으로 대체되었다. 06 때때로 당신이 어떤 상황에 대해 아무것도 모를 때 너무 **당황스러울** 수 있다. 07 Vasari가 쓴 책의 새 개정판은 화가와 건축가로서의 자신의 업적을 **무색케 했다.** 08 당신의 능력을 **과대평가하는** 것은 당신의 에너지를 향상시키지만 비현실적인 목표를 세우게 하기도 한다.

☑ **outgrow**
[àutgróu]

[out~보다 더(빨리) + grow자라다]　ⓥ ~보다 더 커지다, 자라서 못 입게 되다

09 His business is **outgrowing** its small office building, so he is thinking of launching another branch.

☑ **outlive**
[àutlív]

[out~보다 이상으로 + live살다]　ⓥ ~보다 오래 살다, ~을 견디어 내다

10 Norah **outlived** her husband by 10 years, but she is still buried alongside her husband.

☑ **outnumber**
[àutnʌmbər]

[out~보다 더 많다 + number숫자가]　ⓥ ~보다 수적으로 우세하다

11 Despite being **outnumbered**, the general and his soldiers managed to fight back bravely.

☑ **outweigh**
[àutwéi]

[out~보다 더 많이 + weigh무게가 나간다]　ⓥ ~보다 무겁다, ~보다 중대하다

12 The benefits of messy play far **outweigh** the disadvantages of a few spots of paint or mud.　07 평가원

☑ **outreach**
[àutríːtʃ]

[out~보다 더 멀리, ~밖으로 + reach도달하다]　ⓥ ~보다 멀리 미치다

13 She was just a young actress whose ambition **outreached** her talent, unfortunately.

☑ **outperform**
[àutpərfɔ́ːrm]

[out~보다 더 잘 + perform수행하다]　ⓥ 능력이 ~을 능가하다

14 If rewards were possible, employees would be more likely to strive to **outperform** expectations.　11 평가원

✳ 어원 summary

SUR
(=super)
위에, 넘어
over, above, beyond

sur + pass
넘어　가다
=surpass
~보다 낫다, 능가하다

superego
초자아

superiority complex
우월 컴플렉스

✱ 여자 아이들은 학교 성적에 있어서 남자 아이들보다 낮지만(**surpass**), 이는 꼭 여자 아이가 더 우수(**superior**)하다는 뜻은 아니다. 성적은 학생이 얼마나 많이 알고 있느냐 뿐 아니라 선생님의 지도에 잘 따르는지와 같은 제도적인 요구(**institutional demand**)에 부응(**conformity**)하는 정도에도 달려 있기 때문이다.

예문해석　09 작은 사무실에 비해 그의 사업 **규모가 더 커져서** 지사 설립을 고려하고 있다. **10** Norah는 남편보다 10년 **더 오래 살았지만**, 죽은 후 남편 옆에 묻히었다. **11 수적 열세에도** 불구하고 그 장군과 군인들은 용감하게 맞서 싸웠다. **12** 지저분한 진흙이나 페인트 놀이는 더러운 얼룩이 생긴다는 단점보다 이점이 **훨씬 많다**. **13** 그녀는 야망이 넘치나 안타깝게도 그 야망을 **넘어서는** 재능은 갖추지 못한 젊은 여배우였다. **14** 만약 보상이 가능하다면, 직원들은 기대를 **능가하는** 성과를 내기 위해 더 노력할 것이다.

☑ **superficial**
[sùːpərfíʃəl]

[**super**위의 + fic얼굴, 형태 + ial(형용사)] ⓐ 표면의, 피상적인

15 The wound was only **superficial** and did not result in any damage to vital organs.

➕plus ⊜ shallow, slight, external
⊝ thorough, profound a. 심오한, 철저한

☑ **superior**
[səpíəriər]

[**super**위에(있는) + ior~보다(비교급)] ⓐ 뛰어난, 우수한 ⓝ 우수한 사람

16 In ancient China, people when presenting themselves before a **superior**, knelt down and bumped their heads on the floor. 06 평가원

➕plus ⊝ inferior, subordinate

☑ **superstition**
[sùːpərstíʃən]

[**super**(상식)을 넘어 + sti서 있다 + tion(명사)] ⓝ 미신

17 According to ancient **superstitions**, moles reveal a person's character. 05 수능

day
12

☑ **supreme**
[suːpríːm]

[**supre**위에(있는) + me가장 ~한(최상급)] ⓐ 최고의, 최고 권위의 ⓝ 최고의 것

18 Going undercover as a drunken person actually requires a **supreme** effort to stay awake.

➕plus the Supreme Court n. 대법원

☑ **surplus**
[sə́ːrplʌs]

[**sur**위에, 넘는 + plus(more)더 많은] ⓝ 과잉, 흑자

19 The school's bank account is currently in **surplus**, so they can award cash grants to students.

➕plus ⊝ shortage, deficiency, want, scarcity n. 부족

☑ **surrender**
[səréndər]

[**sur**넘겨 + render주다] ⓥ 넘겨 주다, 항복하다

20 The enemy finally **surrendered** after three days of fighting.

➕plus ⊜ give in, capitulate

☑ **surveillance**
[səːrvéiləns]

[**sur**위에서 + veill지켜보는 + ance것] ⓝ 감시, 감독

21 The human rights organization is strongly protesting against the excessive government **surveillance** of suspected terrorists.

예문해석 **15** 그 부상은 단지 **경미한** 것이라 주요 장기에 어떤 손상도 초래하지 않았다. **16** 고대 중국에서 사람들은 **높은 사람** 앞에서는 무릎을 꿇고 바닥에 닿도록 머리를 조아렸다. **17** 고대 **미신**에 따르면 점은 사람의 특성을 나타낸다. **18** 취객으로 잠복근무하는 일은 실은 깨어있어야 하는 **극도의** 노력을 요한다. **19** 그 학교는 은행계좌에 현재 **잉여** 자금이 있어서 학생들에게 현금으로 학비보조금을 지급할 수 있다. **20** 적군은 3일간의 전투 끝에 마침내 **항복했다**. **21** 그 인권단체는 테러 용의자들에 대한 정부의 지나친 **감시**에 대해 강력히 항의하고 있다.

✳ 어원 summary

SUB
아래
under

sub + tract
아래서   당기다
=**subtract**
빼다

submission date
제출일

subordinate category
하위 범주

✳ 정부의 회계(**fiscal**) 상태는 소득(**earning**)에서 지출(**expenditure**)을 뺀(**subtract**) 것으로 계산될 수 있다. 재정적자(**budget deficit**)는 구조적인(**structural**) 문제일 수도 있고 주기적인(**cyclical**) 문제일 수도 있다. 주기적인 적자는 경기가 회복되면 적자가 완화(**ease**)될 것이라는 점을 암시하는 반면, 구조적 적자는 근본적인(**underlying**) 문제가 내재되어 있어 더 심각한 것이다.

☑ **subconscious**
[sʌbkánʃəs]

[**sub**아래서 + conscious의식하고 있는]   ⓐ 잠재의식의, 어렴풋이 의식하는
ⓝ 잠재의식

22 Your dislike of water is perhaps due to a **subconscious** fear of drowning.

⊕plus unconscious a. 의식이 없는, 무의식적인

☑ **subordinate**
[səbɔ́ːrdənit]

[**sub**아래서 + ordin배열하다 + ate(형용사)]   ⓐ 하급의, 부차적인

23 All members of the committee are **subordinate** to the chairman.

⊕plus ⊜ secondary, subsidiary

☑ **substance**
[sʌ́bstəns]

[**sub**아래서 + stance서 있는 것]   ⓝ 물질, 요지 ⓐ 상당한, 실체의

24 The **substances** taste about the same as usual. `12 평가원`

⊕plus substantial a. 상당한, 실체의

☑ **substandard**
[sʌ̀bstǽndərd]

[**sub**아래 + standard표준]   ⓐ 기준 이하의, 열악한

25 **Substandard** housing refers to housing which fails to meet the minimum requirements.

☑ **submissive**
[səbmísiv]

[**sub**아래로 + miss보내다 + ive(형용사)]   ⓐ 순종적인, 복종하는

26 The servants at the manor were **submissive** and complied with any request.

⊕plus ⊜ compliant, obedient

예문 해석   **22** 당신이 물을 싫어하는 것은 아마도 익사에 대한 **잠재적인** 두려움 때문일 것이다. **23** 위원회의 모든 회원은 회장보다 **하급자**이다. **24** 그 **물질**은 평소와 똑같은 맛이 난다. **25 불량** 주택이란 최소한의 요구사항을 만족시키는 데 실패한 주거 시설을 말한다. **26** 그 영지의 노예는 **순종적**이었으며 어떤 요청에도 동의했다.

어원 summary

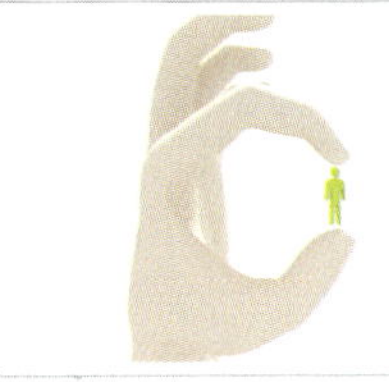

UNDER
아래

under + estimate
아래로   평가하다
=underestimate
과소 평가하다

underlying asset
기초 자산
undergraduate degree
학사 학위

* 소련은 아프간 침공의 비용을 상당히 과소평가(**underestimate**)했다. 소련이 공격(**assault**)을 개시한 지 2일 만에 수도인 카불이 포위되었다. 미국인은 아이러니하게도(**ironically**) 지금은 탈레반이 된 이슬람 전사들을 무장시키고 훈련시키며 공산주의의 기반을 약화시킴(**undermine**)으로써 이에 대응했다.

☑ **under**graduate
[ʌ̀ndərgrǽdʒuit]

[under아래 + graduate졸업생]   ⓝ 대학 재학생, 학부생

27 All **undergraduates** are required to take physical education classes.

➕ plus graduate school   n. 대학원

day **12**

☑ **under**mine
[ʌ̀ndərmáin]

[under밑을 + mine파내다]   ⓥ ~의 밑을 파다, 약화시키다

28 The rumors **undermined** the candidate's credibility.

➕ plus ⊜ weaken, abate, attenuate

☑ **under**take
[ʌ̀ndərtéik]

[under(책임, 임무 등을) 아래서 + take받다]   ⓥ 맡다, 착수하다

29 The government will never **undertake** a full investigation into the unsettled accident again.

➕ plus ⊜ take over

☑ **under**lying
[ʌ̀ndərláiŋ]

[under아래에 + lying놓여 있는]   ⓐ 기초를 이루는, 근원적인

30 The two theories **underlying** the tremendous progress of physics were mutually incompatible. `12 평가원`

➕ plus underlie v. ~의 기초가 되다
underscore v. ~에 밑줄을 긋다

☑ **under**privileged
[ʌ̀ndərprívəlidʒd]

[under아래에(~이하로) + privileged특권을 가지는]   ⓐ 혜택 받지 못한

31 **Underprivileged** children often don't do as well on standardized tests as more privileged students.

예문해석 **27** 모든 학부생들은 필수적으로 체육 수업을 들어야 한다. **28** 그 소문은 후보자의 신뢰도를 **깎아내렸다**. **29** 정부는 미해결 사건에 대한 면밀한 재조사에 절대 **착수하지** 않을 것이다. **30** 물리학의 굉장한 발전의 **기초를 이루는** 두 이론은 서로 양립 불가능했다. **31** **혜택 받지 못한** 아이들은 종종 혜택 받은 아이들에 비해 표준화된 시험에서 좋은 점수를 받지 못한다.

✱ 어원 summary

DE
아래로, 완전히, 분리 (이탈)
down, off, away,
completely

de + spise
아래로 내려다 보다
=despise
경멸하다

decline phase
쇠퇴기
defective goods
불량품

✱ 콜로서스라는 프로그램 작동이 가능한 세계 최초의 전자(**electronic**), 디지털(**digital**) 컴퓨터는 제2차 세계대전 동안에 암호화된 (**encrypted**) 독일의 메시지를 해독(**decode**)하기 위해 영국의 암호 해독자(**codebreaker**)가 설계했다. 이 컴퓨터는 거짓 정보를 독일에 전달해 속임(**deceive**)으로써 군대를 움직이게 했다. 독일인이 정말 계획대로 조종(**manipulate**)되고 있는지를 확인하기 위해 이어지는 대화도 감시(**monitor**)했다.

☑ **demonstrate**
[démənstrèit]

[**de**완전히 + monstr보여주다 + ate(동사)] ⓥ 1. 입증하다, 실증하다
　　　　　　　　　　　　　　　　　　　　　2. 시위에 참여하다

32 The magician **demonstrated** magic has little to do with fast movements. `09 평가원`

⊕**plus** ⊜ illustrate

☑ **defective**
[diféktiv]

[**de**(기준에서) 아래로, 멀리 + fect만들다, 하다 + ive(형용사)] ⓐ 결함이 있는

33 The company was forced to recall the cars because of **defective** engines.

⊕**plus** ⊝ flawless, impeccable, perfect a. 결함이 없는

☑ **deteriorate**
[ditíəriərèit]

[**de**아래로 + terior비교급 접미어 + ate(동사)] ⓥ 악화되다, 더 나빠지다

34 The quality of our country's air has steadily **deteriorated** for over two hundred years.

⊕**plus** ⊝ ameliorate, improve v. 개선하다
deterioration n. 악화, 저하

☑ **desolate**
[désəlit]

[**de**완전히 + sol홀로 + ate(형용사)] ⓐ 황량한, 적막한

35 They imprisoned me in a **desolate** wasteland where the sun never sets and nothing ever grows.

⊕**plus** deplete v. 대폭 감소시키다, 고갈시키다.

예문해석 **32** 그 마술사는 마술이 빠른 동작과는 관련이 없다는 것을 **보여 주었다**. **33** 회사는 엔진 **결함**으로 인해 자동차를 리콜할 수 밖에 없었다. **34** 우리 시골 공기의 질은 200년간 꾸준히 **악화되어 왔다**. **35** 그들은 나를 해가 들지 않고 아무것도 자라지 않는 **황량한** 황무지에 감금시켰다.

A 다음 단어에 해당하는 우리말을 쓰시오.

01 overlook
02 overlap
03 outreach
04 surplus
05 subtract
06 despise
07 desolate
08 underlying
09 submissive
10 defective

B 다음 단어에 해당하는 영어단어를 쓰시오.

01 과잉 청구하다
02 최고의
03 그늘지게 하다
04 혜택 받지 못한
05 물질, 요지
06 약화시키다
07 압도하다, 당황하게 하다
08 능력이 ~을 능가하다
09 항복하다
10 잠재 의식의

C 한글 뜻에 맞는 어휘를 찾아서 ✔ 하세요.

01 ☐ superior ☐ superficial consumer products — 고급 소비자 상품

02 motivated to ☐ overlap ☐ outdo a competitor — 경쟁자를 능가하도록 동기를 부여 받은

03 an attempt to ☐ overtake ☐ overestimate the leader — 지도자를 따라잡으려는 노력

04 a difficult task to ☐ undertake ☐ undermine — 맡기에 힘든 일

05 ☐ demonstrate ☐ detonate how operate a machine — 기계 작동법을 설명하다

D 다음 문맥에 알맞은 단어로 가장 적절한 것을 고르시오.

01 Conservationists are warning others not to **[underestimate/underscore]** the importance of the environment.

02 The board of directors concluded that the advantages of the proposed merger **[outline/outweigh]** any disadvantages.

03 Experts predict that the population of India will **[surrender/surpass]** that of China sometime within the next century.

04 In his 30 years of serving the company, Mr. Patterson was ultimately promoted to a position **[subordinate/subconscious]** only to the president.

05 If relations between the two nations **[desolate/deteriorate]** any further, many fear the situation may escalate into a war.

PART II

keep

break

put

fall

hold

핵심동사

Key **Verbs**

come

핵심동사 (1) Key Verbs

● keep ● have ● hold ●

Preview

keep, **have**, **hold** 동사의 다양한 의미와 관련 구동사 및 표현, 용법을 마스터한다.
- He reads ten different newspapers everyday to **keep up with** the latest current events.
- Paul's answer **had nothing to do with** the intention of my question.
- The newly built opera theater can **hold** a maximum of 2,000 people.

✱ 동사 summary

keep
[kept/kept]

KEEP은 '특정한 상태나 위치에 머무르게 하다, 변치 않게 유지시키다' 라는 기본의미를 가지며, '계속 ~하다 (continue),' '간직하다, 보관하다 (store),' '못하게 하다 (stop, prevent),' '약속을 지키다 (promise)' 의 뜻으로 확장된다. 주요 구동사 및 관용표현으로는 '따라잡다 (keep up),' 'A가 ~ 못하게 하다 (keep A from -ing),' '잊지 않고 기억하다 (keep ~ in mind)' 등이 있다. KEEP은 5형식의 형태를 취해 '어떤 상태로 두다, 계속 ~하게 하다' 의 뜻으로 쓰이는데, 이 때 목적어와 목적보어에 따라 **p.p.**(수동)를 취할 것인지 **-ing**(능동)를 취할 것인지 파악하는 것이 핵심 포인트이다.

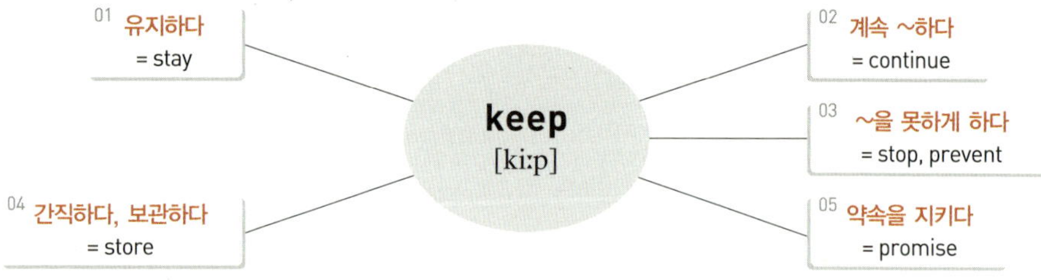

유지하다	01 How can you **keep** up the energy to work after you stayed up all night studying?
계속 ~하다	02 I am nervous because the guy next door **keeps** forgetting to turn his gas heater off.
~을 못하게 하다	03 My husband's snoring last night **kept** me from sleeping well.
간직하다, 보관하다	04 Mom and I decided to **keep** the book of fairy tales and sell the others.
약속을 지키다	05 He promised to teach me English, but I doubt he will **keep** his word.

예문해석 **01** 밤을 새서 공부한 후 넌 어떻게 일할 에너지를 **유지하니**? **02** 옆집에 사는 남자가 가스난로 끄는 것을 **계속** 잊어버려서 불안하다. **03** 어젯밤 내 남편의 코고는 소리가 나의 숙면을 **방해했다**. **04** 엄마와 나는 동화책만 **간직하고**, 다른 책들은 팔기로 결정했다. **05** 그는 내게 영어를 가르쳐주겠다고 약속했지만, 그는 약속을 **지키지** 않을거라고 생각한다.

 **구동사(Phrasal Verbs)**

☑ keep **up**	~을 따라잡다, ~을 쫓아가다 06 These days, it is not easy to **keep up** with the rapidly changing information technology environment.
☑ keep **away**	~을 멀리하다, ~에 가까이 가지 않다 07 When climbing the mountain, he warned his son to **keep away** from the edge of the cliff.
☑ keep **back**	~을 억누르다 (참다) 08 When she discovered he had already left, she could not **keep back** her tears.
☑ keep **down**	~을 억제하다, ~을 아래로 누르다 09 Citizens could not **keep down** their anger towards the people responsible for setting the fire.
☑ keep **off**	~를 멀리하다 10 In order to lose weight, I am trying to **keep off** taking late-night meals.

 **주요 표현(Expressions)**

☑ keep **sb/sth from - ing**	~가 ~하지 못하게 하다 11 During the cold and flu season, you should be careful to **keep** your child **from being** outside.
☑ keep **one's word/promise**	약속을 지키다 12 Their relationship was broken up finally because she did not **keep her word**.
☑ keep **in mind**	잊지않고 기억하다, 마음에 담아두다 13 I still **keep in mind** the famous line "seize the day" from the film *Dead Poet's Society*.
☑ keep **up with**	~에 뒤지지 않다 14 He reads ten different newspapers everyday to **keep up with** the latest current events.

day
13

예문해석 **06** 요즘은 빠르게 변화하는 정보 기술 환경에 **뒤쳐지지** 않고 살아가기가 쉽지 않다. **07** 등산을 할 때 그는 아들이 절벽 낭떠러지에 **가까이 가지 않도록** 주의를 주었다. **08** 그가 이미 떠났다는 것을 알고, 그녀는 눈물을 **참을** 수 없었다. **09** 시민들은 불을 지른 사람들을 향한 분노를 **억누를** 수가 없었다. **10** 살을 빼기 위해 나는 야식을 **멀리하려고** 노력중이다. **11** 추운 독감 시즌에는 아이를 야외에 **나가지 못하게** 해야 합니다. **12** 그녀가 **약속을 지키지** 않았기 때문에 그들의 관계는 결국 깨졌다. **13** 나는 영화 '죽은 시인의 사회'에 나오는 "오늘을 즐겨라"라는 대사를 아직도 **기억해**. **14** 그는 최근 시사 경향에 **뒤쳐지지 않으려고** 매일 열 개의 다른 신문을 읽는다.

☑ keep **an eye on**　　～을 주시하다, ～을 지켜보다
15 Would you **keep an eye on** my suitcase while I go to the rest room?

☑ keep **one company**　　～와 친하게 지내다, 어울리다
16 While I was hospitalized for a month, my old friend visited me twice a week to **keep me company**.

☑ keep **one's temper**　　화를 참다
17 Her trembling eyes and red cheeks show that she is having a hard time **keeping her temper**.

☑ keep **one's chin up**　　용기를 잃지 않다, 굴복하지 않다
18 My mother advised me to **keep my chin up** even at desperate time.

☑ keep **[stay] out of**　　～을 피하다
19 Hot beverages and sharp items should be **kept out of** the reach of children.

☑ keep **posted**　　～에게 계속해서 알리다
20 While Susan investigates the data about the case, she will **keep me posted** on any updates.

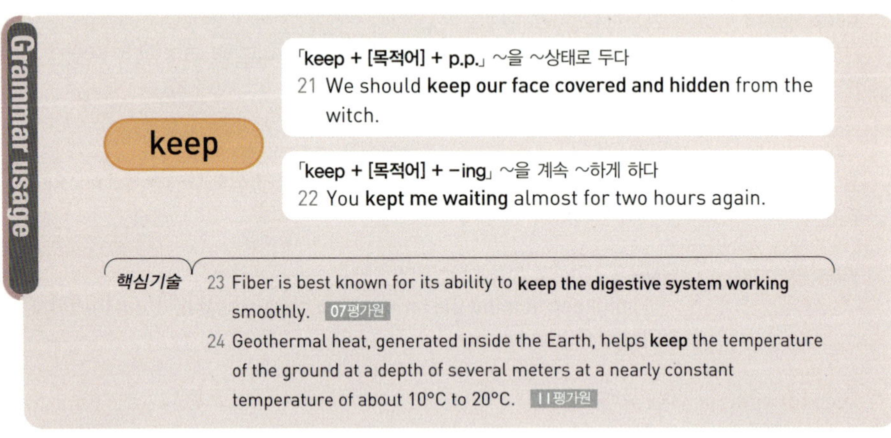

예문해석　**15** 내가 화장실에 가는 동안 내 여행 가방을 좀 **지켜줄래**? **16** 한 달 동안 입원해 있는 동안 내 옛 친구가 **곁에** 있어 주려고 일주일에 두 번씩 병문안을 왔다. **17** 그녀의 떨리는 눈과 붉어진 뺨이 그녀가 **화를 참고** 있음을 보여준다. **18** 저희 엄마는 절망의 순간에도 **용기를 잃지 말라고** 조언해 주셨습니다. **19** 뜨거운 음료나 뾰족한 물건은 아이들이 닿지 **않은 곳에** 두어야 합니다. **20** Susan이 그 사건에 대한 자료를 조사하는 동안, 그녀는 어떻게 되어가는지 내게 **계속 알려줄 거야**. **21** 마녀에게 들키지 않으려면, 우리는 얼굴을 **가려서 숨겨야** 한다. **22** 또 한 번 너는 나를 거의 2시간 동안 **계속 기다리게 했다**. **23** 섬유질 식품은 **소화 기관이 부드럽게 작동하도록 해 주는** 능력으로 가장 잘 알려져 있다. **24** 지구 내부에서 발생하는 지열은 수 미터 깊이의 땅의 온도를 10℃에서 20℃ 정도의 거의 일정한 온도로 **유지하는데** 도움이 된다.

✳ 동사 summary

have
[had/had]

HAVE는 '**어떤 특성을 지니고 있다, ~을 소유하고 있다**'의 기본의미를 가지며, '병을 앓다 (**suffer**),' '먹다, 마시다 (**eat, drink**),' '~을 하다 (**do**),' '경험하다 (**experience**)'의 뜻으로 확장된다. **HAVE**는 구동사보다 관용 표현으로 많이 쓰이는데, 주요 표현으로는 '~와 관계가 없다/있다 (**have nothing/something to do with~**),' '~하는데 어려움이 있다 (**have trouble -ing**),' '~을 염두해 두다 (**have ~ in mind**)'가 있다. **HAVE**는 주로 목적어만을 취하는 3형식으로 많이 쓰이지만, 「**have** + [목적어] + **do(ing)/p.p.**」처럼 5형식을 취해 사역의 의미로도 자주 쓰이므로 꼭 알아두자.

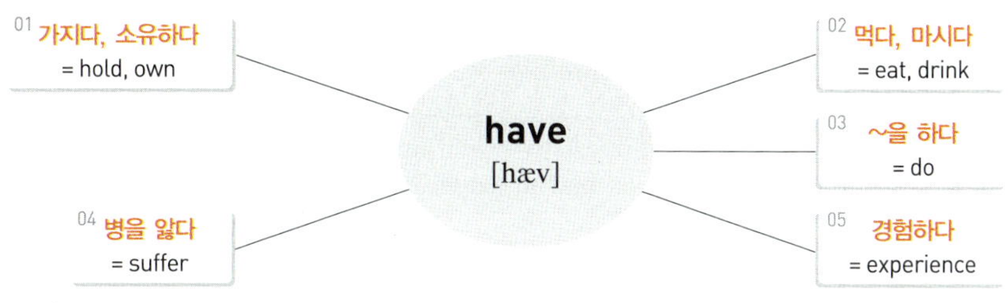

day
13

가지다	01 If you **have** any good ideas for the upcoming field trip, please e-mail me right away.
먹다, 마시다	02 The little kid would like to **have** another piece of that delicious cake. 03 She **had** some water and kept telling of what she saw.
~을 하다	04 Whether Jessie says yes or no, at least you can **have** a try. 05 Sometimes you need to **have** a rest to achieve further career goals.
병을 앓다	06 Joseph **had** malaria while he was studying in the Philippines.
경험하다	07 I saw someone **have** a terrible accident on the motorway.

🟠 구동사(Phrasal Verbs)

☑ have **on**	~을 입고 있다 08 Can you remember the guy who **had** the red hat and black jacket **on** last night?

> **예문해석** **01** 다가오는 현장 학습에 대한 좋은 생각이 **있으면** 곧바로 이메일 보내줘. **02** 꼬마는 맛있는 케익을 하나 더 **먹고 싶어한다**. **03** 그녀는 물을 마신 뒤 자기가 본 것에 대해 계속 말했다. **04** Jessie가 네나 아니오 중 뭐라고 말하든지 간에, 적어도 한 번 시도는 **해볼 수 있어**. **05** 커리어에서 더욱 높은 목표를 이루려면 때때로 너는 **쉴 필요가 있어**. **06** Joseph은 필리핀에서 공부하던 중에 말라리아에 **걸린 적이 있다**. **07** 나는 도로에서 누군가가 끔찍한 사고를 **겪고 있는** 걸 보았다. **08** 어젯밤에 보았던 빨간 모자와 검정색 자켓을 **입은** 남자를 기억할 수 있니?

☑ have **out**	~을 빼내다, 제거하다
	09 The dentist told me that I should **have** a wisdom tooth **out**.

☑ have **in(over)**	~을 손님으로 맞이하다, (집에) 초대하다
	10 My mom is busy preparing for dinner because we're **having** the neighbors **over** to make friends with them.

☑ have **~ against**	~때문에 ~을 싫어하다 (반대하다)
	11 If you **have** something **against** my opinions, please let me know directly.

 주요 표현(Expressions)

☑ have **nothing to do with ~**	~와는 관계가 없다 ↔ have something to do with ~
	12 Paul's answer **had nothing to do with** the intention of my question.

☑ have **trouble (in) -ing**	~에 곤란을 겪다, ~하기가 힘들다
	13 Do you **have** any **trouble getting** up early in the morning?

☑ have **in mind**	~을 염두에 두다, 계획하다
	14 Now that you want to buy a new cell phone, what type of phone do you **have in mind**?

☑ have **one's hands full**	여유가 없다, 바쁘다
	15 She had hoped to attend the yoga classes, but these days she **has her hands full**.

☑ have **had enough of ~**	~은 질색이다, ~으로 충분하다 ⊜ have had enough of it
	16 Recently Kevin seems to **have had enough of** his girlfriend's constant complaining.

☑ have **one's hair done**	머리를 손질하다
	17 Linda **had her hair done** in an old fashioned wave, and she was not happy with the results.

☑ have **a reluctance to ~**	~를 꺼려하다
	18 Mark is upset because his boss **has a reluctance to** accept his suggestions.

예문해석 **09** 치과의사가 내게 사랑니를 **빼야**한다고 말했다. **10** 우리가 이웃들과 친하게 지내고 싶어서 **초대를 했기** 때문에 엄마가 저녁을 준비하느라 바쁘다. **11** 만약 내 의견에 **반대한다면** 직접적으로 알려줘. **12** Paul의 대답은 내 질문의 의도와는 **관계가 없었다**. **13** 아침에 일찍 일어나는게 **힘들지** 않니? **14** 새로운 핸드폰이 사고 싶다고 했는데 어떤 종류를 **염두하고** 있나요? **15** 그녀는 요가 수업에 가기를 바랐지만, 요즘 **여유가** 통 없다. **16** 요즘 Kevin은 여자 친구의 계속되는 불평불만에 **질려 하는** 것 같다. **17** Linda는 미용사가 머리를 촌스럽게 **손질해서** 기분이 언짢았다. **18** Mark는 그의 상사가 그의 제안을 **꺼린다**는 것에 실망한다.

☑ have **a big mouth**	입이 싸다, 말이 많다 19 My friends do not like Mark because he **has a big mouth**.
☑ have **it that ~**	~라고 써있다, ~이 사실이라고 주장하다 20 This document **has it that** you are scheduled to leave for London next week.
☑ have **a word with**	~와 이야기하다 21 Can I **have a word with** your boss about this issue in detail?
☑ have **an itch to(for) ~**	~를 못 견디게 하고 싶다 22 My friend and I **have an itch to** go to see a newly released movie tonight.
☑ have **~ at the tips of one's fingers**	~을 잘 알고 있다, ~에 정통하다 23 The new president **has** considerable knowledge **at the tips of his fingers** about the IT business.

day 13

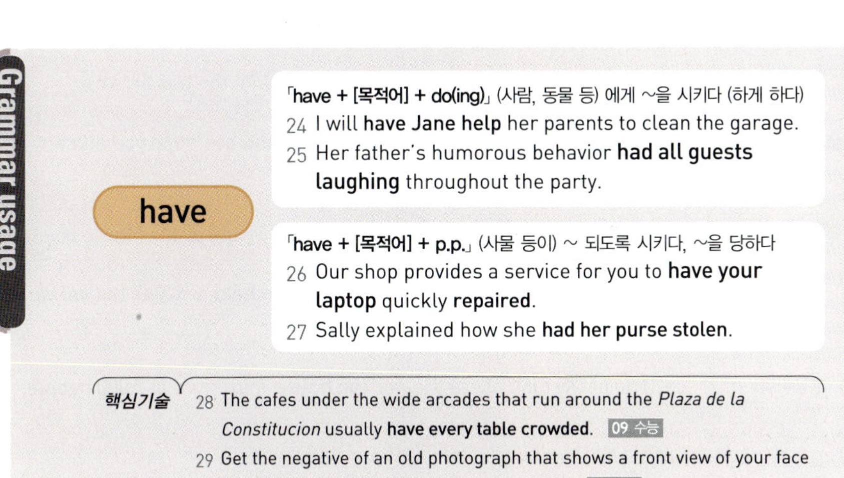

예문해석 19 내 친구들은 Mark가 정도가 지나치게 **허풍쟁이라서** 싫어해. 20 이 문서에는 네가 다음 주에 런던으로 떠날 예정이라고 **쓰여 있다.** 21 이 문제에 대해 당신의 상사와 자세히 **이야기 할** 수 있어요? 22 친구와 나는 오늘 새롭게 개봉할 영화를 못 견디게 보고 싶어 한다. 23 새로온 사장은 IT 사업에 대해 **정통한** 분이다. 24 나는 Jane이 부모님을 도와 차고를 청소하게 할 것이다. 25 그녀의 아버지는 익살맞은 행동으로 모든 손님들을 파티 내내 웃게 **했다.** 26 우리 가게는 당신의 노트북을 신속히 **수리하는** 서비스를 제공한다. 27 Sally는 어떻게 지갑을 잃어**버리게 되었는지를** 설명했다. 28 Plaza de la Constitucion 주변에 이어져 있는 넓은 지붕이 있는 상가 아래에 있는 카페들의 **모든 테이블에는 보통 사람들이 붐빈다.** 29 당신의 얼굴을 정면으로 보여주는 옛날 사진의 원판을 가지고 두 개의 사진 형태로 **현상하라.**

✳ 동사 summary

hold
[held/held]

HOLD는 '손이나 팔 같은 몸을 사용해 쥐거나 잡다'라는 기본의미를 가지며, '개최하다 (hold),' '유지하다 (keep),' '견디다, 지탱하다 (support),' '수용하다 (contain)'의 의미로 확장된다. HOLD는 구동사와 관용 표현에서 그 의미가 확장되어 '억제하다 (hold back),' '기다리다 (hold on),' '고수하다, 붙잡다 (hold onto, hold fast to),' '유효하다 (hold good),' '숨을 잠시 멈추다 (hold one's breath)' 등의 뜻으로 쓰인다. 용법적으로는 3형식의 형태로 쓰이는 경우가 대다수이지만 「hold + [목적어] + (to be) [보어]」의 5형식의 형태를 취해 '~라고 ~을 여기다'로 쓰이는 경우도 있다.

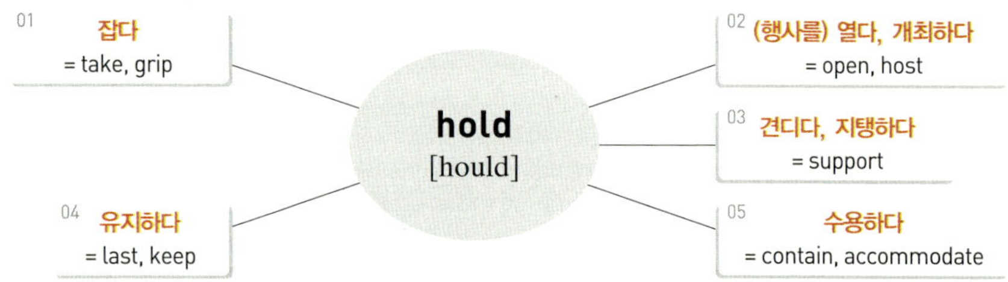

잡다	01	The lovers **held** on each other's hands until the bus arrives.
(행사를) 열다, 개최하다	02	We will **hold** Anna's farewell party tonight, so I hope you all can attend.
견디다, 지탱하다	03	I don't think that the elevator will **hold** the weight of all of these books.
유지하다	04	The price of this electric guitar has been **held** at $300, the same as last year.
수용하다	05	The newly built opera theater can **hold** a maximum of 2,000 people.

🟠 구동사(Phrasal Verbs)

☑ hold **back**	~을 억제하다	
	06	How could you **hold back** your anger when you heard such a curse from him?

 **예문해석** **01** 그 두 연인은 버스가 도착할 때까지 서로의 손을 꼭 **잡았다. 02** 오늘 밤에 Anna의 송별회를 **열** 예정이니 모두 참석해 주시기 바랍니다. **03** 엘리베이터가 이 책들의 무게를 **감당할** 수 없을 것 같다. **04** 이 전기 기타는 300달러로 작년과 같은 가격대를 **유지했다. 05** 새로 지어진 오페라 극장에는 최대 2,000명까지 **들어갈** 수 있다. **06** 그에게 그런 비난을 듣고 어떻게 너는 화를 **참을** 수 있었니?

☑ hold **onto**	~을 붙잡다
	07 My family is **holding onto** the hope that she will be overcome her disease.

☑ hold **on**	1. ~을 기다리다 2. 붙잡다
	08 Until I transfer your call, please **hold on** for a moment.
	09 Don't forget to **hold on** the rail when you climb the steep stairs.

☑ hold **up**	~을 견디다, 떠받치다
	10 Look at the bronze statue! The small man is **holding up** a big globe.

☑ hold **over**	~을 미루다
	11 Let's **hold** the discussion about reorganizing the firm **over** until the next meeting.

☑ hold **out**	버티다
	12 We cannot predict how much longer her patience will **hold out**.

☑ hold **off**	~을 보류하다
	13 They decided to **hold off** the opening ceremony until the final schedule is fixed.

day
13

 주요 표현(Expressions)

☑ hold **one's head up**	당당하게 굴다, 고개를 꼿꼿이 세우다 ⊜ keep one's chin up
	14 Because of the recent scandal, he could not **hold his head up** for some time.

☑ hold **good**	유효하다, 적용되다
	15 I hope you remember the fact that this agreement will **hold good** for at least three years.

☑ hold **one's breath**	숨을 잠시 멈추다, 참다
	16 The swimmer can **hold his breath** underwater for five minutes.

예문해석 **07** 우리 가족은 그녀가 병을 극복할 수 있으리라는 희망을 **붙잡고** 있다. **08** 전화를 연결해 드릴 때까지 잠시만 **기다려 주세요. 09** 가파른 계단을 오를 때는 난간을 **잡을** 것을 잊지 마세요. **10** 저 동상을 봐봐! 작은 남자가 큰 지구를 **떠받치고** 있어. **11** 회사의 조직개편에 대한 논의는 다음 회의로 **미룹시다. 12** 우리는 그녀의 인내심이 얼마나 오래 **버틸지** 예측할 수 없다. **13** 그들은 최종 스케줄이 확정될 때까지 개막식을 **보류하기로** 했다. **14** 최근 스캔들 때문에 그는 한동안 **얼굴을 들고** 다닐 수가 없었다. **15** 저는 당신이 이 합의가 적어도 3년 동안 **유효할** 것이라는 사실을 기억하기 바랍니다. **16** 그 수영선수는 5분 동안 물 속에서 **숨을 참을 수** 있어.

☑ hold **your horses**
흥분부터 하지말라
17 I understand how much you want to find a solution for the matter, but **hold your horses** for a moment.

☑ hold **fast to**
~을 꼭 붙잡다
18 The baby **held fast to** her mother's hand in order not to depart from her.

☑ **get** hold **of**
~와 연락하다, ~을 찾다
19 Ever since he went to London last month, it has been hard to **get hold of** him.

☑ hold **the line**
현상을 유지하다
20 We had better **hold the line** against the board members' demands for higher tuition.

☑ hold **one's tongue**
당당하게 행동하다
21 Even if someone threatens you for no reason, you must try to **hold your tongue**.

☑ hold **in check**
~을 저지하다, 억제하다
22 Although she was shocked at the news, she made an effort to **hold herself in check**.

Grammar usage

hold

「hold + [목적어] + (to be) [보어]」 ~이라고 생각하다, 간주하다
23 How can you **hold me responsible** for the project failure?
24 People usually **hold soda to be good** for digestion.

핵심기술
25 When medical science pronounces him incurable, he will not resign himself to fate but runs to the nearest quack who **holds out hope** of recovery. 〔12 평가원〕
26 This belief **holds true** for high-yield livestock breeds, which often require expensive feed and medicinal care to survive in foreign climates. 〔12 평가원〕
27 Many witnesses insisted that the accident should take place on the crosswalk. So, the driver was **held responsible for** the accident. 〔97 수능〕

예문해석 **17** 너가 그 일에 대한 해결책을 찾는 것을 얼마나 많이 원하는지 이해하지만 잠시 **참아봐라**. **18** 아기는 엄마에게 떨어지지 않으려고 엄마의 손을 꼭 **잡았다**. **19** 지난 달에 런던으로 여행을 떠난 이후로 그와 **연락하기가** 힘들다. **20** 우리는 이사회의 등록금 인상에 대해 반대 입장을 **유지하는** 것이 좋겠다. **21** 누군가가 이유 없이 당신을 위협한다 해도 **당당하게 행동**할 필요가 있다. **22** 그녀는 그 뉴스를 듣고 충격을 받았음에도 자신을 **억누르려고** 노력했다. **23** 당신은 어떻게 그 프로젝트 실패를 내 **책임으로 여기나요**? **24** 사람들은 대개 **탄산수가 소화에 좋을 것이라고** 생각한다. **25** 의학이 그에게 치유 불가능하다고 선고할 때 그는 운명을 감수하며 따르지 않고, 회복의 **희망을 약속하는** 근처 돌팔이 의사에게 달려간다. **26** 이와 같은 믿음은 높은 산출량을 내는 가축을 기르는 것에 대해서도 **마찬가지이다**. 그래서 이러한 가축들은 종종 외래의 기후에서 살아남기 위해서 값비싼 사료와 약물적인 치료가 요구된다. **27** 많은 목격자들은 그 사고가 건널목에서 일어났을 것이라고 주장했다. 그러므로 그 운전자가 그 사고에 **책임이 있다고 여겨졌다**.

A 다음 단어에 해당하는 우리말을 쓰시오.

01 keep up _______________
02 have on _______________
03 hold on _______________
04 keep in mind _______________
05 hold up _______________
06 have ~ at the tips
   of one's fingers _______________
07 hold good _______________
08 keep posted _______________

B 다음 단어에 해당하는 영어단어를 쓰시오.

01 ~을 빼내다, 제거하다 _______________
02 ~을 억제하다 _______________
03 반대하다 _______________
04 버티다 _______________
05 ~을 주시하다 _______________
06 화를 참다 _______________
07 머리를 손질하다 _______________
08 현상을 유지하다 _______________

C 다음 문장을 읽고 밑줄 친 부분이 어떤 의미로 쓰였는지 쓰시오.

01 a. She told me that she will finish her novel by the end of
      this month. I believe she will keep her word. _______________
   b. Keep taking these tablets for the next 6 months to
      recover completely. _______________

02 a. Steve certainly has his hands full with the launch of a
      new product. _______________
   b. If you just have a try at baseball, you'll find it fascinating. _______________

03 a. Even if you make a mistake in your presentation, hold
      your head up in front of audience. _______________
   b. The water tank holds just enough water to last us a
      couple of days. _______________

D 다음 문맥에 알맞은 표현을 고르시오.

> ⓐ get hold of ⓑ keep up with ⓒ holding fast to ⓓ have trouble -ing
> ⓔ keep us posted ⓕ have a big mouth ⓖ hold one's breath ⓗ have an itch to

01 The new handbag was so popular that we were unable to _______________ its
   demand.
02 We _______________ watch the World Cup soccer game tonight.
03 The mother was worried that her son had not called from London, so she was
   so glad to _______________ him finally.
04 For 50 years, our university has been _______________ the traditional three
   values; decency, imagination, and bravery.
05 We need to wrap up the show today. Please _______________ with your
   comments on the message board on our website.

핵심동사 (2) Key Verbs ● go ● come ● bring ●

Preview

go, come, bring 동사의 다양한 의미와 관련 구동사 및 표현, 용법을 마스터한다.
- You will fail the project unless you **go into** the question of the costs.
- The two countries will have to somehow **come to terms with** each other.
- She worked throughout the whole night to **bring** her assignment **to an end** as soon as possible.

✱ 동사 summary

go
[went/gone]

GO는 '**어떤 장소로 이동하거나 여행하다**'라는 기본의미를 가지며, '참석하다, 정기적으로 다니다 (attend),' '떠나다 (leave),' '어떤 활동을 하다 (do),' '~한 상태가 되다 (change)'의 뜻으로 확장된다. GO는 구동사나 관용구의 형태를 취해 그 의미가 매우 폭넓게 확장된다. '조사하다 (go into),' '~없이 지내다 (go without),' '겪다 (go through),' '실시되다 (go into effect)' 등 꼭 알아두어야 할 표현들이 많다. GO는 용법적으로 현재 완료 「have gone」 문장에서 '떠나버리고 없다'를 뜻하며, 「go + [보어]」와 같은 2형식 문장에서는 '~의 상태가 되다'를 뜻한다.

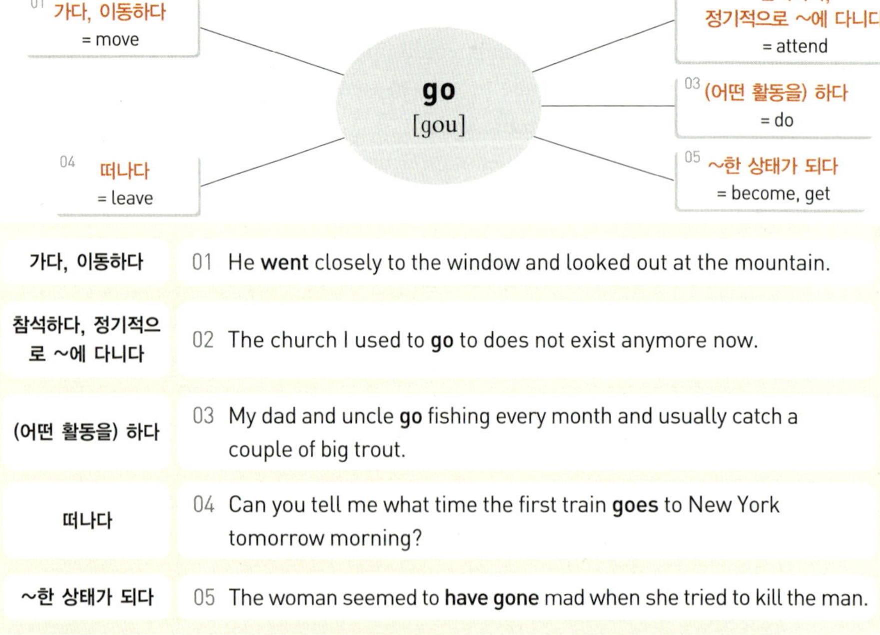

가다, 이동하다	01	He **went** closely to the window and looked out at the mountain.
참석하다, 정기적으로 ~에 다니다	02	The church I used to **go** to does not exist anymore now.
(어떤 활동을) 하다	03	My dad and uncle **go** fishing every month and usually catch a couple of big trout.
떠나다	04	Can you tell me what time the first train **goes** to New York tomorrow morning?
~한 상태가 되다	05	The woman seemed to **have gone** mad when she tried to kill the man.

예문해석 **01** 그는 창가 가까이로 **가서** 산을 내다보았다. **02** 내가 **다니던** 교회는 이제 없다. **03** 아버지와 삼촌은 매달 낚시를 하러 **가서** 보통 두 마리의 큰 송어를 잡아 온다. **04** 내일 아침 뉴욕으로 가는 첫 차가 몇 시에 **떠나요**? **05** 그녀가 그를 죽이려고 했을 때 정신이 **나가버렸던** 것 같았다.

 구동사(Phrasal Verbs)

☑ go [a]round
1. 돌아다니다 2. (전염병, 소문이) 돌다
06 The doctor warned me about the bug that's been **going around**.
07 There was a lot of gossip **going around** the school, even though it was definitely not true.

☑ go **through**
1. ~을 살펴보다, 검토하다 2. ~을 겪다 ⊜ experience
08 She **went through** the bundle of letters to find the one her husband sent in 1985.
09 Korea, with this spending pattern, is predicted to **go through** another economic recession.

☑ go **without**
~ 없이 지내다
10 Some villages in Africa have **gone without** water for days.

☑ go **into**
1. ~에 들어가다 2. ~한 상태가 되다 3. 조사하다
11 The young men **went into** the Army without considering the working conditions.
12 One of the protesters struck by police forces **went into** a coma.
13 You will fail the project unless you **go into** the question of the costs.

day 14

☑ go **for ~**
1. ~하러 가다 2. ~을 목표로 삼다, 시도하다 3. ~을 좋아하다
14 First we are going to **go for** a tour of the college library.
15 People all over the world are expecting Yuna Kim to **go for** the Olympic record.
16 I don't really **go for** romantic movies because the stories are too typical.

☑ go **over**
검토하다, 복습하다
17 The boss will **go over** the investment strategy again and again to make sure it's 100% safe.

☑ go **under**
파산하다
18 The successful company once came close to **going under** about a year ago.

예문해석 **06** 그 의사는 **돌아다니는** 벌레에 대해 경고했다. **07** 절대 사실은 아니었지만, 학교 주위에 **도는** 소문들이 많았다. **08** 그녀는 그녀의 남편이 1985년에 보낸 편지를 찾으려고 편지 다발을 **살펴보았다**. **09** 한국이 이런 소비 패턴을 지속한다면 또 한 번 더 경제 침체를 **겪게** 될 것으로 예상된다. **10** 아프리카의 몇몇 마을에서는 며칠동안 물 **없이 지냈다**. **11** 젊은 남자들은 작업 환경을 미처 생각해보지 않고 군복무를 **시작했다**. **12** 시위를 하던 사람 중 한 명은 경찰병력에 맞아서 혼수 상태에 **빠졌다**. **13** 비용을 **조사하지** 않으면, 당신은 프로젝트를 실패하게 될 것이다. **14** 우선 우리는 대학 도서관 투어를 **하러** 갈 것이다. **15** 전 세계 사람들은 김연아가 올림픽 기록을 **목표로 나아가길** 기대하고 있다. **16** 줄거리가 너무 뻔해서 나는 멜로영화를 그다지 **좋아하지** 않는다. **17** 상사는 100퍼센트 안전한지 확신하기 위해서 투자 전략을 **검토하고** 또 검토할 것이다. **18** 성공하던 그 회사는 1년 전쯤에 **파산할** 뻔 한 적이 있었다.

☑ go **off** | 1. 폭발하다 2. 불이 나가다, 작동이 멈추다

19 The terrorist organization announced a bomb would **go off** in a crowded street this afternoon.

20 I couldn't finish the assignment; all the lights in my house suddenly **went off** last night.

 주요 표현(Expressions)

☑ go **wrong** | 일이 잘못되다

21 Whenever things **went wrong**, Jill would severely blame us, but it actually turned out to be all her faults.

☑ go **out of business** | 폐업하다

22 Small publishing companies are facing the crisis of **going out of business**.

☑ go **into effect** | 발효하다, 실시되다

23 Several new laws will be **going into effect** in California starting April 10th.

Grammar usage

go

「**have gone**」 ~ 떠나고 없다 vs. 「**have been**」 ~ 한 적이 있다

24 If you watch *Gone With the Wind*, you will find out who **has** finally **gone** in the movie.

25 I'd like to interview a couple of people who **have been** to the Antarctic.

「**go + [보어]**」 1. ~이 되다, ~ 상태에 이르다 2. ~한 상태가 계속되다

26 When he heard the odd sounds, his face **went white** with fear.

27 Many children in Rwanda will **go hungry** if we do not take any measures to help them.

핵심기술 | **28** Sometimes all a good cheese need to stop it from **going bad** is a sympathetic ear. 10 평가원

29 Visit rural back roads and busy cities, and meet friendly animals and ordinary people **going about** their daily lives. 10 평가원

예문해석 **19** 테러 조직은 오늘 오후에 사람들로 붐비는 거리에서 폭탄이 **터질** 것이라고 말했다. **20** 나는 숙제를 끝마칠 수 없었어. 어젯밤에 집에 있는 불이 모두 갑자기 **나갔거든**. **21** 일이 **잘못될** 때마다 Jill은 우리를 심하게 비난했지만, 나중에 모두 자기 잘못으로 밝혀졌다. **22** 작은 출판사들은 **폐업** 위기를 맞고 있다. **23** 4월 10일부터 캘리포니아 주에서는 몇 가지 새로운 법이 **발효될** 것이다. **24** 영화 〈바람과 함께 사라지다〉를 보면, 영화 속에서 결국 누가 **떠나버렸는지** 알게 될 것이다. **25** 남극에 **가 본** 사람들을 두세 명 인터뷰하고 싶다. **26** 이상한 소리를 들었을 때, 그의 얼굴은 공포로 **하얗게 질렸다**. **27** 우리가 어떤 구호조치도 취하지 않는다면, 르완다에 사는 많은 아이들은 **굶주리게 될** 것이다. **28** 때때로 좋은 치즈가 **상하지** 않게 하기 위해 필요한 것은 그저 공명하는 귀 뿐이다. **29** 시골 뒷길이나 바쁜 도시를 방문해서 사람을 두려워하지 않는 동물들이나 하루하루를 **살아가는** 사람들을 만나봐라.

동사 summary

come
[came/come]

COME은 '**어떤 장소로 이동하거나 도달하다**' 라는 기본의미를 가지며, 어떤 대상이 화자가 있는 방향으로 이동할 때에는 '오다' 로 화자가 특정 상대방이 있는 곳으로 이동할 때에는 '가다' 로 해석한다. COME은 그 기본 의미에서 '일어나다, 발생하다 (**occur, happen**),' '~한 상태가 되다, 합계가 ~에 이르다 (**amount to**),' '특정 형태로 생산되거나 팔리다 (**be produced/sold**)' 등 다양한 의미로 확장된다. 또한 구동사 및 관용구를 이루어 '생각해내다 (**come up with**),' '병에 걸리다 (**come down with**),' '합계가 ~에 이르다 (**come to**),' '받아들이다 (**come to terms with**)' 등 독해 및 듣기에서 두루 쓰인다. COME은 「come + [보어]」, 「come + [전치사] + [명사]」 의 패턴으로 쓰여 '상태의 변화' 를 묘사하는 용법으로도 자주 등장하므로 잘 익혀두자.

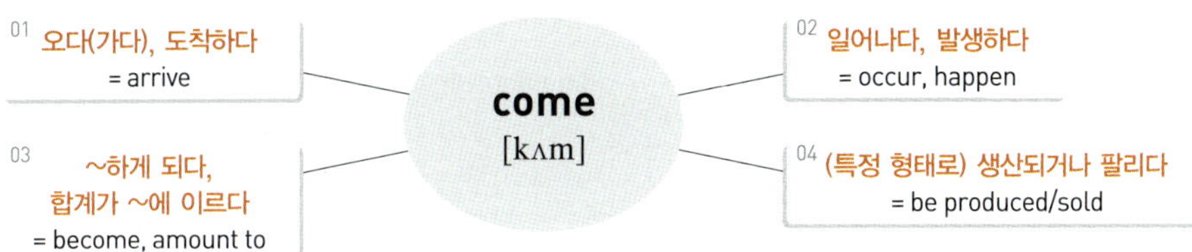

day 14

오다(가다), 도착하다	01 Don't be afraid; just **come** a bit closer to see it better.
	02 Are you really **coming** to my father's birthday party tonight?
일어나다, 발생하다	03 The evil character said that the most horrible thing was yet to **come** about.
~하게 되다, 합계가 ~에 이르다	04 Daniel **came** to realize how silly he has been.
	05 His earnings are said to have **come** to $10,000 last month.
(특정 형태로) 생산되거나 팔리다	06 This bed **comes** in three different colors and several sizes.

 구동사(Phrasal Verbs)

| ☑ come **up with** | 생각해내다 |
| | 07 I have been asked by the publisher to **come up with** some ideas about new books. |

예문해석 **01** 무서워하지 말고, 조금 더 가까이**오**면 더욱 잘 보여. **02** 너 정말 오늘밤 우리 아버지 생신에 **올** 거니? **03** 악당은 가장 공포스러운 일은 아직 **일어나지** 않았다고 말했다. **04** Daniel은 자신이 얼마나 어리석었는지 깨달**았다**. **05** 그의 수입은 지난 달에 만 달러에 **이른 것으로** 알려졌다. **06** 이 침대는 세 가지 색으로 **나오고**, 크기도 다양하다. **07** 출판사는 내가 새로 낼 책에 대한 아이디어를 **생각해내기를** 요구했다.

☑ come **by** | 1. 얻다, 구하다 2. (가는 길에) 잠깐 들르다
08 Writing jobs are hard to **come by** as several publishing companies are going out of business.
09 Can you **come by** my house and pick up the books and laptop tonight?

☑ come **to** | 1. 결국 ~하게 되다 2. 합계가 ~에 이르다
10 They **came to** the conclusion that there would be no other way back to their country.
11 With all the imported appliances and furniture the bill **came to** about $800,000.

☑ come **around** | 1. (방문차 ~의 집에) 들르다 2. (행사, 시기 등이) 정기적으로 돌아오다
12 Why don't you **come around** after work and have dinner with my family?
13 My parent's wedding anniversary seems to **come around** quicker every year.

☑ come **up** | 1. ~가 다가오다 2. 언급되다, 논의되다 3. 문제가 발생하다
14 A reporter **came up** to me in the street and asked how much I enjoyed the movie.
15 The subject of your attitude and grade didn't **come up** fortunately.
16 I'm afraid I should delay our group meeting - a couple of problems seem to have **come up**.

☑ come **out** | 1. (진실이) 드러나다 2. (책, 상품이) 시장에 나오다
17 It's **come out** that the prime minister received bribes from a large company.
18 The new novel everyone is waiting for will **come out** this February.

 ## 주요 표현(Expressions)

☑ **when it** comes **to ~** | ~로 말하면, ~에 대해서라면
19 **When it comes to** singing and dancing, Sally and her brother are hopeless.

예문해석 **08** 요즘 출판사들이 문을 닫아서 글쓰는 일을 **구하기** 어렵다. **09** 나중에 우리 집에 **들려서** 책과 노트북을 갖다 줄 수 있어? **10** 그들은 고국에 돌아갈 수 있는 방법이 달리 없다는 결론을 **내리게 되었다**. **11** 수입 가구와 가전제품 가격을 합쳐서, 총 80만 달러에 **이르렀다**. **12** 퇴근한 뒤에 우리 집에 **들러서** 우리 가족과 같이 식사하는 게 어때? **13** 해가 갈수록 부모님 결혼기념일이 점점 더 빨리 **돌아오는** 것 같다. **14** 길에서 기자가 내게 **다가오더니** 영화가 어땠냐고 물었다. **15** 다행히 네 성적과 학습태도는 **언급되지** 않았다. **16** 유감스럽게도 그룹 회의를 미뤄야 할 것 같아요. 몇 가지 **문제가 생긴** 것 같아요. **17** 국무총리가 대기업으로부터 뇌물을 받은 사실이 **드러났다**. **18** 모두가 기다리는 그 신작 소설은 이번 2월에 **나올** 예정이다. **19** Sally와 오빠는 노래와 춤에는 전혀 소질이 없다.

☑ come **into** **conflict with**
~와 충돌하다
20 You need to learn how to avoid **coming into conflict with** your friends and family members.

☑ come **to terms** **with**
1. 감수하다, 받아들이다 ⊜ accept 2. 타협하다
21 The president never **came to terms with** the fact that there is no freedom of speech in his country.
22 The two countries will have to somehow **come to terms with** each other.

☑ come **to think** **of it**
그러고 보니, 생각해 보니
23 **Come to think of it**, I haven't seen George smile for a while.

☑ come **close to** **-ing**
거의 ~하게 되다, 자칫 ~할 뻔하다
24 We **came close to killing** the dog several times, leading it to psychological trauma.

☑ come **to nothing**
수포로 돌아가다
25 All my plans seemed to **come to nothing**, but they didn't actually.

day **14**

Grammar usage

come

「come + [보어]」 (결과적으로) 어떤 상태에 이르다
26 If you make realistic plans, any dreams can **come true** someday.
27 One of my shoelaces kept **coming undone** and I got annoyed.

「come + [전치사] + [명사]」 (결과적으로) 어떤 상태에 이르다
28 Both of the parties will never **come to an agreement** about the economic policy.

핵심기출 29 Instead of treating different patients that display similar symptoms with the same drugs, doctors should identify root causes of the disease to **come up with** a personalized treatment. 10수능

예문해석 **20** 당신은 친구들이나 가족들과 **충돌을** 피하는 법을 배워야 합니다. **21** 대통령은 국가에 언론의 자유가 없다는 사실을 전혀 **인정하지** 않았다. **22** 어떻게든 양국은 서로 **타협해야만** 할 것이다. **23** **생각해보니** George가 잠깐이라도 웃는 모습을 본 적이 없네. **24** 우리는 그 개를 죽일 **뻔한** 적이 몇 번 있었는데, 그 일이 결국 개에게 심리적으로 큰 상처를 남겼다. **25** 내 계획은 모두 **수포로 돌아간** 듯 했지만, 사실 그렇지 않았다. **26** 현실적인 계획을 찾는다면, 언젠가는 어떤 꿈이든지 **이룰 수 있다**. **27** 한 쪽 신발끈이 계속 **풀어져서**, 나는 화가 났다. **28** 양쪽 정당 둘 다 경제정책에 관해서는 절대 **합의에 이르지** 못할 것이다. **29** 의사들은 같은 증상을 보이는 다른 환자들을 동종의 약으로 치료하는 것 보다는 질병의 근본 원인을 확인하여 개인화된 치료를 **제시해야** 한다.

✳ 동사 summary

bring
[brought/brought]

BRING은 '사람이나 물건을 한 장소로부터 데려오다, 가져오다 혹은 그 물건을 지니고 다른 곳으로 이동하다'라는 기본의미를 가지며, '초래하다, 일으키다 (cause),' '(소송, 문제를) 제기하다 (pose)'의 뜻으로 확장된다. BRING은 구동사 및 관용 표현에서 그 의미가 확장되어 '유발하다 (bring about),' '키우다 (bring up),' '끝내다 (bring ~ to an end),' '의문을 갖게 하다 (bring ~ into question)' 등으로 회화나 독해에서 골고루 쓰인다. BRING은 3, 4형식의 형태를 자주 취하지만 「bring + [목적어] + -ing」처럼 5형식의 형태를 취해 사역의 의미를 가지기도 한다.

가져오다, 데려오다	01 Don't forget to **bring** your apron and an old shirt to protect your clothes.
초래하다, ~한 결과를 가져오다	02 The tornado in that area **brought** chaos to the road and railway networks.
어떤 상태에 이르게 하다	03 Taking graduate courses **brought** me into contact with all the passionate scholars.
제기하다, 거론하다	04 It was a critical point when you **brought** up the truth of the rumor at the meeting.

 구동사 (Phrasal Verbs)

☑ bring **up** 1. ~을 꺼내다 2. ~을 키우다

05 Is there anyone who wants to **bring up** new topic during this class?

06 It's too difficult for mother both to **bring up** her child and a full time work.

예문해석 **01** 옷을 보호하기 위해 앞치마와 오래된 셔츠를 **가져오는** 것을 잊지 말아라. **02** 그 지역에 불어 닥친 회오리바람은 도로와 기찻길에 혼란을 **가져왔다**. **03** 대학원 수업을 통해서 나는 열정적인 학자들과 만나게 **되었다**. **04** 네가 그 회의에서 소문의 진상에 대해 **거론한** 것은 매우 중요한 일이었다. **05** 이 수업에서 새로운 주제에 대해 이야기를 **꺼내고** 싶은 사람이 있나요? **06** 엄마가 아이를 **키우면서** 전일제로 일을 하는 것은 너무 어려운 일이다.

☑ bring **about**	~을 유발하다, 초래하다 07 Certainly I never expected that her actions would **bring about** such a tragic consequence.
☑ bring **back**	~을 되돌려주다 08 Could you **bring back** the book that you borrowed from the library?
☑ bring **out**	~을 일으키다, ~을 끌어내다 09 The singer's beautiful voice **brought out** a standing ovation from the audience.
☑ bring **in**	~을 들여오다, 받아들이다 10 Before the weather becomes any colder, I'll **bring in** the flower pots from the veranda.
☑ bring **down**	~을 줄이다, 낮추다 11 She nursed her husband all night long to **bring down** his fever.
☑ bring **off**	(어려운 일을) 해내다 12 Although time seemed too short to complete the project, our team ultimately **brought** it **off**.

day 14

🟠 주요 표현(Expressions)

☑ bring **~ to light**	(~사실을) 밝히다 13 She decided to **bring** the truth for the spreading rumor **to light**.
☑ bring **~ to an end**	~을 끝내다, 마치다 14 She worked throughout the whole night to **bring** her assignment **to an end** as soon as possible.
☑ bring **on**	야기하다, 초래하다 ⊜ cause 15 Asthma could be **brought on** by exercise.

예문해석 **07** 나는 그녀의 행동이 비극적인 결말을 **초래할** 것이라고 전혀 예상하지 못했다. **08** 도서관에서 네가 빌린 책을 **반납할** 수 있겠니? **09** 그 가수의 아름다운 목소리가 관객들이 기립박수를 **하게** 만들었다. **10** 계절이 조금이라도 더 추워지기 전에 베란다에서 화분을 **들여놓을** 거야. **11** 그녀는 자신의 남편의 열을 **내리기** 위해 밤을 새서 간호했다. **12** 그 프로젝트를 완수하기에는 시간이 너무 짧았음에도 우리 팀은 마침내 **해냈다**. **13** 그녀는 퍼지는 소문에 대해 진실을 **밝히기로** 했다. **14** 그녀는 최대한 빨리 그 과제를 **끝마치려고** 밤을 새서 일했다. **15** 천식은 운동에 의해서 **초래될** 수 있다.

☑ bring **~ to life** 〜에 생기를 불어넣다
16 If you decorate your house with flowers, it will **bring** a dull room back **to life**.

☑ bring **~ into question** 〜에 의문을 갖게 하다
17 His suspicious behavior **brought into question** the real suspect of the case.

☑ bring **~ to a halt** 〜을 정지시키다
18 Without the participants' active cooperation, the research process would be **brought to a halt**.

☑ bring **~ into play** 〜을 활동시키다, 〜을 도입하다
19 According to the result of poll, over 50% people agreed with the new tax regulations that will be **brought into play**.

☑ bring **~ into force(effect)** (법, 규칙을) 발효시키다
20 New traffic regulations were **brought into force** last year.

☑ bring **in a verdict** 평결을 내리다
21 Eventually the jury **brought in a verdict** of not guilty for the defendant.

Grammar usage

bring

「bring + [목적어] + -ing」 남을 ~ 하게 하다
22 The odd sounds and smells **brought them running** away from the place.

「bring + [목적어] + to + V」 ~할 마음이 들게 하다
23 He couldn't **bring himself to focus** on studying.

핵심기술
24 So far as you are wholly concentrated on **bringing about** a certain result, clearly the quicker and easier it is **brought about** the better. 11수능
25 I would like to **bring** one consideration **to** your attention, and that is the cost of your merchandise. 07평가원

예문해석 16 만약 꽃으로 집을 꾸민다면, 칙칙한 방이 **생기를 띄게** 될 것이다. 17 그의 의심스런 행동이 그 사건의 진범에 대해 **의문을 갖게** 했다. 18 참가자의 적극적인 협조 없이는 조사 진행이 **정지 될** 것이다. 19 여론조사 결과, 50% 이상의 사람들이 **도입될** 새로운 세금 규정에 찬성하였다. 20 새로운 교통법이 작년부터 **발효되었다.** 21 마침내 배심원들이 피고인에 대해 **무죄판결을** 내렸다. 22 이상한 소리와 냄새가 그들을 그 장소에서 멀리 **떨어지게** 했다. 23 그는 공부에 집중할 수 없었다. 24 당신이 어떤 결과를 만들어 내는데 전적으로 집중하는 한, 그 결과가 더욱 더 빨리 그리고 더욱 더 쉽게 **만들어진다는** 것이 더 좋다는 것은 분명하다. 25 나는 한가지 고려사항에 당신을 **주목시키고자 하는데,** 그것은 당신이 가진 제품의 가격이다.

A 다음 단어에 해당하는 우리말을 쓰시오.

01 go into ___________

02 bring ~ to a halt ___________

03 come to ___________

04 come to nothing ___________

05 bring ~ to an end ___________

06 go into effect ___________

07 when it comes to ___________

08 come close to ___________

B 다음 단어에 해당하는 영어단어를 쓰시오.

01 유발하다, 초래하다 ___________

02 파산하다 ___________

03 생각해 보니 ___________

04 ~을 활동시키다 ___________

05 폭발하다 ___________

06 일이 잘못되다 ___________

07 ~에 의문을 갖게 하다 ___________

08 얻다, 잠깐 들르다 ___________

C 다음 문장을 읽고 밑줄 친 부분이 어떤 의미로 쓰였는지 쓰시오.

01 a. Ice cream cakes come in a variety of colors and flavors ___________
to attract many kids.

   b. The words in the book come up to 2,000 and 800 ___________
words are additionally included in the special edition.

02 a. When Amy's class is over at 4 P.M., could you bring ___________
her back home?

   b. His efforts to complete the paintings and his passion for ___________
art brought out the success of his exhibition.

03 a. When you can't focus on your studies, just go for a ___________
walk and get some air.

   b. The toy company was on the edge of going bankrupt ___________
last year.

D 다음 문맥에 알맞은 표현을 고르시오.

ⓐ went through	ⓑ bring on	ⓒ bring down	ⓓ go off
ⓔ come out	ⓕ came up with	ⓖ come to terms with	ⓗ bring her to life

01 Is there any way to ___________ the rise in rent prices?

02 The Jewish people in Europe ___________ a great ordeal that is difficult
to imagine.

03 He ___________ a brilliant idea to advertise the product.

04 The conservative party never seems to find a way to ___________ the
liberal party.

05 Although she suffered from depression for a long time, her new love was able
to ___________ emotionally.

핵심동사 (3) Key Verbs

● get ● take ● give ●

Preview

get, **take**, **give** 동사의 다양한 의미와 관련 구동사 및 표현, 용법을 마스터한다.
- Laura will soon realize that it isn't easy to **get ahead** in this university course.
- You must be Mr. Smith's son in that your face **takes after** him.
- I cannot forget the moment when my wife **gave birth to** twins.

✱ 동사 summary

get
[got/got or gotten]

GET은 **'어떤 위치나 장소로부터 혹은 장소로 물건이나 사람을 이동시키다'** 라는 기본의미를 가지며, '얻다, 받다 (receive),' '가져오다 (bring),' '이해하다 (understand),' '도착하다 (arrive),' '~한 상태가 되게 하다 (become),' '시키다 (have, make)'의 뜻으로 확장된다. GET의 의미확장의 폭은 매우 넓은 편이다. '극복하다 (get over),' '이해시키다 (get across),' '익숙해지다 (get used to -ing),' '연락하다 (get in touch with)' 등 회화나 독해에서 자주 등장하는 표현들이 많다. GET의 사역동사 및 상태 변화 등 알아야 할 여러 용법들도 꼼꼼히 체크해 두자.

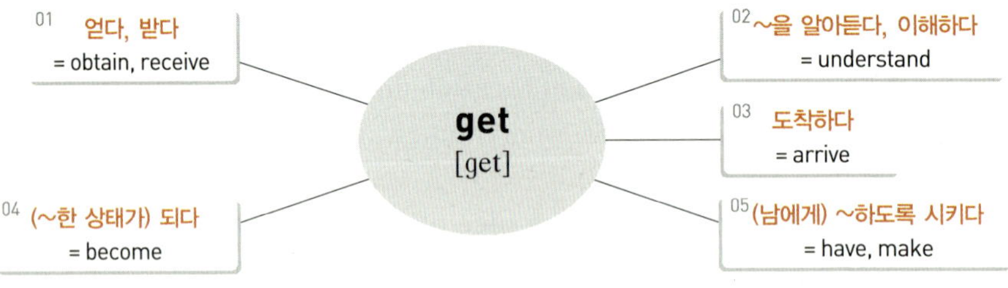

얻다, 받다	01 You **get** two points for each correct answer on this test.
이해하다	02 I don't really **get** why you never try to help your colleagues.
도착하다	03 Greg and Tommy will **get** to London around six o'clock this evening.
(~한 상태가) 되다	04 Alice gradually calmed down as she **got** older.
~하도록 시키다	05 It took the team only ten minutes to **get** the boat ready.

예문해석 **01** 당신은 이 시험에서 정답을 맞춘 각 문항 당 2점을 **얻게** 된다. **02** 나는 네가 왜 너의 동료들을 도우려고 하지 않는지 정말 **이해할** 수 없다. **03** Greg와 Tommy는 오늘 저녁 6시쯤 런던에 도착할 것이다. **04** Alice는 나이가 들어감에 따라 점점 차분해졌다. **05** 그들이 보트를 준비**시키는데** 겨우 10분 걸렸다.

🟠 구동사(Phrasal Verbs)

| ☑ get **along** | 1. 잘 지내다, 살아가다 2. ~와 잘 지내다
06 We have **got along** very well so far, but I don't think we will in the future.
07 Alex used to **get along** with his roommate, but he hasn't since their big fight. |

| ☑ get **over** | ~을 극복하다
08 There are still many difficulties to **get over** before starting a new business. |

| ☑ get **off** | 1. 내리다, 떠나다 2. 일을 마치다, 퇴근하다
09 I'll call you after **getting** my children **off** to school.
10 Tell me what time you will **get off** work, and I will pick you up. |

| ☑ get **behind** | 뒤떨어지다, 늦어지다
11 Mr. Maxwell always thinks he can catch up later if he **gets behind**. |

| ☑ get **away** | ~에서 도망치다, 벗어나다
12 I really like to **get away** from Seoul to get some fresh air in the countryside. |

| ☑ get **ahead** | ~를 앞지르다, 능가하다
13 Laura will soon realize that it isn't easy to **get ahead** in this university course. |

| ☑ get **through** | ~을 끝내다
14 There are too many assigned readings. I don't know how we are going to **get through** them all. |

| ☑ get **across** | 1. ~을 건너다 2. 이해시키다, 전달되다
15 We will be able to survive if we can **get across** that bridge.
16 Mr. Collins tried to **get** his message **across** to the police, but he failed. |

day **15**

예문해석 **06** 우리는 이제까지 매우 잘 **지내왔지만**, 앞으로는 그러지 못할 것 같다. **07** Alex는 룸메이트와 **잘 지냈지만**, 크게 싸운 후인 지금은 그렇지 않다. **08** 새로운 사업을 시작하기 전에 **극복해야** 할 어려움이 여전히 많다. **09** 아이들을 학교에 **내려다** 놓고 전화할게요. **10** 언제 일을 **마칠지** 알려주면, 내가 데리러 갈게. **11** Maxwell씨는 항상 그가 **뒤쳐진다고** 하더라도 따라잡을 수 있을 것이라 생각한다. **12** 나는 정말 서울에서 **떠나**, 시골에서 신선한 공기를 좀 쐬고 싶다. **13** Laura는 이 대학 수업에서 남보다 **앞서는** 것이 쉽지 않다는 것을 곧 깨달을 것이다. **14** 읽기 과제가 너무 많아. 우리가 어떻게 이걸 **끝낼 수** 있을지 모르겠어. **15** 우리가 저 다리를 **건널** 수만 있다면 살아남을 수 있을 것이다. **16** Collins는 경찰에게 자신의 메시지를 **이해시키려** 했지만 실패했다.

🟠 주요 표현(Expressions)

☑ get **away with**	(나쁜 행동에 대해) 벌이나 비난을 면하다
	17 In that movie, the main character was able to **get away with** murdering his girlfriend.

☑ get **used to - ing**	~에 익숙해지다
	18 Don't worry about adjustment. People easily **get used to living** in a new environment.

☑ get **in touch with**	~와 연락하다
	19 Why don't you **get in touch with** Mike and tell him about your wedding?

☑ get **the picture**	상황을 이해하다
	20 It's all right, don't say any more - I **get the picture**.

☑ get **in the way of**	방해가 되다
	21 You think those little details just **get in the way of** your plan. Let's see if they really do.

☑ get **cold feet**	겁을 먹다, 도망치려고 하다
	22 He was going to try bungee jumping, but he **got cold feet**.

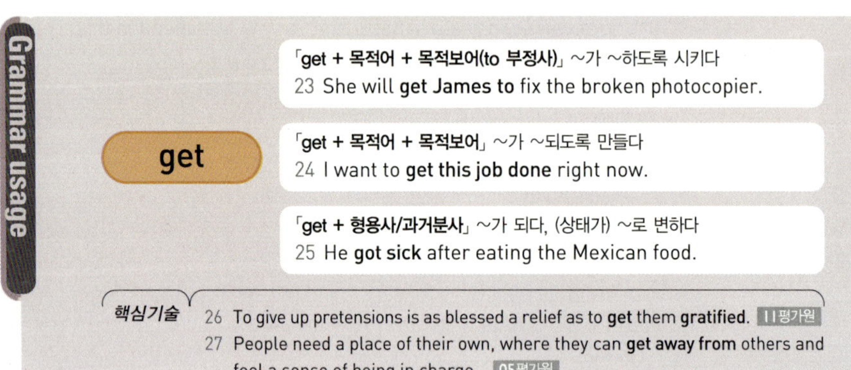

Grammar usage

get

「get + 목적어 + 목적보어(to 부정사)」 ~가 ~하도록 시키다
23 She will **get James to** fix the broken photocopier.

「get + 목적어 + 목적보어」 ~가 ~되도록 만들다
24 I want to **get this job done** right now.

「get + 형용사/과거분사」 ~가 되다, (상태가) ~로 변하다
25 He **got sick** after eating the Mexican food.

핵심기술
26 To give up pretensions is as blessed a relief as to **get** them **gratified**. 11평가원
27 People need a place of their own, where they can **get away from** others and feel a sense of being in charge. 05평가원

예문해석 **17** 그 영화에서 주인공은 여자친구를 살인하고도 **처벌을 면할** 수 있었다. **18** 적응에 대해 걱정하지 말아라. 사람들은 새로운 환경에서 사는 것에 쉽게 **적응한다. 19** Mike에게 **연락해서** 너의 결혼 소식을 전하는 게 좋지 않을까? **20** 됐어, 더 말하지 않아도 돼. **어떤 상황인지 다 이해했어. 21** 너는 그런 세부사항이 너의 계획에 **방해가 될** 뿐이라고 생각하는데, 과연 진짜 그런지 두고 보자. **22** 그는 번지점프를 하려고 했지만, **겁이 났다. 23** 그녀는 James에게 그 고장 난 복사기를 고쳐달라고 했다. **24** 나는 이 일을 지금 당장 **하기를** 원한다. **25** 그는 멕시코 음식을 먹은 후에 **탈이 났다. 26** 가식을 포기하는 것이 만족감을 느끼게 하는 것만큼이나 행복한 위안이 된다. **27** 사람들은 자신들 만의 공간이 필요한데 이곳에서 그들은 다른 사람들로부터 **벗어나서**, 자신이 책임지고 있다는 느낌을 갖게 된다.

✱ 동사 summary

take
[took/taken]

TAKE는 '사물이나 사람을 한 장소에서 다른 장소로 옮기다' 라는 기본의미를 가지며, '데리고 가다 (**carry, lead**),' '잡다, 취하다 (**seize**),' '어떤 행동을 하다 (**do**),' '시간, 돈, 노력을 필요로 하다 (**require**),' '받아들이다 (**accept**)' 의 뜻으로 확장된다. **TAKE**는 구동사 및 관용 표현에서 그 의미가 확장되어 그 사용빈도가 매우 높다. '벗다, 이륙하다 (**take off**),' '받아들이다, 흡수하다 (**take in**),' '닮다 (**take after**),' '고려하다 (**take ~ into account**),' '~임을 당연하게 여기다 (**take it for granted**)' 등 구동사나 관용 표현에서 확장된 의미를 반드시 익혀두자. 또한 **TAKE**는 「It takes [사람] + [시간, 노력] + to ~ + [보어]」의 형태를 취해 '~하는데 …의 시간이 걸리다/노력이 들다' 의 의미로 자주 등장하므로 예문을 통해 숙지하자.

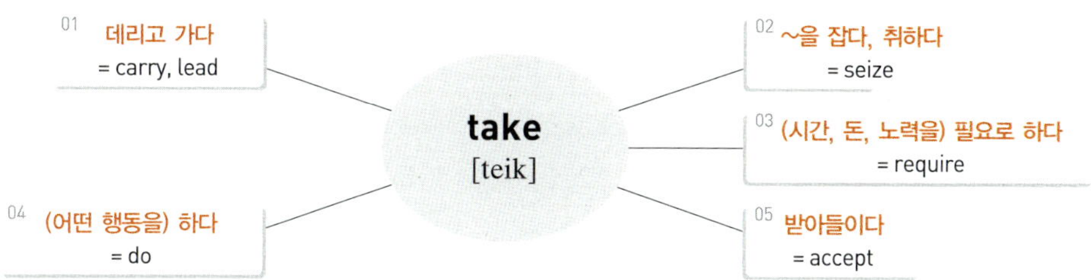

데리고 가다	01	She promised to **take** my daughter to school tomorrow.
~을 잡다, 취하다	02	I **took** a little fish gently in my hands, and it flipped on its back.
필요로 하다	03	Organizing a successful trip to Europe **takes** a lot of time and energy.
(어떤 행동을) 하다	04	Would you mind **taking** a photo of us together?
받아들이다	05	It is hard for anyone to **take** his harsh criticisms.

day 15

 구동사(Phrasal Verbs)

☑ take **out**	~ 을 꺼내다, ~을 데리고 나가다
	06 May I borrow a large empty box to **take out** the useless items from my garage?

예문해석 **01** 그녀는 내 딸을 내일 학교에 **데려가기로** 약속했다. **02** 조그만 물고기를 내가 손으로 살며시 **잡았더니,** 홱 뒤집어졌다. **03** 성공적인 유럽여행을 조직하는 일은 오랜 시간과 에너지를 **필요로 한다. 04** 저희들 사진 좀 **찍어** 주시겠어요? **05** 그의 혹평은 누구라도 **받아들이기** 어렵다. **06** 창고에서 쓸모없는 물건을 **꺼낼** 빈 큰 상자를 빌릴 수 있을까요?

☑ take **off**

1. (옷 등을) 벗다 2. 이륙하다
07 When you go inside the house in Korea, you should **take** your shoes **off**.
08 The plane could not **take off** on time; it was delayed for departure because of the sudden storm.

☑ take **after**

~을 닮다
09 You must be Mr. Smith's son in that your face **takes after** him.

☑ take **on**

~을 맡다
10 The counselor said that I should not **take on** any more extra work to reduce stress.

☑ take **up**

~을 차지하다
11 Mother suggested moving the large shelf to the basement because it **takes up** too much room.

☑ take **back**

~을 다시 가져가다, 취소하다
12 If you do not pay for the provided products within one week, our company will **take back** the goods.

☑ take **in**

~을 받아들이다, 흡수하다
13 Harry doesn't seem to **take in** the death of his principal Dumbledore.

☑ take **over**

~을 넘겨받다
14 The vice president has succeeded in **taking over** the firm since the prior president passed away two months ago.

☑ take **down**

1. (집, 텐트 따위를 해체하여) 치우다, 헐다 2. 받아 적다, 써 놓다
15 The leader wanted us to **take down** the tent and pack up the campsite when it started raining.
16 My boss had me **take down** the outsourcing company's contact information.

예문해석 **07** 한국에서 집안에 들어갈 때는 신발을 **벗어야** 해요. **08** 갑작스런 태풍 때문에 비행기가 정시에 **이륙하지** 않고, 출발이 미뤄질 수 있습니다. **09** 얼굴이 Smith씨를 닮은 걸 보니 그의 아들이 틀림없구나. **10** 상담사는 내게 스트레스를 줄이기 위해서는 더 이상의 추가적인 일을 **맡지** 말라고 했어. **11** 어머니는 큰 책장이 공간을 너무 **차지하니** 지하실로 옮기기를 제안하셨다. **12** 귀하가 일주일 안에 공급된 제품에 대해 지불하지 않는다면, 당사는 물건을 **회수할** 것입니다. **13** Harry는 Dumbledore 교장 선생님의 죽음을 **받아들이지** 못하는 듯하다. **14** 전 사장님이 두 달 전에 돌아가신 후로 부사장님께서 회사를 **인수 받으셨습니다.** **15** 비가 오기 시작하자 대장은 우리가 텐트를 **철수하고** 캠프 짐을 꾸리길 원했다. **16** 상사는 내게 외주 업체의 연락처를 **받아 적도록** 했다.

🔵 주요 표현(Expressions)

☑ take **~ into account**	~을 중요하게 생각하다, 감안해서 생각하다 17 Our university **takes** the freshmen's personal aptitudes and potential for development **into account**.	

☑ take **it for granted**	~임을 당연하게 생각하다 18 Yuna **took it for granted** that I would attend her wedding ceremony.

☑ take **advantage of ~**	~을 (기회로) 이용하다 19 Because he trusts everyone so easily, he is always being **taken advantage of** by others.

☑ take **the place of**	~을 대신하다 20 Today our team has decided that a monthly meeting will **take the place of** the weekly meetings. ➕ **plus** take place는 '어떤 일이 발생하다' ⊜ happen, occur

☑ take **steps/measures**	조치를 취하다, 대책을 강구하다 21 As global warming becomes more serious nowadays, we should **take steps (measures)** to conserve the environment.

☑ take **A for B**	A를 B로 잘못 알다 22 Even if your boss is younger than you, do not **take** him **for** an inexperieced worker.

Grammar usage

take

「It takes ([목적어]) + [시간, 노력] + to + V」 (시간, 노력이) 들다, 걸리다
23 It **took** almost 30 minutes for the room **to be** ventilated.
24 It **takes** anyone a lot of time and effort **to finish** the documents.

핵심기술
25 It has **taken** many years to find the recipe, the one that is my own. `11평가원`
26 It **takes** more microwave time to cook lamb ribs than pork chops. `07평가원`

예문해석 **17** 저희 대학은 신입생들의 적성과 발전 가능성을 **중요하게 생각합니다**. **18** 연아는 내가 그녀의 결혼식에 참석하는 걸 **당연하게 생각했다**. **19** 그는 아무나 쉽게 잘 믿어서 남들에게 항상 **이용당해**. **20** 오늘 우리 팀은 주간 회의를 월별 회의로 **대신하기로** 결정하였다. **21** 최근 지구 온난화가 심각해짐에 따라, 환경 보호를 위한 **대책을 강구해야** 한다. **22** 상사가 당신보다 어리다고해서 그를 경험이 없는 사람으로 **생각하지** 말아라. **23** 방을 환기하는데 거의 30분이나 **걸렸다**. **24** 누구든지 그 문서작성을 마치려면 많은 노력과 시간이 **든다**. **25** 나만의 것이라 할 수 있는 그 조리법을 알아내는 데 수년이 **걸렸다**. **26** 양의 갈빗살은 돼지의 갈빗살보다 전자레인지 조리 시간이 더 **걸린다**.

✱ 동사 summary

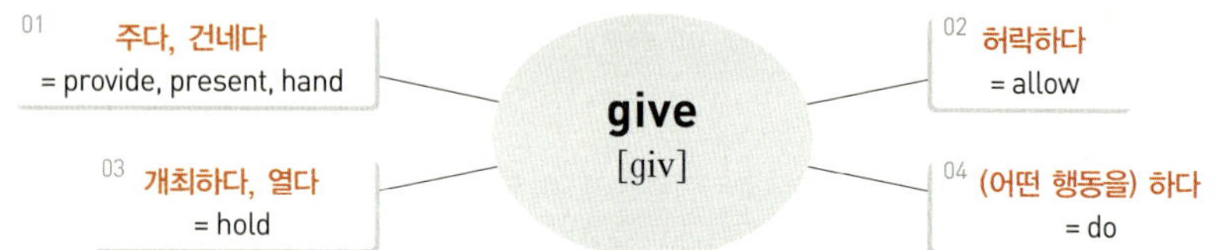

give
[gave/given]

GIVE는 '어떤 물건을 상대방이 가지게 하다, 제공하다'라는 기본 의미를 가지며, '허락하다 (allow),' '모임을 개최하다, 열다 (hold)' '어떤 행동을 하다 (do)'라는 뜻으로 확장된다. GIVE는 구동사 및 관용 표현을 이루어 '포기하다 (give up),' '항복하다 (give in),' '초래하다 (give rise to),' '도와주다 (give ~ a hand),' '출산하다 (give birth to)'의 의미로 확장되며 회화나 독해에서 자주 쓰인다. GIVE는 대표적인 4형식 수여동사이지만 「give + [목적어] + to + V」의 형태로 '~가 ~하게 하다' 처럼 사역의 의미를 가질 수 있다는 점도 알아 두자.

---

01 주다, 건네다 = provide, present, hand	**02 허락하다** = allow
	give [giv]	
03 개최하다, 열다 = hold	**04 (어떤 행동을) 하다** = do

주다, 건네다	01 Sean stole my money from the coin bank, but he **gave** it back to me and apologized.
허락하다	02 Permission to access to the website had to be **given** by the company.
개최하다, 열다	03 The movie director and the actors will **give** an interview for the newly released film tomorrow.
(어떤 행동을) 하다	04 Very excited to meet the star, the girl quickly **gave** him a big hug.

 구동사(Phrasal Verbs)

☑ give **off**	(냄새 · 열 · 빛 등을) 내다
	05 The perfume that I got from my boyfriend on my birthday **gives off** sweet fruit flavors.

☑ give **up**	~을 포기하다, 양도하다
	06 After a poor performance in his first semester, Chris **gave up** and dropped out of school.

예문해석 **01** Sean이 내 저금통에서 돈을 훔쳐갔으나 다시 돌려**주고** 사과를 하였다. **02** 웹사이트에 접속하려면 회사에서 **허가를 받아야** 했다. **03** 감독과 영화 배우들이 내일 새로 개봉될 영화에 대해 인터뷰를 할 것이다. **04** 스타를 만나자 소녀는 너무 흥분해서 재빨리 그를 꼭 끌어안**았다**. **05** 내 생일에 남자 친구에게 받은 향수는 달콤한 과일향이 **난다**. **06** Chris는 첫학기에 시시한 성적을 얻은 후 **포기하고** 학교를 그만 두었다.

☑ give **back**	돌려주다, 보답하다 07 My friend broke her promise to **give** the T-shirts **back** to me within a week.
☑ give **in**	1. ~에 항복하다 2. ~을 제출하다 08 When I was a child, my mother told me not to **give in** to others' threats easily. 09 Please **give** your assignment **in** by the end of this week.
☑ give **away**	~을 양보하다, 나누어주다 10 This ring is a valuable family treasure, so I cannot **give** it **away** to anyone.
☑ give **out**	1. 바닥이 나다 2. (사람들에게) ~을 나눠 주다 3. (열 · 빛 등을) 내다 11 After driving 200 miles, my car's engine **gave out**. 12 The salesman **gave out** the pamphlets to the customers to answer their questions. 13 If you go to the forest, you may feel the freshness from the trees that **give out** oxygen.
☑ give **over**	1. ~에 바치다, 전념하다 2. ~을 건네주다 14 After he broke up with his fiancee, he decided to **give** himself **over** to his work. 15 The bakery **gives** its unsold bread **over** to a homeless shelter.

● 주요 표현(Expressions)

☑ give **~ a lift**	~를 태워주다 16 Although I offered to **give** her **a lift** home, she declined and went with another guy.
☑ give **~ a hand**	~을 도와주다 17 Why don't you come with me to the storage room and **give** me **a hand** arranging the books?

예문해석 **07** 내 친구가 일주일 안으로 티셔츠를 **돌려준다는** 약속을 어겼어. **08** 내가 어렸을 때, 어머니는 내게 다른 사람의 위협에 쉽게 **굴복하지** 말라고 말씀하셨다. **09** 이번 주까지 과제를 제출해 주세요. **10** 그 반지는 집안의 가보이기 때문에 다른 사람에게 **양보할** 수 없다. **11** 200마일을 운전하고 난 후, 차의 연료가 **바닥이 났다. 12** 그 세일즈맨은 고객의 질문에 대해 답하기 위해 소책자를 **나누어 주었다. 13** 숲에 가면 산소를 **내뿜는** 나무들로부터 신선함을 느낄 수 있을 거야. **14** 약혼자와 헤어지고 난 후, 그는 일에 **전념하기로** 했다. **15** 그 빵가게는 팔고 남은 빵을 노숙자 쉼터에 **제공한다. 16** 내가 그녀를 집에 **태워다 주겠다고** 했는데 그녀는 거절하고 다른 남자와 갔다. **17** 나와 창고로 가서 책 정리하는 것을 **도와주지** 않을래요?

☑ give **birth to**	출산하다
	18 I cannot forget the moment when my wife **gave birth to** twins.

☑ give **way to**	1. ~에 굴복하다 2. 양보하다
	19 I hope you don't **give way to** despair though you fail to accomplish your goal.

☑ give **rise to**	(~결과를) 초래하다, 낳다
	20 His lack of imagination and idleness **gave rise to** complete failure.

☑ give **~ a ring**	~에게 전화걸다
	21 If you have any concerns, please **give** me **a ring** anytime.

☑ give **~ a rough idea**	~가 짐작하게 하다
	22 Could you **give** us **a rough idea** of what would be a realistic solution for the problem?

☑ give **and take**	주고받다, 타협하다
	23 To keep the well balance of **giving and taking** is important when you cooperate with other people.

☑ give **a standing ovation**	기립박수를 치다
	24 When the pianist finished playing, the whole audience couldn't help **giving a standing ovation**.

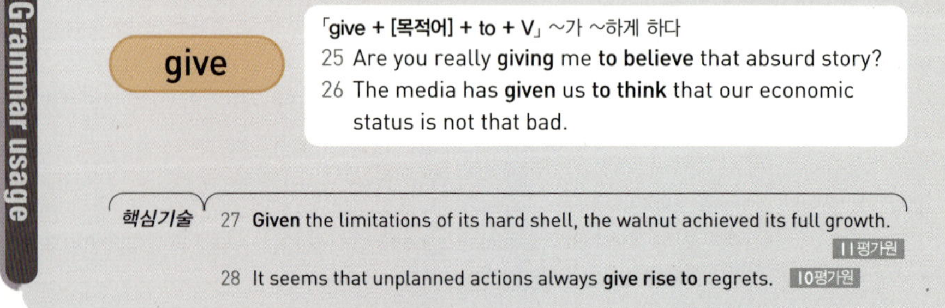

예문해석 **18** 나는 아내가 쌍둥이를 **낳았던** 순간을 잊을 수가 없어. **19** 나는 당신이 목표를 이루는데 실패하더라도 절망에 **굴하지** 않기를 바란다. **20** 그의 상상력의 결핍과 나태함이 실패를 **초래하였다**. **21** 무슨 문제가 있다면 언제든지 **전화주세요**. **22** 이 문제에 대한 현실적인 해결책에 대해 **대강의 생각이라도 알려 주실** 수 있어요? **23** 당신이 다른 사람과 협력을 할 때는 **타협을** 균형있게 잘 하는 것이 중요하다. **24** 피아니스트의 연주가 끝나자 관객 전체가 **기립박수를 치지** 않을 수 없었다. **25** 당신은 정말로 그 기이한 이야기를 내가 믿게 **하려는** 것인가요? **26** 미디어는 우리의 경제상황이 그리 나쁘지 않다고 생각하게 **만들었다**. **27** 그 딱딱한 껍질이라는 한계를 **고려해 볼 때**, 호두는 알차게 자라났다. **28** 계획하지 않고 행동하는 것은 항상 후회를 **낳는** 듯하다.

A 다음 단어에 해당하는 우리말을 쓰시오.

01 give away ____________

02 give birth to ____________

03 take after ____________

04 get over ____________

05 give over ____________

06 take back ____________

07 get through ____________

08 give and take ____________

B 다음 단어에 해당하는 영어단어를 쓰시오.

01 돌려주다, 보답하다 ____________

02 ~를 태워주다 ____________

03 넘겨받다 ____________

04 내리다, 퇴근하다 ____________

05 벗다, 이륙하다 ____________

06 뒤떨어지다, 늦어지다 ____________

07 앞지르다 ____________

08 맡다 ____________

C 다음 문장을 읽고 밑줄 친 부분이 어떤 의미로 쓰였는지 쓰시오.

01 a. Remind him of the briefcase one more time, or he'll forget to <u>take</u> it with him. ____________

   b. You can't always <u>take</u> as many books as you like from a library. ____________

02 a. Please <u>give me a call</u> as soon as you arrive at the hotel in Spain. ____________

   b. The leader tends not to <u>give his team members a chance</u> to express their opinions. ____________

03 a. She <u>got a letter</u> from him the other day. ____________

   b. A foreigner was struggling to <u>get people to understand</u> what he was saying. ____________

D 다음 문맥에 알맞은 표현을 고르시오.

ⓐ getting used to	ⓑ take steps	ⓒ have taken the place of	ⓓ get along
ⓔ give up	ⓕ give off	ⓖ take advantage of	ⓗ get in the way

01 The ability to ____________ with others is necessary to become part of a team.

02 Since she changed her job two months ago, she has been having a hard time ____________ the new environment.

03 As long as you don't ____________ in whatever you do, others will not be able to call it a failure.

04 Since my parents passed away when I was 10 years old, my grandparents ____________ them.

05 When your baby begins to toddle, you should put the dangerous items away not to ____________ .

핵심동사 (4) Key Verbs

● fall ● run ● turn ●

Preview

fall, **run**, **turn** 동사의 다양한 의미와 용법, 관련 숙어를 마스터한다.
- His new novel was full of trite expressions, and it **fell** far **short of** his fans' expectations.
- Park Jisung was much faster than the others **running after** the ball in the game last night.
- The economy of Korea once seemed to get worse, but it, **in turn**, is getting much better.

✱ 동사 summary

fall
[fell/fallen]

FALL은 '**높은 위치에서 아래쪽으로 빠르게 움직이다**' 라는 기본 의미를 가지며, '떨어지다 (move downwards),' '넘어지다 (stumble),' '감소하다 (decline),' '(어떤 상태에) 갑자기 빠지다 (become)' 라는 뜻으로 확장된다. FALL은 전치사 및 부사와 결합하여 구동사를 이루고 그 형태에 있어 더 구체성을 띄지만 FALL 본래의 의미가 크게 변화되지 않는다. 관용적인 표현으로는 '~에 미치지 못하다 (fall short of),' '너덜너덜해지다 (fall to pieces),' '~의 손에 들어가다 (fall into the hands of~)' 등이 있다. FALL은 상태 변화를 나타내는 동사로도 사용되는데, 「Fall + [보어]」의 형태를 취해 '(어떤 상태)가 되다' 라는 의미로도 잘 쓰이므로 꼭 익혀두자.

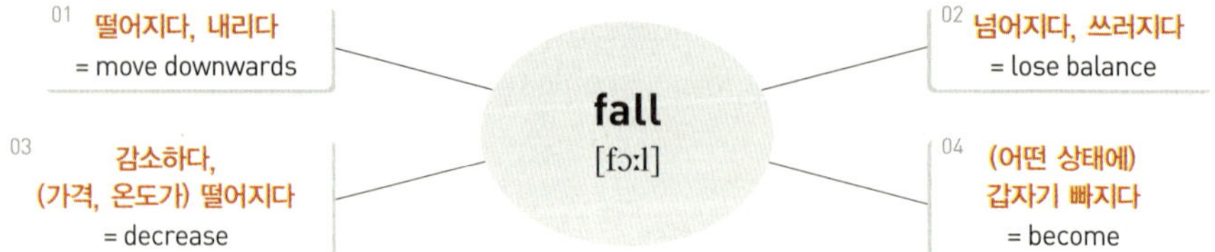

떨어지다, 내리다	01	Jane saw the book **falling** from his hands when she ran into him.
넘어지다, 쓰러지다	02	You should be careful when skating not to slip and **fall** on the ice.
감소하다, (가격, 온도가) 떨어지다	03	The country has a beautiful island where winter temperatures never **fall** below 15 degrees.
(어떤 상태에) 갑자기 빠지다	04	Deborah suddenly **fell** silent and turned her attention to her book.

예문해석 **01** Jane이 우연히 그와 마주쳤을 때, 그의 손에서 책이 **떨어지는** 것을 보았다. **02** 스케이트를 탈 때에는 미끄러져서 얼음 위에 **넘어지지** 않도록 조심해야 한다. **03** 그 나라에는 겨울에도 기온이 절대로 15도 아래로 **내려가지** 않는 아름다운 섬이 있다. **04** Deborah는 갑자기 조용**해지더니** 책으로 관심을 돌렸다.

🟠 구동사(Phrasal Verbs)

☑ fall **apart** — 산산이 부서지다, 무너지다
05 According to his autobiography, his life began to **fall apart** after his wife left him.

☑ fall **behind** — (~에) 뒤쳐지다, 일이 늦어지다
06 If you don't work efficiently, you may **fall behind** schedule.

☑ fall **down** — 1. 넘어지다, 무너지려 하다 2. 실패하다, 약하다
07 If the wind blows harder than yesterday, the wall could **fall down**.
08 The argument got to **fall down** because of the illogical conclusion.

☑ fall **into** — 1. ~에 빠지다 2. ~한 상태가 되다
09 While she sang a lullaby, her baby **fell into** a profound sleep.
10 When we heard the negotiations had broken down, we **fell into** despair.

☑ fall **off** — 1. 줄다, 감퇴하다 2. ~에서 떨어지다 ⊜ fall away
11 After he got sick, his appetite **fell off** little by little.
12 When autumn comes, the leaves **fall off** the trees naturally.

☑ fall **under** — ~의 영향을 받다, ~의 책임이다
13 The journalist's commitment to truth will not **fall under** pressure from the government.

☑ fall **on** — 1. 떨어지다, 넘어지다 2. ~에 해당하다
14 The hotel lobby was slippery, so I **fell on** the floor.
15 Does your wedding anniversary **fall on** Sunday this year?

☑ fall **out** — 1. ~와 싸우다 2. (머리카락, 치아 등이) 빠지다
16 She **fell out** with her husband because he cheated on her.
17 While the girl was chewing on a piece of candy, her baby tooth suddenly **fell out**.

day
16

예문해석 **05** 그의 자서전에 의하면, 그의 아내가 떠난 후 그의 삶이 **산산조각이 나기** 시작했다. **06** 네가 효율적으로 일을 하지 않는다면, 계획이 **늦어지게** 될지도 모른다. **07** 바람이 어제보다 더 세게 분다면 벽이 **허물어질** 수도 있다. **08** 그 주장은 비논리적인 결론으로 인해 **약해진다**. **09** 그녀가 자장가를 불러주는 동안 아기는 깊은 잠에 **빠졌다**. **10** 협상이 결렬되었다는 얘기를 듣자, 우리는 절망적인 **상태가 되었다**. **11** 그가 병에 걸린 이후, 그의 식욕이 조금씩 **감퇴했다**. **12** 가을이 오면 자연스럽게 나뭇잎이 나무에서 **떨어진다**. **13** 그 저널리스트의 진실을 향한 신념은 정부로부터의 어떤 압력에도 **영향을 받지 않을** 것이다. **14** 호텔 로비가 너무 미끄러워서 나는 바닥에 **넘어졌다**. **15** 올해 당신의 결혼기념일은 일요일**인가요**? **16** 그녀의 남편이 바람을 피웠기 때문에 그녀는 남편과 **다투었다**. **17** 그 소녀는 사탕을 깨물어 먹다가 젖니가 갑자기 **빠졌다**.

☑ fall **over**	걸려서 넘어지다
	18 Because he drank too much alcohol, he couldn't control his balance and **fell over**.

 주요 표현(Expressions)

☑ fall **short of**	~에 미치지 못하다
	19 His new novel was full of trite expressions, and it **fell** far **short of** his fans' expectations.

☑ fall **to pieces**	물건이 상하다, 너덜너덜해지다
	20 She treated her bicycle so harshly, it **fell to pieces** after a few months.

☑ fall **on one's knees**	무릎을 꿇다
	21 He **fell on his knees** to propose marriage to his girlfriend during a romantic dinner.

☑ fall **into the hands of ~**	~의 손(수중)에 들어가다
	22 At the track meet, the final victory **fell into the hands of** the red team.

☑ fall **sacrifice to ~**	~의 희생이 되다
	23 Her passion for work **fell sacrifice to** her boss's scheme to be promoted.

Grammar usage

fall

「**fall** + [보어]」(어떤 상태가) 되다
24 It seems that he suddenly **fell ill** after eating a wild boar.
25 Try not to **fall asleep** while watching over a flock of sheep.

「**fall** + [전치사] + [명사]」(어떤 상태에) 빠지다
26 Never **fall into despair** if you fail to achieve your dream.

핵심기술 27 The problem is, once they fail one class or have a bad experience that leads them to doubt their major, all of these plans **fall apart**. `07 평가원`
28 As industrialization peaks, the birth rate **falls** and begins to approximate the death rate. `08 평가원`

예문해석 **18** 그는 술을 많이 마셔서 몸을 가눌 수 없어 **넘어졌다**. **19** 그의 새 소설은 진부한 표현으로 가득해서 팬들의 기대에 **미치지 못했다**. **20** 그녀는 자전거를 험하게 다루어서, 몇 달 후 **너덜너덜해졌다**. **21** 낭만적인 저녁식사를 하는 동안 그는 **무릎을 꿇어** 그의 여자친구에게 청혼을 했다. **22** 그 육상 경기 대회에서 최종 우승은 홍팀에게 **돌아갔다**. **23** 그녀의 일에 대한 열정은 그녀의 상사가 승진하려는 계략에 **희생되었다**. **24** 그는 멧돼지 요리를 먹은 뒤에 갑자기 아프게 **된 것** 같다. **25** 양떼를 지키다가 **잠들지** 않도록 노력해라. **26** 꿈을 이루는데 실패해도 절대로 절망에 **빠지지** 마라. **27** 문제는, 일단 그들이 한 과목에서 낙제하거나 그들로 하여금 그들의 전공에 대해 의심하게 이끄는 나쁜 경험을 겪게 되면, 이 모든 계획들이 **와해된다**는 것이다. **28** 산업화가 최고조에 이르면서 출산율은 **떨어지고** 사망률과 비슷해지기 시작한다.

✱ 동사 summary

run
[ran/run]

RUN은 '**손이나 발을 사용해서 매우 빠르게 움직이다**' 라는 기본의미를 가지며, '달리다, 경주하다 (**race**),' '~을 운영하다, 경영하다 (**manage**),' '어떤 기계가 작동하다,' '버스, 기차를 정기적으로 운행하다,' '흐르다 (**flow**)' 의 뜻으로 확장된다. RUN은 구동사를 이루어 매우 다양하게 쓰이며 사용 빈도도 높다. '도망가다 (**run away**),' '다 써버리다 (**run out**),' '우연히 만나다 (**run across**)'는 듣기에서 자주 등장한다. 또한 '위험을 감수하다 (**run the risk of**),' '말라버리다, 고갈되다 (**run dry**)' 처럼 관용표현으로 쓰이기도 한다. RUN은 go, turn, fall처럼 상태의 변화를 나타내기도 하는데, 「**run** + [보어]」, 「**run** + [전치사] + [명사]」의 형태를 취해 각각 '~의 상태가 되다,' '~상태에 맞닥뜨리다' 라는 의미로 쓰이니 반드시 알아두자.

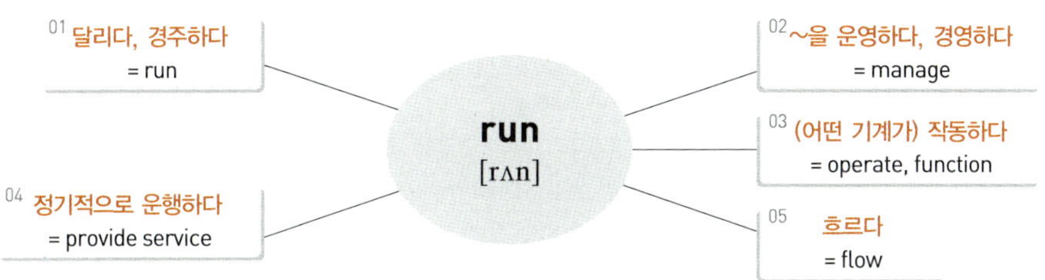

달리다, 경주하다	01	In the upcoming fall event, Billy made up his mind to **run** in the 3,000 meter race.
~을 운영하다, 경영하다	02	The Korean woman **ran** a restaurant in Boston and became famous in the food industry.
(어떤 기계가) 작동하다	03	My uncle kept the engine **running** when his car was parked in the garage.
정기적으로 운행하다	04	I am planning to take the train that **runs** between New York and Chicago.
흐르다	05	Come with me if you want to see a view of a small river **running** into the sea.

🟠 구동사(Phrasal Verbs)

☑ run **on**	계속 이어지다, 길게 끌다
	06 His questions about every detail made the interview **run on**.

예문해석 **01** 곧 있을 가을 이벤트에서, Billy는 3천미터 **달리기**에 참가하기로 결심했다. **02** 그 한국 여성은 보스턴에서 식당을 **운영했고**, 업계에서 유명해졌다. **03** 삼촌의 차가 차고에 주차되어 있을 때 삼촌은 계속해서 엔진을 **작동시킨** 채로 두었다. **04** 나는 뉴욕과 시카고를 **왕복하는** 기차를 탈 계획이다. **05** 혹시 작은 강이 바다로 **흘러들어가는** 모습을 보고 싶으면 나를 따라와. **06** 그가 모든 세부 사항들에 관해 질문하는 바람에 인터뷰가 **길어졌다**.

☑ run **away**
1. 도망가다 2. ~을 회피하다(from)
07 Children who **run away** from home have been sold into slavery by underworld gang members.
08 The citizens often criticize that the local government **runs away from** its responsibility.

☑ run **across**
~를 우연히 발견하다, 만나다
09 She **ran across** the letter he sent while going through the drawers.

☑ run **out**
~을 다 써버리다, 고갈되다
10 The boy, in the middle of the operation, heard his doctor saying the hospital **ran out** of its blood supply.

☑ run **after**
뒤쫓다, 추구하다 ⊜ pursue
11 Park Jisung was much faster than the others **running after** the ball in the game last night.

☑ run **into**
1. (차로) 들이받다, 충돌하다 2. 우연히 만나다, 마주치다 3. 어려움을 겪다
12 Her car nearly **ran into** another car in the middle of a highway.
13 Moira and I almost always **run into** each other on the way home.
14 If you **run into** problems downloading the program, please contact our customer service department.

☑ run **over**
1. 차로 치다 ⊜ hit 2. 재빨리 훑어보다, 연습하다 ⊜ run through
15 Keira was **run over** by a car, but fortunately she didn't get hurt.
16 She **ran over** her lines with her drama teacher before the performance began.

☑ run **to**
(금액, 수치에) 달하다, 이르다
17 The reading assignments, due by tomorrow, **run to** almost 100 pages.

☑ run **down**
1. (건전지, 기계 등이) 다 되다, 멈추다 2. 대충 읽어보다, 속독하다
18 The battery in the robot in *I, Robot* might never **run down**.
19 Just **run down** the list and see if you've forgotten anything.

예문해석 **07** 집에서 **나온** 아이들은 지하 세계 조직원들의 손에 의해 노예로 팔려 왔다. **08** 시민들은 지역 정부가 책임을 **회피한다**고 종종 비판한다. **09** 그녀는 서랍을 뒤지다가 **우연히** 그가 보낸 편지를 **발견했다**. **10** 소년은 수술을 받던 중에 병원에 피가 **부족하다고** 의사가 말하는 것을 들었다. **11** 박지성은 어젯밤 경기에서 공을 **뒤쫓는** 다른 선수들 보다 훨씬 빨랐다. **12** 그녀는 고속도로에서 다른 차를 거의 **들이받을** 뻔했다. **13** 나는 집에 가는 길에 거의 늘 Moira와 **우연히 마주친다**. **14** 프로그램을 다운받다가 문제가 **생기면**, 소비자 센터로 연락주세요. **15** Keira는 차에 **치였지만**, 다행히 다치지는 않았다. **16** 그녀는 공연하기 전에 연극 선생님과 함께 대사를 **연습했다**. **17** 내일까지 읽어가야 할 숙제가 거의 100쪽에 **달한다**. **18** 영화 〈아이로봇〉에 나오는 로봇의 배터리 수명은 절대 **다 되지** 않을 것이다. **19** 일단 목록을 죽 **훑어보고**, 빠뜨린 것이 없는지 봐라.

Part Ⅱ 핵심동사

| ☑ run **through** | 빨리 살펴보다, 훑어보다
20 Let me just **run through** my schedule to see if I am available tomorrow afternoon. |

 ## 주요 표현(Expressions)

☑ run **the risk of -ing**	~하는 위험을 감수하다 21 Jessie always preferred to **run the risk of getting** lost when traveling.
☑ run **dry**	말라버리다, 고갈되다 22 If the epidemic spreads across the country, vaccine supplies will start to **run dry**.
☑ run **a fever**	열이 나다 23 When your baby **ran a fever** last fall, my infant had a rash.
☑ run **into a brick wall**	난관에 부딪히다 24 Try to stay focused when you're just **running into a brick wall**, and then you'll be fine.
☑ run **late/early /on time**	~에 늦다/일찍 도착하다/정각에 도착하다 25 Father was **running late**, so I had to walk to school by myself.

day 16

Grammar usage

run

「run + [보어]」 ~이 되다
26 As the police failed to catch the first-degree murderer, tension **ran high** in the city.

「run + [전치사] + [명사]」 (사물 등이) ~ 상태에 맞닥뜨리다
27 You could **run into** financial **difficulties** if you did not stop spending money so lavishly.

핵심기술
28 As the characters try to solve the problem, they **run into** complications which only make matters worse. `06 평가원`
29 People who **run** sports camps think of the children first. `07 수능`

예문해석 **20** 내일 오후에 제가 시간이 날지 일정을 한 번 **살펴볼게요. 21** Jessie는 여행할 때 항상 길을 잃는 **위험을 감수하기를 좋아했다. 22** 유행병이 전국에 퍼지면, 백신은 **바닥나기** 시작하게 될 것이다. **23** 지난 가을에 네 아기가 **열병을 앓았을** 때, 우리 아기는 땀띠가 났다. **24** 난관에 막 **부딪혔을** 때에는 집중력을 잃지 않도록 노력해라. 그러면 괜찮을 것이다. **25** 아버지가 **지각이라** 나는 혼자서 학교로 걸어가야 했다. **26** 경찰이 1급 살인범을 잡는데 실패하자 도시 안의 긴장감이 **높아졌다. 27** 네가 돈을 헤프게 쓰는 것을 중단하지 않는다면, 재정적 어려움에 **맞닥뜨릴** 수도 있었어. **28** 등장인물들이 문제를 해결하려고 하면서, 문제를 악화시키는 복잡한 상황을 **만나게 된다. 29** 스포츠 캠프를 **운영하는** 사람들은 아이들을 가장 우선적으로 고려한다.

✱ 동사 summary

turn
[turned/turned]

TURN은 '다른 방향으로 향하도록 머리나 몸의 위치를 바꾸다'라는 기본의미를 가지며, '돌리다, 돌다,' '~한 방향으로 향해 있다 (direct),' '생각이나 관심을 전환시키다,' '~한 상태가 되게 하다,' '변하다 (change)'의 뜻으로 확장된다. TURN은 구동사의 활용도가 매우 높은 핵심동사이다. 이미 알고 있는 turn on (켜다), turn off (끄다)와 같은 쉬운 표현도 있지만 그 외에 '~로 밝혀지다 (turn out),' '제출하다 (turn in),' '소리를 낮추다, 거절하다 (turn down)'와 같은 표현도 매우 중요하므로 잘 알아두자. TURN을 활용한 관용적 표현은 '교대로 ~하다 (take turns),' '반대하다 (turn thumbs down on)' 등이 있다. TURN은 주로 3형식으로 많이 쓰이지만, 「turn + [목적어] + [보어]」의 형태를 취해 문장에서 쓰이기도 하므로 예문을 통해 꼼꼼히 학습해 두자.

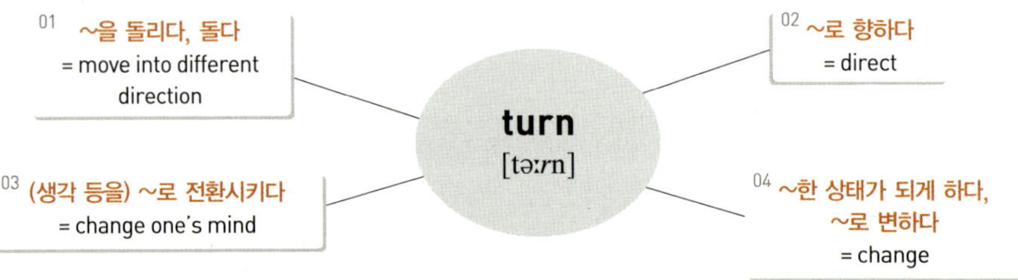

~을 돌리다, 돌다	**01** The captain of the Titanic should have **turned** the steering gear all the way to the right.
~로 향하다	**02** The road to the mysterious man's house **turns** sharply at the peak of the mountain.
(생각 등을) ~로 전환시키다	**03** Many Korean students have **turned** their attention to chances to study abroad.
~한 상태가 되게 하다, ~로 변하다	**04** Town people say that the witch who lives in the castle has hair that will never **turn** grey.

🟠 구동사 (Phrasal Verbs)

☑ turn **in**   제출하다

05 Make sure that you **turn in** your final paper right after this class.

예문해석 **01** 타이타닉호 선장은 조타기를 최대한 오른쪽으로 **돌렸어야** 했다. **02** 비밀에 싸인 그 남자의 집으로 가는 길은 산 정상으로 급격하게 꺾어진 쪽으로 **향해** 있다. **03** 많은 한국 학생들은 외국에 유학갈 수 있는 기회에 관심을 **가지게 되었**다. **04** 마을 사람들은 그 성에 사는 마녀는 절대 백발로 **변하지** 않을 머리카락을 가지고 있다고 말한다. **05** 이 수업이 끝난 뒤에 바로 기말 페이퍼를 **제출해야** 한다는 사실을 명심해라.

☑ turn **down**
1. (소리, 열 빛 따위의 정도를) 낮추다 2. 거절하다
06 If the volume is too loud, please **turn** it **down** to protect your ears.
07 James was offered the chance to work in a higher position, but he **turned** it **down**.

☑ turn **on**
1. (수도, 가스, 전기를) 켜다 ↔ turn off 2. 흥미를 끌다
08 The water was not **turned on** yet , so I couldn't take a shower this morning again.
09 The documentary on Korean politics **turns** only a few viewers **on**.

☑ turn **out**
1. 모습을 드러내다   2. 일의 진행이 ~하게 되어가다, ~인 것으로 밝혀지다
10 The Hollywood movie star has just **turned out** to promote his film.
11 To everyone's surprise, the cleaning man **turned out** to be the one who solved the problem.

☑ turn **back**
돌려주다, 되돌리다
12 There would be no way to **turn back** the decision you made, Mr. Holmes.

☑ turn **up**
1. 소리를 높이다 2. 모습을 드러내다
13 If the volume is not loud enough, **turn** it **up** until it is appropriate.
14 How many people do you think will **turn up** at the party?

☑ turn **to**
1. ~페이지로 넘기다 2. ~에 의지하다
15 **Turn to** page 24 for our policy on the protection of privacy.
16 It's good to have someone to **turn to** when you're depressed.

☑ turn **into**
~으로 변하다, ~으로 바꿔놓다
17 The recently released novel is bound to be **turned into** a television drama.

☑ turn **away**
외면하다, 거절하다, 들어오지 못하게 하다
18 Many consumers will **turn away** from products made by environmentally unfriendly companies.

day **16**

예문해석 **06** 소리가 너무 크면, 볼륨을 **낮추어서** 귀를 보호해라. **07** James는 더 높은 위치에서 일할 수 있는 기회를 제안 받았지만, **거절했다**. **08** 수도가 아직 **잠긴 상태라** 아침에 또 샤워를 할 수 없었어. **09** 한국 정치에 관한 다큐멘터리는 소수 시청자의 **흥미를 끌** 뿐이다. **10** 헐리우드 영화배우는 자신이 출연한 영화를 홍보하기 위해 **모습을 드러냈다**. **11** 놀랍게도 그 문제를 해결한 사람은 청소부였음이 **밝혀졌다**. **12** Holmes 선생, 당신이 내린 결정을 **되돌릴** 방법은 없을 거야. **13** 소리가 충분히 크지 않다면, 알맞을 때까지 **볼륨을 높여라**. **14** 파티에 사람들이 얼마나 많이 **나타날 거라고** 생각하세요? **15** 사생활 보호에 대한 우리 정책을 보려면 24쪽으로 **넘기세요**. **16** 우울할 때 **의지할** 누군가가 있는 것은 좋다. **17** 최근에 출판된 그 소설은 분명 TV 드라마로 **만들어질** 것이다. **18** 많은 소비자들은 환경을 생각하지 않는 기업들이 만든 제품을 **외면할** 것이다.

☑ turn **over**	1. 책장을 넘기다 2. 몸을 뒤집다, 뒤집히다
	19 Do not **turn over** your exam papers and read the questions before the test begins.
	20 Now **turn over** your body and stretch as much as you can.

주요 표현(Expressions)

☑ **take** turn	~을 교대로 하다
	21 Have you observed a range of animals **taking turns**?

☑ **in** turn	1. 차례 차례 2. 결국, 결과적으로
	22 The little kids in the kindergarten introduced themselves **in turn**.
	23 The economy of Korea once seemed to get worse, but it, **in turn**, is getting much better.

☑ turn **thumbs down on**	~에 반대하다, ~에 불만의 뜻을 표하다 ↔ turn thumbs up
	24 Ebert has **turned thumbs down on** the unnecessary and overly obscene scenes in the film.

☑ turn **the tables**	형세를 역전시키다, ~에게 보복하다
	25 Women legislators **turned the tables** and introduced bills regulating men's reproductive health.

Grammar usage

turn

「turn + [목적어] + [보어]」 ~을 …으로 되게 하다, 바꾸다
26 Feeling of betrayal and rage **turned the heroine's hair white** in the movie.
27 As spring **turns flowers** into bloom, the patient continues towards a full recovery.

핵심기출 28 All cells need energy to live, whether they are muscle cells in a hiker's leg, or young yeast cells **turning** a tank of grape juice **into** wine. 08 평가원
29 Parents are advised to engage their children in activities that involve **taking turns**, paying attention for sustained periods, and giving incentives for thoughtful responses. 09 수능

예문해석 **19** 시험이 시작되기도 전에 시험지를 **넘겨서** 문제를 읽으면 안 된다. **20** 이제 몸을 **뒤집어서** 가능한 몸을 쭉 펴라. **21** 당신은 **교대로 일하는** 동물들을 본 적이 있습니까? **22** 유치원에서 어린 아이들이 **돌아가면서** 자기소개를 했다. **23** 한국의 경제는 점점 악화되는 것처럼 보였지만, **결과적으로** 훨씬 나아지고 있다. **24** Ebert는 영화에서 불필요하고 지나치게 외설적인 장면들에 **불만을 표시했다**. **25** 여성 국회의원들은 **형세를 역전시켜서**, 남성들의 생식과 관련된 건강(관리)을 규정하는 법안을 제출했다. **26** 영화에서 여배우는 분노와 배반감 **때문에 머리가 하얗게 세었다**. **27** 봄이 **되어서** 꽃이 활짝 **피자**, 그 환자는 완전히 회복하고 있다. **28** 하이킹하는 사람의 발 근육 세포이든, 하나의 탱크 속에 든 포도즙을 포도주로 **변화시키는** 어린 효모 세포이든, 모든 세포는 살아가는데 에너지가 필요하다. **29 교대로 하기**, 일정 기간동안 집중하기, 사려 깊은 대답에 대해 격려해 주기를 포함하는 활동들에 자녀들을 동참시킬 것을 부모들에게 권한다.

EXERCISES

A 다음 단어에 해당하는 우리말을 쓰시오.

01 fall under _______________

02 turn to _______________

03 fall to pieces _______________

04 run dry _______________

05 turn away _______________

06 run into a brick
   wall _______________

07 run into _______________

08 fall off _______________

B 다음 단어에 해당하는 영어단어를 쓰시오.

01 ~한 상태가 되다 _______________

02 교대로 하다 _______________

03 ~의 손에 들어가다 _______________

04 산산이 부서지다 _______________

05 빨리 살펴보다 _______________

06 ~인 것으로 밝혀지다 _______________

07 도망가다 _______________

08 ~으로 변하다 _______________

C 다음 문장을 읽고 밑줄 친 부분이 어떤 의미로 쓰였는지 쓰시오.

01 a. The conversation <u>turned back to</u> final exams and class
      assignments. _______________

   b. People in Egypt warned the government that the
      situation could <u>turn violent</u>. _______________

02 a. The program was cancelled because of <u>falling
      audience figures</u>. _______________

   b. Steve and I crawled into tent and <u>fell into a deep sleep</u>. _______________

03 a. There are <u>running buses</u> to and from the performing
      arts center. _______________

   b. The guard found <u>the engine running</u> with nobody
      inside the car. _______________

D 다음 문맥에 알맞은 표현을 고르시오.

| ⓐ fall silent | ⓑ run on | ⓒ fall behind | ⓓ turn over |
| ⓔ fell short of | ⓕ turn down | ⓖ run the risk of | ⓗ running out |

01 Just _____________ the job offer from a large company if it doesn't suit you.

02 After two kilometers, Mr. Baker was exhausted and started to _____________ .

03 He decided to _____________ being dismissed to protect his team members.

04 The numbers attending _____________ 500, much lower than our expectations.

05 We must do something right away because time is _____________ .

핵심동사 (5) Key Verbs

● put ● set ● make ●

Preview

put, **set**, **make** 동사의 다양한 의미와 용법, 관련 숙어를 마스터한다.
● The fire crews from Georgetown have been **putting out** the flames for several hours.
● The bomb disposal expert **set** the bomb **off** as soon as Meredith was a safe distance away.
● The thin book is **made up** of nine separate plays for kids.

✱ 동사 summary

put
[put/put]

PUT은 '**손으로 직접 사물을 이동시켜 특정한 장소에 놓다**'라는 기본의미를 가지며, '~하게 하다 (cause),' '쓰다 (write),' '말이나 글로 표현하다 (express)' 등의 뜻으로 확장된다. PUT은 또한 구동사와 관용 표현을 이루어 '입다 (put on),' '참다 (put up with),' '미루다 (put off),' '제쳐놓다 (put aside)' 등 다양한 의미로 쓰인다. 용법적으로 특별히 유의할 사항은 없으나 「put + [목적어] + **as** + [보어]」처럼 5형식을 취해 '~을 ~로 평가하다, 어림잡다'의 의미로 쓰이기도 하므로 예문 학습을 통해 잘 익혀두자.

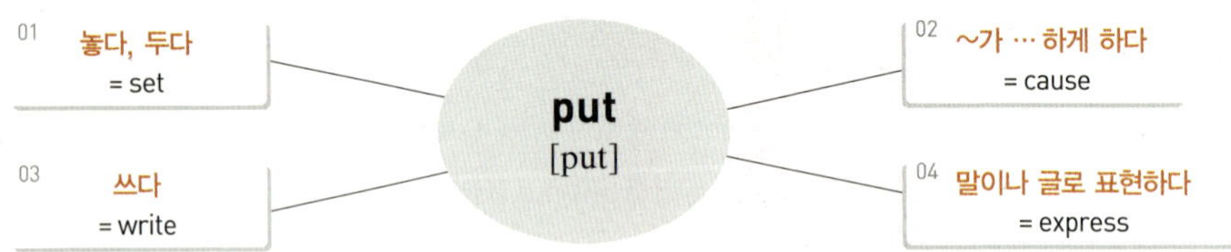

놓다, 두다	01	She **put** her wallet in his bag last night and has forgotten about it.
~가 …하게 하다	02	He can't handle it when you **put** him into a hard situation.
	03	The king decided to **put** Queen Anne Boleyn in a prison.
쓰다	04	Could you **put** your phone number at the top of the sheet?
말이나 글로 표현하다	05	**Put** into words how you feel, and that will really help you calm down.

예문해석 **01** 그녀는 어젯밤에 지갑을 가방 안에 **넣어 두고는** 잊어버렸다. **02** 당신이 그를 어려운 상황에 **처하게 할** 때, 그는 그것을 감당할 수 없을 것이다. **03** 왕은 Anne Boleyn 여왕을 감옥에 **가두기로** 결정했다. **04** 종이 맨 위에 전화번호를 **적어** 주실래요? **05** 네 기분을 글로 **적어봐.** 그러면 마음을 가라앉히는데 정말 도움이 될 거야.

구동사(Phrasal Verbs)

☑ put **aside**

1. ~을 따로 떼어 놓다 2. 무시하다 ⊜ disregard
06 The manager at the clothing shop offered to **put** the dress **aside** while I went to the ATM.
07 Both rivals **put aside** their differences and made a compromise.

☑ put **on**

1. 입다 2. 화장하다 3. ~인 체하다 ⊜ pretend
08 Christine had forgotten to **put** her watch **on** yesterday, but she didn't this morning.
09 Some women spend too much time **putting on** makeup in front of the mirror.
10 I think Sam is just **putting on** to get sympathy; he is not really sad.

☑ put **out**

1. (쓰려고) 꺼내놓다 2. 불을 끄다
11 You had better **put out** some paper napkins for the hygiene-conscious Japanese guests.
12 The fire crews from Georgetown have been **putting out** the flames for several hours.

☑ put **away**

(제자리에) 넣다, 치우다
13 Take the camera and **put** it **away** unless you want to see it broken.

☑ put **off**

미루다, 연기하다 ⊜ delay
14 You have been **putting** the project **off** long enough. Just get back to it right now.

☑ put **down**

1. 내려놓다 2. (글, 메모 등을) 적어 두다 3. 진압하다
15 Batman told the criminal in a low voice to **put** the gun **down**.
16 Holmes was **putting** a few thoughts **down** on paper to organize his theory on the crime.
17 The military forces in Egypt violently **put down** the protest in the capital.

☑ put **up with**

참다, 견디다
18 Don't **put up with** your sister's violent temper. Just get into a fight with her.

day 17

예 문 해 석 **06** 옷가게 사장님은 내가 ATM기에 돈을 찾으러 간 동안에, 옷을 **따로** 보관했다. **07** 두 라이벌은 자신들의 차이점을 **무시하고**, 타협했다. **08** Christine은 어제 시계를 **차는** 것을 잊었지만, 오늘 아침에는 잊지 않았다. **09** 거울 앞에서 **화장하느라** 너무 오랜 시간을 보내는 여성들이 있다. **10** Sam은 동정을 얻으려고 슬픈 **척할** 뿐이지, 정말 슬프지는 않은 것 같다. **11** 깔끔 떠는 일본 손님들을 맞이하기 위해 냅킨을 좀 **꺼내 놓는** 편이 나을거야. **12** 조지타운에서 온 소방관들이 몇 시간째 불을 **끄고** 있다. **13** 카메라가 부서진 것을 보고 싶지 않으면, 잘 **치워두어라**. **14** 당신은 그 프로젝트를 충분히 오래 **미루었어요**. 지금 당장 다시 착수하세요. **15** 배트맨은 범인에게 총을 **내려놓으라고** 낮은 목소리로 말했다. **16** Holmes는 사건에 대한 그의 이론을 정리하기 위해 종이에 몇 가지 생각을 **적고 있었다**. **17** 이집트 군인들이 수도에 있는 시위대를 폭력적으로 **진압했다**. **18** 너희 언니의 폭력적인 기질을 **참지** 말고, 싸워!

☑ put **back** 1. 제자리에 갖다 놓다 2. 연기하다, 지연시키다
19 Take money from my savings account, but **put** it **back** when you get paid.
20 The company has **put back** the film's release date to January of next year.

주요 표현(Expressions)

☑ put **oneself in one's shoes** ~와 입장을 바꾸어 보다
21 Had I **put myself in your shoes**, I wouldn't have broken up with her.

☑ put **on weight** 살찌다
22 He has just eaten four fried chickens and a coke; surely he will **put on** a lot of **weight**.

☑ put **an end to** ~끝내다, 그만두게 하다
23 An ankle injury could **put an end to** her figure skating career.

☑ put **a question to ~** ~에게 질문하다
24 I'm hoping to get a chance to **put questions** at this event **to** the popular movie star, Brad Pitt.

Grammar usage

put

「put + [목적어] + (as / among) + [보어] 」 ~을 …로 평가하다, 어림잡다
25 I am not sure, but I would **put the distance at around 25 km**.
26 The vice president has mistakenly **put her as number one** in our department.

핵심기술
27 A German project by the Fraunhofer Institutes, together with the Munich University of Technology, will **put an end to** this dilemma. 10 평가원
28 I **put** the notebook **away** and promptly forgot about it and about becoming a journalist. 12 수능

예문해석 **19** 내 저축계좌에서 돈을 찾아가. 하지만 월급 받으면 **다시 채워 놓아라**. **20** 회사는 영화 개봉일을 내년 1월로 **미루었다**. **21** 내가 너라면 그녀와 헤어지지 않았을거야. **22** 그는 방금 전에 치킨 4마리를 먹고, 콜라를 마셨다. 확실히 그는 **살이 많이 찔 것이다**. **23** 발목 부상은 그녀의 피겨 스케이트 선수 생명을 **끝낼** 수도 있었다. **24** 나는 이번 이벤트에서 인기 영화배우 Brad Pitt에게 **질문할** 기회를 잡기를 바란다. **25** 확실하진 않지만, 그 거리가 25킬로미터쯤 **되는 것 같아**. **26** 부사장은 실수로 그녀를 우리 부서의 최고로 **평가했다**. **27** Fraunhofer 연구 기관이 뮌헨 공대와 공동으로 진행한 독일의 한 프로젝트는 이러한 딜레마에 **봉착하게 될 것이다**. **28** 나는 그 노트를 한 쪽에 **치워 두었고** 곧바로 그 노트와 기자가 되려는 것에 대해 잊어버렸다.

✱ 동사 summary

set
[set/set]

SET은 '어떤 물건이나 사람을 특정한 장소에 두거나 데려다 놓다' 라는 기본의미를 가지며, '~을 놓다 (put),' '결정하다 (decide),' '~을 배경으로 하다 (take place),' '기준을 세우다 (establish)'의 뜻으로 확장된다. SET은 구동사를 이루어 '따로 두다 (set aside),' '설립하다, 설치하다 (set up),' '방해하다 (set back)' 등의 의미로 확장되며, '풀어주다 (set free),' '불지르다 (set fire to)'와 같은 관용표현으로도 자주 쓰인다. SET은 주로 3형식으로 쓰이지만, 「set + [목적어] + to do」처럼 5형식을 취해 사역의 의미를 가지기도 한다.

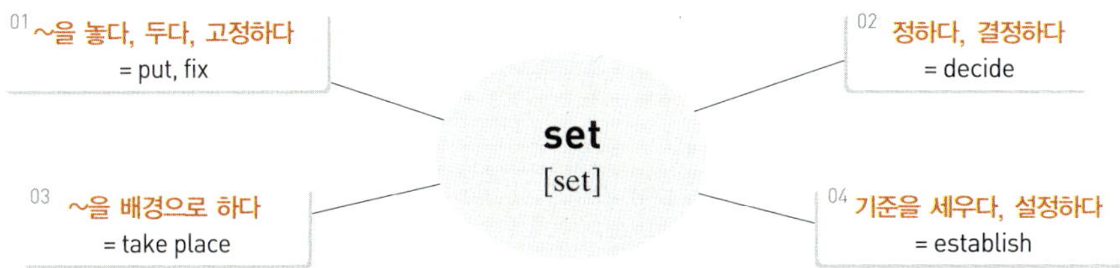

~을 놓다, 고정하다	01 Tom **set** a ladder against the wall to climb back to his room.
	02 I will **set** the tray down on a table next to his bed.
정하다, 결정하다	03 Angelina and Brad said they would **set** their wedding date soon.
~을 배경으로 하다	04 This story I am going to tell you is **set** in a little town in France.
기준을 세우다, 설정하다	05 Male-dominated societies in some countries still tend to **set** the rules for women's appearance and attitude.

🟠 구동사 (Phrasal Verbs)

☑ set **about**	시작하다, 진행하다, 착수하다
	06 Jonathan made a team of volunteers to **set about** the 'Save the Earth' project.

☑ set **down**	1. ~을 적어두다 2. 내려주다
	07 It's a good idea to **set down** complaints in writing.
	08 The taxi **set** them **down** at the end of the road.

예문해석 **01** Tom은 방으로 다시 올라가려고 사다리를 벽에 **세웠다**. **02** 나는 그의 침대 옆에 있는 탁자 위에 쟁반을 내려 **놓을** 것이다. **03** Angelina와 Brad는 곧 결혼날짜를 **정할** 것이라고 말했다. **04** 네게 들려주려는 이 이야기는 프랑스의 어느 작은 마을에서 **일어난** 일이야. **05** 남성 지배적인 몇몇 국가의 사회는 여전히 여성의 외모와 태도에 대한 **기준을 세운다**. **06** Jonathan은 '지구 살리기' 프로젝트를 **진행하려고** 자원봉사 팀을 만들었다. **07** 불만 사항들을 **적어두는** 것은 좋은 생각이다. **08** 택시는 길의 끝에서 그들을 내려 주었다.

☑ set **aside**	1. 따로 두다 2. 무시하다
	09 There are several rooms in this house that have been **set aside** for guests.
	10 The politicians agreed to **set aside** questions about freedom of speech.

☑ set **up**	1. 사업을 시작하다, 설립하다 2. 설치하다 3. (예약, 일정을) 잡다
	11 Linda and her colleagues had a plan to **set up** a social networking business.
	12 Nobody knew how to **set** the overhead projector **up**, so the class was cancelled.
	13 His secretary will check his schedule and **set up** an appointment for you.

| ☑ set **in** | (비, 험한 날씨 등이) 시작하다 |
| | 14 The rain had **set in** for the day, so we cancelled our plans. |

☑ set **out**	1. 여행을 떠나다 2. 착수하다, 시도하다
	15 After a two-day rest, Kats and Bill **set out** again.
	16 When I **set out** on this project, I never knew it would be such a terribly difficult job.

☑ set **apart**	1. A를 B와 다르게 만들다 2. 따로 놓아두다
	17 Yuna Kim's natural athleticism **set** her **apart** from other figure skaters.
	18 Several acres of Mr. Baker's land have been **set apart** for a free school.

☑ set **off**	1. (알람, 경보기를) 울리다 2. 폭파시키다
	19 He burns turkey to a cinder every Thanksgiving day, **setting** the smoke alarm **off**.
	20 The bomb disposal expert **set** the bomb **off** as soon as Meredith was a safe distance away.

| ☑ set **back** | 방해하다, 늦추다 |
| | 21 The spending cuts have **set** the publishing project **back** several months. |

예문해석 **09** 이 집에는 손님용으로 **따로 비워둔** 방이 몇 개 있다. **10** 정치인들은 언론의 자유에 관한 질문들은 **접어두기**로 합의했다. **11** Linda와 그녀의 동료들은 소셜 네트워킹 **사업을 시작할** 계획을 가지고 있었다. **12** 오버헤드 프로젝터를 **설치**할 줄 몰라서 수업이 취소되었다. **13** 비서가 그의 일정을 확인한 뒤, 당신과 약속을 **잡을** 것이다. **14** 비가 하루 종일 올 기세로 내리기 **시작해서** 우리는 계획을 취소했다. **15** 이틀 동안 휴식을 취한 뒤, Kats와 Bill은 다시 **여행을 떠났다**. **16** 그 프로젝트를 처음 **시작했을** 때만 해도, 이토록 어려운 일인지 전혀 몰랐다. **17** 김연아는 타고난 기량이 다른 피겨 스케이트 선수들과 **다르다**. **18** Baker씨 땅의 몇 에이커는 대안학교를 세우려고 **따로 놓아두었다**. **19** 그는 매년 추수 감사절마다 칠면조를 새까맣게 태워서 화재 경보기를 **울린다**. **20** 폭탄 제거반은 Meredith가 안전 거리를 확보하자마자 폭탄을 **터뜨렸다**. **21** 비용을 삭감해서 그 출판 프로젝트가 몇 달 **늦춰졌다**.

☑ set **forth**

1. ~을 제시하다, 발표하다　2. 출발하다
22 Karl Marx **set forth** too idealistic ideas to implement in reality.
23 The two kids decided to **set forth** on a voyage into the world of fairies and magicians.

 주요 표현(Expressions)

☑ set **free**

풀어주다
24 People all over the world prayed for the hostages to be **set free**.

☑ set **a record**

기록을 세우다
25 The amazing figure skater has just **set a** new **record** following the last championship.

☑ set **a goal**

목표를 세우다
26 Make sure to **set** realistic **goals** that are achievable.

☑ set **the table**

상 차리다
27 We had to make people wait for a while because Nancy didn't **set the table**.

☑ set **fire to**

불 지르다
28 The threatening terrorists eventually **set fire to** the two buses.

day
17

Grammar usage

set

「set + [목적어] + to + V」 1. 남에게 ~시키다
2. 열심히 ~하다, ~하려고 애쓰다[oneself]
29 The lazy kid always **sets his tutor to do** his homework.
30 She used to **sets herself to achieve** unrealistic goals in a very short time.

핵심기출　31 They **set out** bravely and took the path that seemed most promising, holding on to each other and pretending to be cheerful. `05 평가원`
32 Two lifeguards immediately **set out** toward the troubled swimmer. `08 평가원`

예문해석　**22** 칼 마르크스는 현실에서 실행하기에 너무 이상적인 생각을 **제시했다**. **23** 그 두 아이는 요정과 마법사의 세계로 여행을 **떠나기로** 결정했다. **24** 전 세계 사람들은 인질이 **풀려나기를** 기도했다. **25** 놀라운 그 피겨스케이트 선수는 지난 선수권 대회에 이어서 방금 **신기록을 세웠다**. **26** 반드시 해낼 수 있는 현실적인 **목표를 세워라**. **27** Nancy가 **상을 차리지** 않아서, 우리는 사람들을 한동안 기다리게 해야 했다. **28** 협박하던 테러리스트들은 결국 버스 두 대에 **불을 질렀다**. **29** 게으른 그 아이는 항상 자기 숙제를 가정교사**에게 시킨다**. **30** 그녀는 매우 짧은 시간 안에 이루기 어려운 목표들을 이루려고 **애를 쓰곤 했다**. **31** 그들은 서로를 꽉 붙잡고 쾌활한 척하며 용감하게 **출발했고**, 가장 그럴듯한 길을 골라잡았다. **32** 두 구조 대원은 즉시 곤경에 처한 그 사람 쪽으로 **나아가기 시작했다**.

✳ 동사 summary

make
[made/made]

MAKE는 '새로운 물건이나 상태를 만들다 (produce), 어떤 행위를 하다 (do)' 라는 기본 의미를 가지며, '~을 야기시키다 (cause),' '하게 하다 (force),' '구성하다 (constitute)' 라는 뜻으로 확장된다. 자주 쓰이는 MAKE의 구동사는 make up인데, make up은 의미가 매우 다양해 문맥에 따라 달라지는 의미를 제대로 파악할 필요가 있다. 그러나 실제 MAKE는 관용 표현이 더 많다. '~을 최대한 활용하다 (make the most of),' '결심하다 (make up one's mind),' '해내다, 제시간에 도착하다 (make it)' 처럼 의미 유추가 힘든 표현은 독해와 듣기에 꾸준히 등장하니 꼭 익혀두자. 용법을 살펴보면 MAKE는 사역동사로 동사원형을 목적보어로 취한다고 알려져 있지만 목적어와 목적보어가 수동 관계일 때는 「make + [목적어] + p.p.」의 형태로 쓰인다는 점을 알아두자.

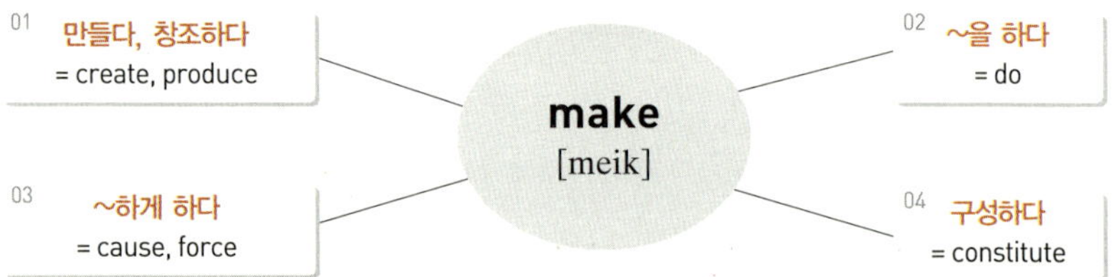

만들다, 창조하다	01	The family in Italy has been **making** quality violins for over 400 years.
~을 하다	02	I'd like to **make** a suggestion about the project you are currently working on.
~하게 하다	03	The research shows that some violent movies can **make** some boys and girls commit serious crimes.
구성하다	04	This hard stone, iron, and glass **make** up the strongest materials in front of you.

🟠 구동사(Phrasal Verbs)

☑ make **for**	~로 향하다 ⊜ head for	
	05	He picked up the newspaper and **made for** the bus station.
☑ make **over**	~을 고치다, ~을 바꾸다, 새단장하다	
	06	The old cafe was completely **made over** and is now a luxurious restaurant.

> **예문해석** **01** 이탈리아에 사는 그 가문은 400년이 넘도록 고급 바이올린을 **만들어왔다**. **02** 네가 현재 진행하고 있는 프로젝트에 관해 제안을 하나 **하고 싶다**. **03** 몇몇 폭력적인 영화들이 청소년들로 하여금 심각한 범죄를 저지르게 **한다는** 사실을 이 연구는 보여준다. **04** 당신 앞에 놓여있는, 딱딱한 돌과 철과 유리가 가장 강한 물질을 **구성합니다**. **05** 그는 신문을 집어들고, 버스 정류장으로 **향했다**. **06** 오래된 그 카페는 완전히 **개조되어**, 이제는 호화로운 식당이 되었다.

Part **Ⅱ** 핵심동사

☑ make **up**　1. 구성하다, ~을 이루다　2. 지어내다, 꾸며내다　3. 보충하다　4. 화장하다
07 The thin book is **made up** of nine separate plays for kids.
08 He **made up** an imaginative excuse about the alien taking his homework away.
09 You never kept your promise to **make up** the time you lost while you were sick.
10 The TV star said it usually takes her two hours to **make up** and dress before starting filming.

☑ make **out**　1. 겨우 이해하다, 판별하다 ⊜ see, understand
2. 그럭저럭 해나가다, 성공하다 ⊜ succeed, continue
11 You don't have to **make** all the words **out** in this book.
12 The parents were quite convinced that their son would **make out** in his new job.

☑ make **up for**　1. 벌충하다, 만회하다　2. 보상하다
13 Dave doesn't have a natural talent for math, but he **makes up for** it by making a strong effort.
14 I'm sorry I ruined your birthday party. To **make up for** it, let me treat you to a meal.

 주요 표현(Expressions)

day
17

☑ make **a point of -ing**　반드시 ~하다
15 Please **make a point of welcoming** the new student to our school.

☑ make **up one's mind**　결심하다
16 It can be difficult to **make up one's mind** whether to change his or her job when one is offered a better job.

☑ make **use of ~**　~을 이용하다
17 It is not always good to **make use of** the most modern technologies to make life more convenient.

예문해석　**07** 이 얇은 책은 아이들을 위한 연극 9편으로 **구성되어** 있다. **08** 그는 외계인이 숙제를 가져가 버렸다는 황당한 변명을 **지어냈다**. **09** 당신은 아파서 일하지 못한 시간을 **보충하겠다는** 약속을 절대 지키지 않았다. **10** 그 TV스타는 촬영에 들어가기 전에 **화장하고** 옷을 입는데 보통 2시간이 걸린다고 말했다. **11** 이 책에 적힌 말들을 모조리 **이해할** 필요는 없다. **12** 부모님은 아들이 새 직장에서 **성공할** 것이라고 굳게 믿고 있었다. **13** Dave는 수학에 타고난 재능은 없지만, 엄청난 노력을 기울여서 **만회한다**. **14** 너의 생일을 망쳐서 미안해. **보상으로** 밥은 내가 살게. **15** 부디 우리 학교에 새로 전학 온 학생을 꼭 **환영해주세요**. **16** 더 나은 직장을 제의 받았을 때 이직을 **결정하기란** 어려울 수 있다. **17** 삶을 더 편하게 만들기 위해 가장 최신 기술을 **이용하는** 것이 항상 좋은 것은 아니다.

☑ make **no difference** — 차이가 없다, 중요치 않다
18 Who can say that it **makes no difference** whichever college you choose?

☑ make **a living** — 생계를 꾸리다
19 Working as a writer is a difficult way to **make a living**.

☑ make **oneself at home** — 편히 쉬다, 편하게 지내다
20 Clare said to the guests, "Have a seat and **make yourself at home**."

☑ make **the most of** — ~을 최대한 활용하다 ⊜ capitalize on
21 Mary has only got a week in Seoul, so she will try to **make the most of** it.

☑ make **it** — 1. 해내다, 성공하다 2. 제 시간에 도착하다
22 The great movie star **made it** in films when she was in her 50s.
23 He said he might not be able to **make it** in time for the wedding.

☑ make **ends meet** — 수지타산을 맞추다, 겨우 먹고 살 만큼 벌다
24 Cindy and Teddy are struggling to **make ends meet** on their salary.

☑ make **one's way** — 나아가다, 성공하다
25 The child actor seemed to **make her way**, but she is not as successful as an adult star.

Grammar usage

make

「make + [목적어] + p.p.」 (어떤 사물, 대상)을 (어떤 상태)로 만들다
26 His aunt **made the whole fences painted** by Tom to punish him.
27 Since I provided too much information, I couldn't **make the presentation finish** on time.

핵심기술
28 Euphemisms help smooth out the 'rough edges' of life. They **make** the unbearable bearable and the offensive inoffensive. `12 수능`
29 It's television's focus on the news that **makes** the world seem like a more dangerous place than it actually is. `12 수능`

예문해석　**18** 네가 어느 대학을 고르건 **차이가 없다고** 누가 말할 수 있을까? **19** 글을 써서 **생계를 유지하기란** 어렵다. **20** Clare는 손님들에게 말했다. "앉아서 **편히 쉬세요.**" **21** Mary는 서울에 일주일밖에 머물 수 없어서, **최대한 그 기간을 활용하려** 애쓸 것이다. **22** 그 유명한 영화배우는 50대에 영화계에서 **성공했다.** **23** 그는 **제 시간에** 결혼식에 **도착하지** 못할 수 있다고 말했다. **24** Cindy와 Teddy는 **먹고 살만큼 벌기** 위해 애쓰고 있다. **25** 그 아역배우는 앞으로 **나아가는** 것처럼 보였지만, 성인배우로 성공하고 있진 않다. **26** Tom의 고모는 울타리를 전부 페인트칠 **하도록** 그에게 벌을 주었다. **27** 너무 많은 내용을 넣은 바람에, 나는 프리젠테이션을 제 시간에 **끝내지** 못했다. **28** 완곡어법은 삶의 "거친 가장자리"를 부드럽게 만드는 것을 돕는다. 그것은 견딜 수 없는 것을 견딜 만하게 하며, 불쾌한 것을 거슬리지 않게 **만든다.** **29** 세상을 실제보다도 더 위험한 장소처럼 보이게 **만드는** 것은 텔레비전의 뉴스에 맞춰진 초점이다.

A 다음 단어에 해당하는 우리말을 쓰시오.

01 set off ___________

02 put out ___________

03 make it ___________

04 set fire to ___________

05 make over ___________

06 put away ___________

07 make for ___________

08 set free ___________

B 다음 단어에 해당하는 영어단어를 쓰시오.

01 미루다, 연기하다 ___________

02 설립하다, 설치하다 ___________

03 차이가 없다 ___________

04 내려놓다, 적어 두다 ___________

05 구성하다, 보충하다 ___________

06 따로 두다, 무시하다 ___________

07 편하게 지내다 ___________

08 ~에게 질문하다 ___________

C 다음 문장을 읽고 밑줄 친 부분이 어떤 의미로 쓰였는지 쓰시오.

01 a. The film is set in 16th-century London in which Shakespeare lived. ___________

   b. An alarm button might be set into the wall of his room. ___________

02 a. The technology made it possible for people to check their e-mail over the phone. ___________

   b. Don't make too much effort to perfect your project at one time. ___________

03 a. I put a note at the top of page 24 in your book. ___________

   b. Several jobs have been put in jeopardy as a result of the merger. ___________

D 다음 문맥에 알맞은 표현을 고르시오.

| ⓐ put yourself in | ⓑ put aside | ⓒ set out | ⓓ make up |
| ⓔ make their way | ⓕ put up with | ⓖ set a record | ⓗ make out |

01 If you ___________ the other person's shoes it becomes easier to extricate yourself from the situation.

02 Lady Gaga has just ___________ on an Asian tour.

03 She won't ___________ her friend's bad behavior any longer.

04 Can you ___________ a face here in the photograph?

05 People ___________ taking advantage of the system to achieve their goals.

핵심동사 (6) Key Verbs

● call ● look ● break ●

Preview

call, **look**, **break** 동사의 다양한 의미와 용법, 관련 숙어를 마스터한다.
- Excellent reading and writing skills and initiative are **called for** in this job.
- I hope you **look through** the reference book completely before the history exam.
- The bookstore will barely be able to **break even** because of the economic recession this year.

✱ 동사 summary

call
[called / called]

CALL은 '**상대방에게 어떠한 신호를 보내 쳐다보게 하다**'라는 기본의미를 가지며, '소리쳐 부르다 (cry out),' '~라고 부르다 (name),' '전화하다 (telephone),' '소집하다 (summon)'의 뜻으로 확장된다. CALL은 구동사를 이루어 '요청하다 (call for),' '방문하다 (call on),' '취소하다 (call off)' 등으로 의미가 확장되며, 자주 쓰이는 CALL 관련 표현은 '하루 일을 마치다 (call it a day),' '병가를 내다 (call in sick)' 등이 있다. CALL은 「call + [목적어] + [목적보어]」와 같이 5형식으로도 자주 쓰이므로 예문을 통해 꼭 익혀두자.

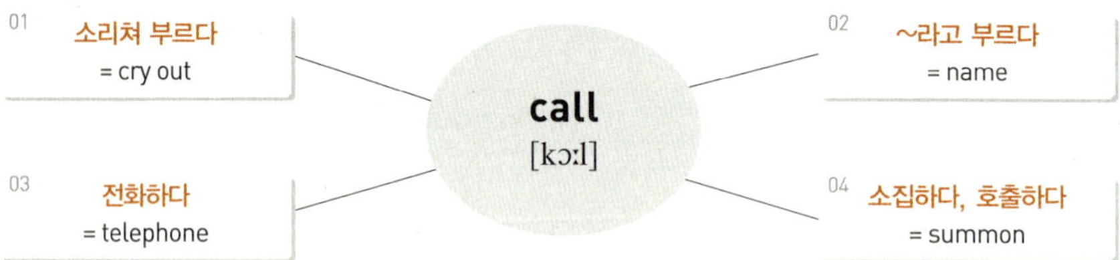

소리쳐 부르다	01 An old woman **called** to passersby for help, but nobody paid attention to her.
~라고 부르다	02 He heard his sister **call** someone's name in her sleep: "Angela, Angela, where are you?"
전화하다	03 Don't bother me whenever I try to **call** somebody.
소집하다, 호출하다	04 The diplomat was **called** backed to Washington D.C. by the president. 05 The staff members decided to **call** a meeting to discuss how to improve working conditions.

예문해석 **01** 노파는 행인들을 **소리쳐 부르면서** 도움을 청했지만, 아무도 거들떠보지 않았다. **02** 그는 여동생이 잠결에 누군가의 이름을 **부르는** 소리를 들었다. "Angela! Angela! 어디 있니?" **03** 통화를 할 때는 날 방해하지 마라. **04** 대통령은 외교관을 워싱턴으로 다시 **불러들였다**. **05** 스텝들은 작업환경을 어떻게 개선할 지 논의하기 위해 회의를 **소집하기로** 결정했다.

구동사 (Phrasal Verbs)

☑ call **for**

1. ~을 요청하다, 요구하다　2. ~을 필요로 하다
06 Protesters peacefully **called for** stopping the construction of a military base in the island.
07 Excellent reading and writing skills and initiative are **called for** in this job.

☑ call **on**

1. 방문하다 ＝ visit　2. 공식적으로 요청하다, 요구하다
08 My vicious boss never gives me time to **call on** my parents.
09 The protestors have **called on** Korea to stop destroying habitats of endangered species.

☑ call **back**

(나중에) 다시 전화하다
10 Will you ask Brian to **call** me **back** this evening when he gets in?

☑ call **off**

취소하다, 중지하다
11 The game yesterday was **called off** because of the heavy snowfall.

☑ call **up**

1. ~에게 전화를 걸다, ~을 전화로 깨우다　2. ~을 상기시키다
12 Natalie had **called up** to invite several people, but only a few showed up.
13 Seeing Julia in that red dress **called up** some bad memories of my stepmother.

☑ call **out**

1. 큰소리로 외치다　2. (도움을 청하기 위해) ~을 부르다, 호출하다
14 The firemen **called out** to him, 'Watch out for the oil tank!'
15 The army was **called out** to save victims of the catastrophic flood.

☑ call **A after B**

B의 이름을 따서 A라고 부르다
16 People **call** this school Johns Hopkins University **after** an American entrepreneur.

☑ call **it/things even**

비긴 걸로 하다
17 Can you just forget about everything I have done so far and **call it even**?

day **18**

예문해석　**06** 시위자들은 섬 안에 군사기지 건설을 중지하기를 평화적으로 **요청했다**. **07** 읽고 쓰는 능력이 뛰어나며, 진취적인 사람이 이 일에는 **필요합니다**. **08** 악랄한 상사는 내가 부모님을 **뵈러** 갈 시간을 전혀 주지 않는다. **09** 그 시위자들은 한국이 멸종될 위기에 처한 종들의 서식지를 파괴하는 일을 멈추기를 **공식적으로 요구했다**. **10** 저녁에 Brian이 들어오면 **전화해 달라고** 말해 줄래? **11** 어제 경기는 폭설 때문에 **취소되었다**. **12** Natalie는 사람들에게 **전화를 걸어서** 초대했지만, 몇 사람밖에 나타나지 않았다. **13** 붉은 드레스를 입은 Julia를 보자, 나의 새엄마에 대한 몇 가지 좋지 않은 **기억이 떠올랐다**. **14** 소방관은 그에게 **크게 외쳤다**. "기름탱크를 조심하시오!" **15** 기상 이변으로 일어난 대홍수의 피해자들을 구하기 위해 병력이 **동원되었다**. **16** 사람들은 학교 이름을 한 미국 사업가의 이름을 **따서** 존스 홉킨스 대학이라고 **부른다**. **17** 지금까지 내가 저지른 모든 일은 잊고 **비긴 걸로 하는** 게 어때요?

주요 표현(Expressions)

☑ call **it a day** | 하루 일을 마치다, 그만하다
18 I can't finish my homework tonight; let's **call it a day** and go to bed.

☑ call **in sick** | (전화로) 병가를 내다
19 She habitually **called in sick** and went to the library to read her favorite books.

☑ call **attention to** | 주목하다
20 People **called attention to** me when I shouted at my boyfriend.

☑ call **in a favor** | 부탁하다
21 It was already the third time Angie had **called in a favor**.

☑ call **collect** | 수신자 요금 부담으로 전화하다
22 Not to mention, people cannot **call collect** on this plane.

☑ **a close** call | 아슬아슬한 상황
23 The train nearly hit you; that was **a close call**.

Grammar usage

call

「call + [목적어] + [목적보어]」 1. ~을 …이라고 부르다, 이름 붙이다
　　　　　　　　　　　　　　 2. ~을 …이라고 생각하다
24 Everybody **calls Jeju Island "The Hawaii of Korea."**
25 Had I been in your position, I would not have **called his idea an irrational one**.

핵심기술
26 After the recent tragedy, experts **called for** a tsunami warning system in the Indian Ocean similar to the successful one now operating in the Pacific. `09 평가원`
27 Doubtful industrialists started **calling** these self-appointed experts 'jacks of all trades and masters of none.' `11 평가원`

예문해석 **18** 오늘 밤에 숙제를 다 못하겠다. 오늘은 **그만하고** 자자. **19** 그녀는 자주 **병가를 내고**, 좋아하는 책을 읽으러 도서관에 갔다. **20** 내가 남자친구를 크게 불렀을 때, 사람들은 나를 **주목했다**. **21** Angie가 **부탁한** 것도 이번이 벌써 세 번째였다. **22** 물론 이 비행기에서는 **수신자 부담으로 전화를** 걸 수 없다. **23** 기차가 당신을 거의 칠 뻔 했어요. 정말 **아슬아슬했어요**. **24** 다들 제주도를 "한국판 하와이"라고 **부른다**. **25** 내가 네 입장이었다면, 그의 아이디어를 불합리한 생각이라고 **말하지는** 않았을 것이다. **26** 최근의 비극 이후, 전문가들은 태평양에서 현재 작동되고 있는 성공적인 쓰나미 경보 시스템과 유사한 쓰나미 경보 시스템을 인도양에도 **요청하였다**. **27** 의심을 품게 된 생산업자들은 자칭 전문가라고 주장하는 이러한 사람들을 '모든 일을 다 잘하지만 정말 잘하는 것은 없는 사람' 이라고 **부르기** 시작했다.

 동사 summary

look
[looked/looked]

LOOK은 '눈을 특정 방향으로 돌려 사물이나 사람을 보다'라는 기본의미를 가지며, '찾다, 찾아보다 (search, look for),' '~처럼 보이다 (seem),' '~을 향하다 (face a direction)'의 뜻으로 확장된다. LOOK은 또한 구동사 및 관용적 표현을 이루어 다양하고 새로운 의미를 만들어 낸다. '주의하다, (밖으로) 내다보다 (look out),' '깔보다/존경하다 (look down on / look up to),' '사전을 찾다 (look up)' 등 LOOK의 구동사는 그 사용빈도가 높은 편이며 관용적 표현인 'A를 B로 간주하다 (look upon A as B),' '~을 한번 슬쩍 보다 (have a look at)' 등도 자주 사용된다. LOOK은 문장에서의 쓰임이 단순한 편이지만, 「look as if~」처럼 가정법으로 쓰일 때는 시제에 유의해 그 의미를 정확히 알아 둘 필요가 있다.

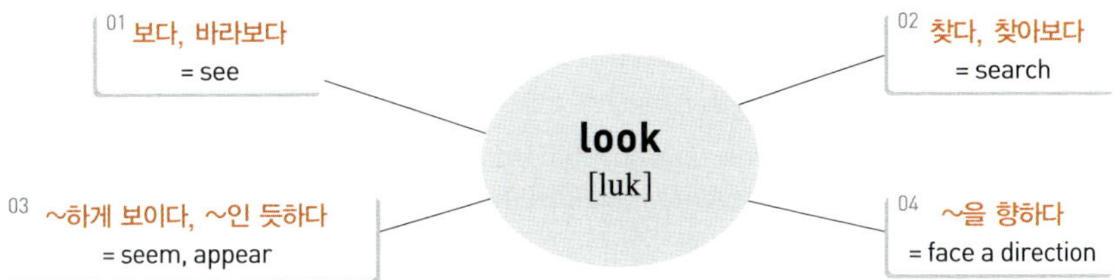

보다, 바라보다	01 If you **look** carefully you can see the theater from here.
찾다, 찾아보다	02 **Look** everywhere before you say my diamond is nowhere to be found.
~하게 보이다, ~인 듯하다	03 She chose a new hairstyle to make herself **look** more intelligent and professional.
~을 향하다	04 The little cottage on the hill behind the village **looks** east, so you'll get the morning sun.

day **18**

 구동사 (Phrasal Verbs)

☑ look **on**　　　구경하다, 방관하다

05 Why are you still **looking on** the problem? Don't you have a solution for it?

예문해석　**01** 자세히 **보면** 여기서 영화관을 볼 수 있을 거예요. **02** 다이아몬드를 어디서도 찾을 수 없다고 말하기 전에 구석구석 **찾아봐라.** **03** 그녀는 더욱 지적이고 전문가처럼 **보이려고** 머리모양을 바꿨다. **04** 마을 뒤편 언덕에 있는 작은 오두막은 동향이라서, 아침에 해가 들 것이다. **05** 너는 왜 그 문제를 여전히 **방관하고** 있니? 어떤 해결책이 없는 거니?

☑ look **out**

1. 경계하다, 주의하다 2. 내다보다
06 **Look out** for the hot coffee! Your child might be burned if you are not careful.
07 She **looked out** the window for an hour while she was waiting for her lover.

☑ look **into**

조사하다
08 Until he finds a suspect for the murder, the detective will **look into** the victim's acquaintances thoroughly.

☑ look **forward to** **- ing**

~을 기대하다
09 Chris, I **am** really **looking forward to seeing** you and your place next week.

☑ look **down on**

깔보다, 경멸하다
10 Amy never graduated from a university, but you shouldn't **look down on** her intelligence.

☑ look **up to**

~을 우러러 보다, 존경하다 ⊜ respect, esteem, venerate
11 Most people **look up to** Nobel Award winners. I think they deserve a lot of respect.

☑ look **after**

~을 보살피다
12 When I was a child, my grandmother **looked after** me, mostly since my parents were a dual-career couple.

☑ look **through**

1. 자세히 살펴보다 2. 못 본 척하다, 무시하다
13 I hope you **look through** the reference book completely before the history exam.
14 Why did you **look** straight **through** me as I greeted you last night?

☑ look **over**

1. 바라보다, ~에 향해 있다 2. 유심히 살피다
15 **Look over** the Golden Bridge behind you! The landscape is so spectacular!
16 Why don't you **look it over** one more time before you decide whether to buy the car?

☑ look **up**

사전을 찾다
17 When you want to find the exact meaning of a word, you'd better **look** it **up** in the dictionary.

예문해석 **06** 뜨거운 커피 **조심해**! 조심하지 않으면 아이가 데일 수도 있어. **07** 그녀는 애인을 기다리며 한 시간 동안 창밖을 보았다. **08** 살인사건의 용의자를 찾을 때까지 그 형사는 피해자의 지인들을 철저히 **조사할** 거야. **09** Chris! 다음 주에 너의 집에 가서 너를 보게 되는 게 정말 **기대돼**. **10** Amy는 대학을 졸업하지 않았지만, 너는 결코 그녀의 지적 능력을 **깔봐서는** 안 된다. **11** 대부분의 사람들은 노벨상 수상자들을 **존경하지**. 나도 그들이 그럴만하다고 생각해. **12** 내가 어렸을 때는 부모님이 맞벌이를 하셨기 때문에 대부분 우리 할머니가 나를 **돌봐주셨다**. **13** 역사 시험 보기 전에 네가 그 참고서를 **자세히 살펴보**면 좋겠어. **14** 어젯밤에 너에게 인사했는데, 왜 나를 **못 본 척했니**? **15** 네 뒤에 있는 금문교를 **봐봐**! 풍경이 정말 장관이야! **16** 그 차를 사기로 결정하기 전에 한 번 더 **자세히 살펴보는** 건 어때? **17** 단어의 정확한 뜻을 알고 싶을 때는 사전을 **찾아보는** 게 좋을 거야.

 주요 표현(Expressions)

☑ look **upon** A **as** B　A를 B로 간주하다 ⊜ regard A as B, consider A as B, think of A as B
18　Many bosses **look upon** company workers **as** single-use, disposable items.

☑ **have a** look **at**　~을 한번 슬쩍 보다
19　Johnny will **have a look at** that lady's car and ask her out for dinner.

☑ look **on the bright side**　긍정적으로 생각하다
20　Even when you're hit by a terrible disaster, try to **look on the bright side**.

☑ look **somebody in the eyes**　~의 눈을 똑바로 쳐다보다
21　The fortune teller **looked me in the eyes** and told me exactly what I had been thinking about.

☑ look **over one's shoulder**　어깨 너머로 보다
22　She'll never know you like her if you are **looking over her shoulder**.

Grammar usage

look

「look as if + [주어] + [동사의 과거형]」 ~인 것처럼 보이다 (가정법 과거)
23　Diane **looks as if she were** a star.
24　Diane **looked as if she were** a star.

「look as if + [주어] + had + p.p.]」 (과거에) ~한 것처럼 보이다 (가정법 과거완료)
25　Diane **looks as if she had been** a star.
26　Diane **looked as if she had been** a star.

핵심기술　27　Get in the habit of rereading your work and **looking up** words that the spell checker does not pick up.　12 평가원
28　Situated at an elevation of 1,350 meters, the city of Kathmandu, which **looks out** on the sparkling Himalayas, enjoys a warm climate year-round that makes living there pleasant.　05 수능

day **18**

예문해석　**18** 많은 상사들은 회사직원을 처분 가능한 1회용품으로 **간주한다**. **19** Johnny는 그 숙녀의 자동차를 **한번** 다정하게 **슬쩍 보고선** 그녀에게 저녁식사 데이트 신청을 할 것이다. **20** 끔찍한 재난이 네게 닥치더라도, **긍정적인 면을 보려고** 노력해. **21** 점쟁이는 내 **눈을 똑바로 보고**, 정확히 내가 무슨 생각을 하는지 말했다. **22** 네가 그녀를 **어깨 너머로만** 보면 자기를 좋아한다는 걸 절대 모를거야. **23** Diane은 스타인 것처럼 보인다. **24** Diane은 스타인 것처럼 보였다. **25** Diane은 스타였던 것처럼 보인다. **26** Diane은 스타였던 것처럼 보였다. **27** 여러분의 글을 다시 읽고 철자법 검사 프로그램이 발견하지 못하는 단어들을 **찾아보는** 습관을 가져라. **28** 해발 1,350미터에 위치하여 반짝거리는 히말라야 산맥이 **내다보이는** 카트만두 시는 연중 내내 기후가 온화하여 살기 좋은 곳이다.

✱ 동사 summary

break
[broke/broken]

BREAK는 '어떤 사물을 치거나 떨어뜨려 둘 혹은 그 이상의 조각으로 분리시키거나 분리되다'라는 기본의미를 가지며, '깨어지다, 부수다 (separate into pieces),' '고장나다, 고장을 내다,' '법, 약속을 어기다 (violate),' '중단하다, 쉬다 (stop, rest)'라는 뜻으로 확장된다. BREAK는 구동사 및 관용구를 이루어 여러 의미로 확장되는데, **break down**은 그 의미가 '고장나다, ~을 부수다, 실패하다' 등 다양한 의미를 가진다. 자주 쓰이는 표현으로는 '파산한 (be broke)', '어색한 분위기를 깨다 (break the ice)' 등이 있다. BREAK는 자동사와 타동사의 의미를 모두 가지며, 「주어」 + break + [목적어] + [보어]와 같이 5형식을 취하기도 하므로 그 용법을 꼼꼼히 익혀두자.

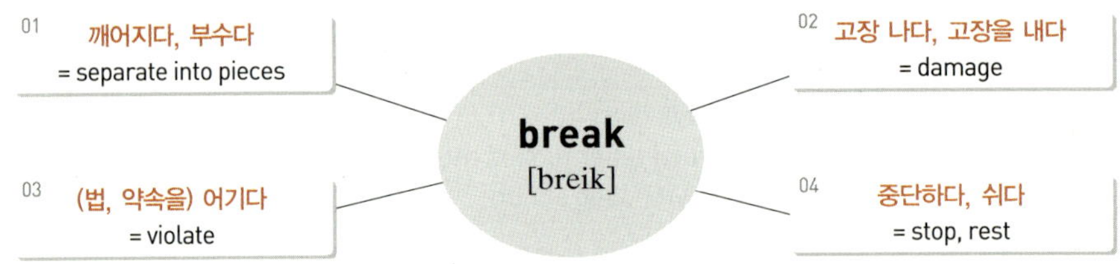

깨어지다, 부수다	01 The energetic boys finally **broke** the fence and ran away in fear.
고장 나다, 고장을 내다	02 The washing machine is **broken** again. 03 Her refrigerator has **broken** again, so her husband will repair it by himself.
(법, 약속을) 어기다	04 Many motorists who **break** the speed limit are sometimes caught by a camera.
중단하다, 쉬다	05 She kept working on her experiment without **breaking** for a minute.

🟠 구동사(Phrasal Verbs)

☑ break **through** ~을 극복하다, 돌파구를 찾다
06 Scientists said they need more time to **break through** in the fight against AIDS.

예문해석 **01** 기운이 넘치는 소년들은 결국 울타리를 **부수고**, 겁에 질린 채 달려나갔다. **02** 세탁기가 또 **고장 났다**. **03** 냉장고가 또 **고장 나서**, 그녀의 남편이 스스로 수리할 것이다. **04** 속도를 **위반한** 많은 운전자들이 이따금씩 카메라에 잡힌다. **05** 그녀는 조금도 **쉬지** 않고 계속 실험했다. **06** 과학자들은 에이즈를 **극복하려면** 더 시간이 필요하다고 말했다.

☑ break **into**	1. ~에 침입하다　2. (갑자기) ~하기 시작하다

07　Isn't it a bit strange that the burglar **broke into** your house, stealing only the laptop?

08　The students **broke into** loud applause and laughter as their teacher came in.

☑ break **down**	1. 고장 나다　2. ~을 부수다　3. 실패하다, 결렬되다

09　The copy machines in my office are always **breaking down**.

10　Police officers had to **break down** the door to get into the house.

11　At one point, the talks between the two Koreas almost **broke down** completely.

☑ break **up**	1. 박살나다　2. (관계가) 끝나다, 헤어지다

12　That might be the exact moment the plane **broke up** in the air.

13　A few girl groups **break up** because of personality clashes between group members.

☑ break **out**	1. 발생하다　2. 탈출하다, 도망치다(of)

14　He was a great pianist in Poland when the war **broke out**.

15　Two women in Iran have succeeded in **breaking out** of a maximum security prison.

☑ break **in**	1. 침입하다　2. 끼어들다, 방해하다

16　One of my classmates **broke in** and stole my precious camera.

17　Uncle Jack would always **break in** with a harsh comment.

☑ break **off**	1. 떨어져 나가다, ~을 분리시키다　2. (말 하다가) 멈추다

18　You can see one of the car's side mirrors, hit by another car, has just **broken off**.

19　She knew that people would **break off** their conversations when she entered a room.

🟠 주요 표현(Expressions)

☑ break **the ice**	어색한 분위기를 깨다

20　Sam's fart **broke the ice** and people began to burst into laughter.

예문해석　**07** 강도가 고작 노트북 한 대 훔치려고 집에 **침입한** 것이 약간 이상하지 않아? **08** 선생님이 들어오자 학생들은 웃으면서 박수갈채를 보내기 **시작했다**. **09** 내 사무실 복사기는 늘 **고장 난다**. **10** 경찰은 집에 들어가기 위해 문을 **부수어야** 했다. **11** 남북회담은 한 때 거의 완전히 **결렬되었다**. **12** 바로 그 때 비행기가 공중에서 **분해되었을지도** 모른다. **13** 멤버들 사이에 성격차이로 인한 불화 때문에 몇몇 소녀그룹이 **해체되었다**. **14** 그는 전쟁이 **일어났을** 때, 폴란드에서 뛰어난 피아니스트였다. **15** 두 이란 여성이 일급보안 감옥에서 **탈출하는데** 성공했다. **16** 친구 중 한 명이 **침입해서**, 내 소중한 카메라를 훔쳐갔다. **17** Jack 삼촌은 항상 **끼어들어서** 가혹한 논평을 날려. **18** 자동차의 사이드 미러 중 하나가 다른 차에 부딪혀서 **떨어져 나간** 모습을 볼 수 있다. **19** 그녀는 자신이 방에 들어오자 사람들이 대화를 **멈추는** 것을 알았다. **20** Sam의 방귀는 **어색한 분위기를 깨었고**, 사람들은 웃음을 터뜨렸다.

☑ **be** broke | 파산하다, 무일푼이 되다
21 After paying $700 in rent, Sam **is** always **broke** at the beginning of the month.

☑ break **the news to** | ~에게 중요한 소식을 전하다
22 The police officer **broke the news to** my aunt that her husband's body had been identified.

☑ break **out of prison** | 탈옥하다
23 In the next episode, the main character will succeed in **breaking out of prison**.

☑ break **even** | 비기다, 수지가 맞아 떨어지다
24 The bookstore will barely be able to **break even** because of the economic recession this year.

☑ break **free from** | ~에서 도망치다, 벗어나다
25 The American indians are still trying to **break free from** the malicious strategy of the U.S. government.

Grammar usage

break

「[주어] + break + [목적어] + [보어]」 ~을 부수고 ~한 상태로 만들다
26 Sherlock Holmes tried to **break the locked door open** with a hammer.

「[주어] + break + ([전치사] + [명사])」 깨지다, 부서지다, 고장나다
27 My laundry machine has just **broken**, but it was working fine just five minutes ago.
28 The robot's strong body **broke into several pieces** after being shot by the laser gun.

핵심기술 29 Every major advance in human understanding has been made by brave individuals daring to step into the unknown darkness and to **break free from** accepted ways of thinking. 07 수능

예문해석 **21** 매달 초에 임대료를 700달러를 지불하고 나면, Sam은 늘 **돈이 없다**. **22** 경찰은 고모에게 고모부의 사체가 발견되었다는 소식을 **전했다**. **23** 에피소드 다음 편에서 주인공은 탈옥에 성공할 것이다. **24** 올해 경기침체 때문에 서점은 거의 **수지가 맞지 않을** 것이다. **25** 아메리칸 인디언은 여전히 미국 정부의 악랄한 전략으로부터 **벗어나려고** 애쓰고 있다. **26** 셜록 홈즈는 망치로 잠긴 문을 **부수려고** 시도했다. **27** 5분 전까지도 잘 돌아가던 세탁기가 방금 전에 **고장 났다**. **28** 로봇의 단단한 몸체가 레이저 총에 맞자 **산산조각이 났다**. **29** 인간 이해에 있어 모든 주요한 발전은, 과감하게 미지의 어둠 속으로 발을 내디디고 기존에 받아들여졌던 사고방식에서 **벗어난** 용감한 사람들에 의해 이루어졌다.

EXERCISES

A 다음 단어에 해당하는 우리말을 쓰시오.

01 look upon A as B _______________

02 break off _______________

03 call for _______________

04 break the news to _______________

05 look up _______________

06 be broke _______________

07 call attention to _______________

08 look up to _______________

B 다음 단어에 해당하는 영어단어를 쓰시오.

01 하루 일을 마치다 _______________

02 ~을 보살피다 _______________

03 끝나다, 헤어지다 _______________

04 방문하다 _______________

05 경계하다, 내다보다 _______________

06 실패하다, ~을 부수다 _______________

07 B의 이름을 따서 A라고 부르다 _______________

08 병가를 내다 _______________

C 다음 문장을 읽고 밑줄 친 부분이 어떤 의미로 쓰였는지 쓰시오.

01 a. The interns have been <u>called</u> up to the office of the Chief Surgeon. _______________

   b. Ricky <u>called</u> to the waitress for another glass of wine. _______________

02 a. I have a huge window in my room that <u>looks south</u> across New York. _______________

   b. She <u>looked</u> as if she had just won the whole world. _______________

03 a. He <u>broke</u> the law by illegally employing the foreigners. _______________

   b. Mom has intentionally <u>broken</u> the TV to stop us from watching it. _______________

D 다음 문맥에 알맞은 표현을 고르시오.

ⓐ looking forward to	ⓑ look through	ⓒ call collect	ⓓ call off
ⓔ looks down on	ⓕ broke out	ⓖ break even	ⓗ break into

01 He warned opposition leaders to _______________ their planned protests.

02 Asian girl groups are trying to _______________ the worldwide market in music.

03 She _______________ anyone who hasn't had a prestigious college education.

04 An armed clash _______________ between citizens and the police.

05 She had worked hard and was _______________ a long vacation.

operate

account

represent

suit

article

issue

다의어

Polysemy

mean

주요 다의어 (1) Polysemy

● practice ● measure ● address ●
● operate ● cost ● appreciate ●
● fine ● range ● faculty ● beat ●
● grave ● conduct ●

Preview

문맥에 따라 달라지는 여러 의미를 지닌 단어를 마스터한다.
● We urge you to **put** the project **into practice**.
● Surgeons had to **operate to remove the bullet**.
● Knowing your opponents well is the first step in **beating them**.

---

01 put the project into practice   프로젝트를 **실천에 옮기다**

- We urge you to **put the project into practice**.
  우리는 당신이 이 프로젝트를 **실천에 옮기기**를 권고합니다.

02 with a little more practice   조금만 더 **연습하면**

- **With a little more practice**, you'll be able to fly an airplane perfectly.
  조금만 더 **연습하면**, 완벽하게 비행기 조종을 할 수 있을 거야.

03 the practice of discrimination   차별의 **관행**

- Many people have witnessed **the practice of discrimination** against older people at your workplace.
  많은 사람들은 직장에서 연장자를 차별하는 **관행**을 본 적이 있다.

04 enter the practice of medicine   의사 **일**을 시작하다

- Liz decided to **enter the practice of medicine** while John decided to quit the practice of law.
  John이 법률 업무를 그만 두기로 한 반면 Liz는 의사 **일**을 시작하기로 결심했다.

01 measure 측정하다

02 measure 조치, 정책, 수단

03 measure 법안

04 measure 척도, 기준

measure
[méʒər]

---

01 precisely measure the room   방을 정확히 **측정하다**

- They **precisely measured the room** before ordering the new carpet.
  그들은 새 카펫을 주문하기 전에 방을 정확히 **측정했다**.

02 take defensive measures against   방어적 **조치**를 취하다

- When you are attacked, you **take defensive measures against** the attacker.
  공격을 받았을 때는, 공격하는 사람에 대항하여 방어적 **조치**를 취한다.

03 pass a measure   대기 오염을 줄이기 위한 **법안**을 통과 시키다

- The state government **passed** a new **measure** to reduce air pollution.
  주 정부는 대기 오염을 줄이기 위한 새로운 **법안**을 통과시켰다.

04 an accurate measure of performance   성과를 정확히 측정하는 **척도**

- The test is not **an accurate measure of performance**.
  시험이 성과를 정확히 측정하는 **척도**는 아니다.

---

01 address [ǽdres] 주소를 기입하다; 주소

02 address ~에게 말을 걸다

03 address 연설하다; 연설

04 address (문제를) 고심하다, 다루다

address
[ədrés]

day
19

---

01 need to be addressed   **주소를 기입하도록** 요구하다

- The package is sealed; it just **needs to be addressed**.
  소포는 포장되어 있고, **주소만 기입하면** 된다.

02 address a person on one's left   ~의 왼쪽에 있는 사람**에게 말을 걸다**

- Jessica, ignoring most other men, turned to **address the man on her left**.
  Jessica는 다른 남자들을 무시하고, 왼쪽에 있는 남자 쪽으로 몸을 돌려 **말을 걸었다**.

03 deliver a televised address   TV로 **연설**하다

- The president is to **deliver a televised address** to the nation.
  대통령은 전 국민을 대상으로 TV **연설**을 할 예정이다.

04 address that question   그 문제를 **다루다**

- We'll **address that question** at the next meeting.
  우리는 다음 회의에서 그 문제를 **다룰 것이다**.

operate
[ápərèit]

- 01 operate 작동하다
- 02 operate 경영하다, 운영하다
- 03 operate (시스템 등을) 가동시키다
- 04 operate 수술하다

01 operate properly　　제대로 **작동하다**

- Many computers in that room were not **operating properly**.
  그 방에 있는 많은 컴퓨터가 제대로 **작동하지** 않고 있었다.

02 operating costs　　운영비용

- They were trying to reduce **operating costs**.
  그들은 **경영**비용을 줄이려고 노력했다.

03 operate a late night service　　심야 운행 서비스를 하다

- When do the subways **operate a late night service** as opposed to the regular service?
  지하철은 언제 정기 운행 대신 심야 **운행을 하나요?**

04 operate to remove the bullet　　총알을 제거하기 위해 **수술하다**

- Surgeons had to **operate to remove the bullet**.
  외과 의사는 총알을 제거하기 위해 **수술을 해야** 했다.

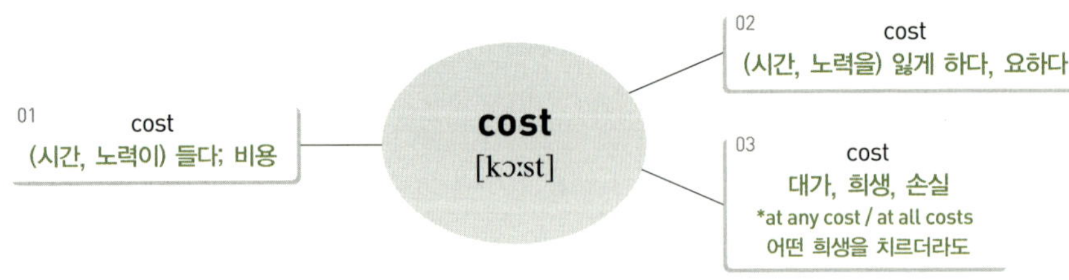

cost
[kɔːst]

- 01 cost (시간, 노력이) 들다; 비용
- 02 cost (시간, 노력을) 잃게 하다, 요하다
- 03 cost 대가, 희생, 손실
  *at any cost / at all costs
  어떤 희생을 치르더라도

01 cost someone $100　　~하는데 100달러의 **비용이 들다**

- It will **cost you $100** for the first six months.
  당신이 처음 6개월 사용하는데 100달러의 **비용이 들** 것이다.

02 cost many lives　　많은 사람들이 목숨을 **잃게 하다**

- The war will **cost many lives**, and break many people's hearts.
  전쟁은 많은 사람들의 목숨을 **잃게 할** 것이고, 사람들의 가슴을 찢어놓을 것이다.

03 serious environmental cost　　심각한 환경적 손실

- The government hasn't considered the serious **environmental costs** of the new road network.
  정부는 새로운 교통망이 끼칠 심각한 환경적인 **손실을** 고려하지 않았다.

01 fully appreciate a problem — 문제를 100% 제대로 인식하다

- I don't believe John **fully appreciates** the serious nature of **the problem**.
  나는 존이 그 심각한 문제의 성격을 100% **제대로 인식하고** 있다고 생각하지 않는다.

02 appreciate one's help — 도움에 감사하다

- We **appreciate your help** with this matter.
  이 문제에 대해 도움을 주셔서 **감사드립니다.**

03 appreciate fine wine — 좋은 와인의 가치를 알아보다

- Those who **appreciate fine wine** will enjoy reading the restaurant's wine list.
  좋은 와인의 **가치를 알아보는** 사람은 레스토랑의 와인 목록을 읽는 것을 즐길 것이다.

04 appreciate New York City views — 뉴욕의 경관을 감상하다

- We especially **appreciated the New York City views** at top of the tower.
  우리는 고층건물의 옥상에서 특히 뉴욕의 경관을 **감상했다.**

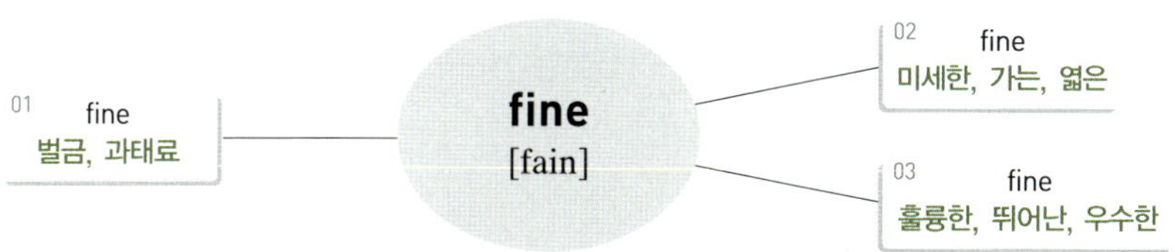

01 face a heavy fine — 과중한 벌금에 직면하다

- If he is found guilty, he will **face** six months in jail and **a heavy fine**.
  만약 그가 유죄로 판명된다면, 그는 징역 6개월과 과중한 **벌금**에 처하게 될 것이다.

02 a dress with a very fine weave — 매우 미세하게 짜인 드레스

- Julia was wearing **a dress with a very fine weave** at the awards ceremony.
  Julia는 시상식에서 매우 **미세하게** 짜인 드레스를 입고 있었다.

03 the finest figure skater — 가장 뛰어난 피겨선수

- Many people regard Yuna Kim as **the finest figure skater** in the world.
  많은 사람들이 김연아를 세계에서 가장 **뛰어난** 피겨선수라고 생각한다.

range [reindʒ]

01 range
정렬시키다, 정리하다

02 range
산맥, 산줄기

03 range
~에서 ~에 이르다

04 range
범위, 한계

01 range ~ along the wall ~을 벽을 따라 **정렬시키다**

- In the dining room, Hans **ranged** team photographs **along the wall**.
  Hans는 식당에 팀 사진을 벽을 따라 **정렬시켰다**.

02 the Himalayan mountain range 히말라야 **산맥**

- **The Himalayan mountain range** is the highest on Earth.
  히말라야 **산맥**은 지구에서 가장 높다.

03 range from A to B A에서 B에 이르다

- The ticket prices **range from** twenty **to** fifty dollars.
  티켓 가격은 20달러**에서** 50달러**까지** 있다.

04 a wide range of knowledge 넓은 **범위**의 지식

- I didn't know she had such **a wide range of knowledge** until I talked to her.
  말을 걸기 전까지는 나는 그녀가 그토록 **다방면**에 걸친 지식을 가지고 있는지 몰랐다.

faculty [fǽkəlti]

01 faculty
재주

02 faculty
(감각) 기능

03 faculty
학부, 교수진

01 a faculty for making friends 친구를 사귀는 **재주**

- Mary seems to have **a faculty for making friends**.
  Mary는 친구를 사귀는 **재주**가 있는 것 같다.

02 the faculty of sight and hearing 시력과 청력

- It might be a very hard experience to lose **the faculty of sight and hearing**.
  시력과 청력을 잃는 것은 매우 힘든 경험일 것이다.

03 faculty members 교수진

- The new **faculty members** of the English literature department have been officially appointed.
  영문과의 새로운 **교수진**이 공식적으로 임명되었다.

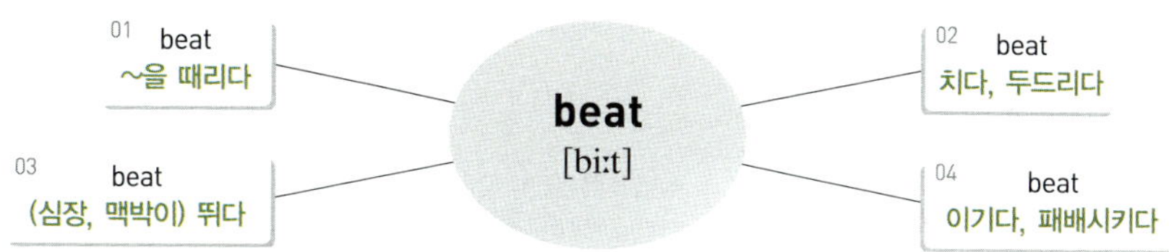

01　arrested for beating friends　　　친구를 **때려서** 체포되다

- Did you know that you can be **arrested for beating** your **friends**?
  친구를 **때리면** 체포될 수 있다는 것을 알고 있었습니까?

02　beat a drum　　　북을 **두드리다**

- I heard someone **beating a drum** in the distance.
  나는 멀리서 누군가 북을 **두드리는** 소리를 들었다.

03　beat 70 times a minute　　　분당 70회 **박동하다**

- The average person's heart **beats 70 times a minute**.
  일반적인 사람의 심장은 분당 70회 **뛴다**.

04　beat someone　　　~를 **이기다**

- Knowing your opponents well is the first step in **beating them**.
  상대방을 잘 파악하는 것이 그들을 **이기기** 위한 첫 걸음이다.

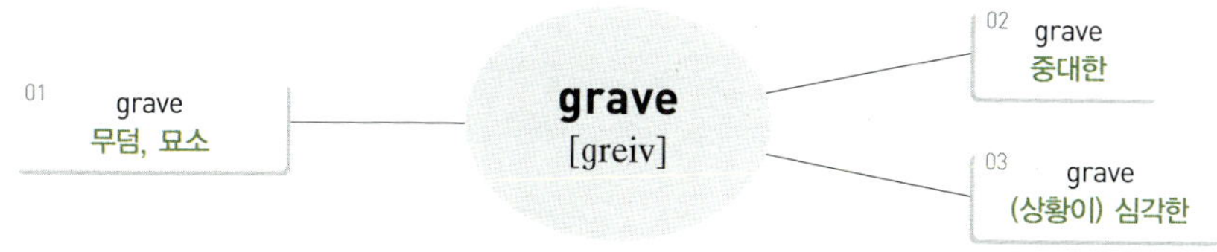

01　husband's grave　　　남편의 무덤

- She visits her **husband's grave** every Sunday.
  그녀는 남편의 **무덤**을 일요일마다 찾아간다.

02　a grave mistake　　　중대한 실수

- She was afraid that she had made **a grave mistake**.
  그녀는 **중대한** 실수를 저지른 것을 걱정했다.

03　grave danger　　　심각한 위험

- Driving fast on the icy road placed him in **grave danger**.
  빙판길 위에서 급히 운전하는 바람에 그는 **심각한** 위험에 빠졌다.

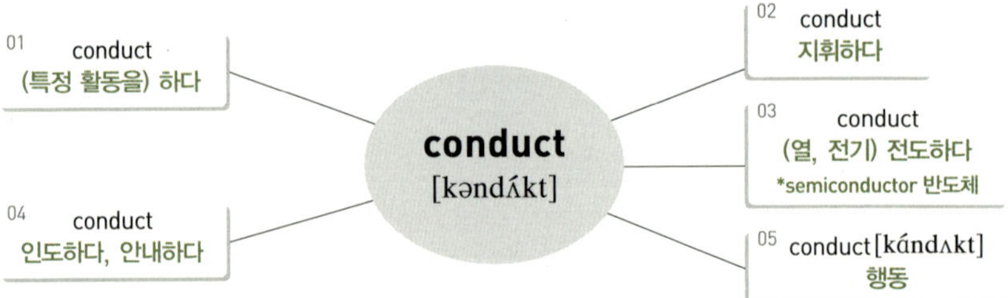

01 conduct a survey 조사하다

- The researchers are **conducting a survey** of consumer attitudes towards organic food.
연구원들은 유기농 음식에 대한 소비자들의 태도를 조사**하는** 중이다.

02 conduct the orchestra 오케스트라를 **지휘하다**

- John Williams **conducted the orchestra** in the Christmas concert.
John Williams가 크리스마스 콘서트에서 오케스트라를 **지휘했다**.

03 conduct electricity 전기를 **전달하다**

- Those wires **conduct electricity** to the building.
저 전선들이 건물에 전기를 **전달한다**.

04 conduct A to B A를 B로 **안내하다**

- On arrival, Alina will **conduct** you **to** your dorm room and the international students office.
도착하자마자, Alina가 너를 기숙사와 국제 학생 사무실로 **안내할** 것이다.

05 disorderly conduct 풍기 문란한 **행동**

- They are taking care of John's cat while he's in jail for **disorderly conduct**.
풍기 문란한 **행동**으로 John이 감옥에 있는 동안, 고양이는 그들이 돌보고 있다.

A 다음 단어에 해당하는 우리말을 <u>2개 이상</u> 쓰시오.

01 fine _______________

____

02 conduct _______________

____

03 cost _______________

____

B 다음 단어에 <u>공통적으로</u> 해당하는 영어 단어를 쓰시오.

01 측정하다 _______________
정책, 수단

02 정리하다 _______________
범위, 한계

03 감상하다 _______________
가치를 알아보다

C 다음 <u>밑줄 친</u> 단어의 문맥상 적절한 뜻을 고르시오.

01 the new <u>faculty</u> members of English Literature   a. 재주   b. 교수진

02 fully <u>appreciate</u> a problem   a. 인식하다 b. 감사하다

03 enter the <u>practice</u> of medicine   a. 실천   b. 업무

04 arrested for <u>beating</u> friends   a. 이기다   b. 때리다

05 an accurate <u>measure</u> of performance   a. 척도   b. 법안

D 다음 문장의 빈 칸에 <u>공통으로</u> 들어갈 적절한 단어를 원형으로 쓰시오.

01 • It takes countless hours of _________ to master one of the martial arts, such as karate, taekwondo, or kung fu.
• The _________ of shaking hands during an introduction is believed to have originated from the ancient Greeks.

02 • The entrepreneur was able to _________ a successful family restaurant until he retired.
• The surgeons had to _________ for nearly nine hours before the heart transplant was finished.

03 • The package was delivered to the specified _________ within three business days.
• The president will _________ his nation's citizens about the impending war on television.

주요 다의어 (2) Polysemy

● account ● apprehend ● still ● remark ●
● bear ● feature ● charge ● exercise ●
● suit ● correspond ● spring ● drive ●

Preview

문맥에 따라 달라지는 여러 의미를 지닌 단어를 마스터한다.
● The news reporter said at least six boats sank **on account of** the storm.
● In a democratic society, every adult citizen should be able to **exercise their right to vote**.
● In the past, early intervention in psychiatry sometimes **drove people insane**.

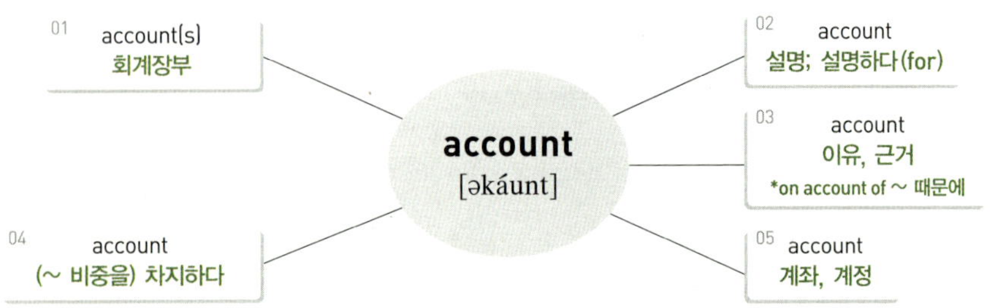

---

01 keep financial accounts　　　　　　　　　　　　　회계장부를 기록하다

- An accountant is a person whose job is to **keep financial accounts**.
  회계사의 일은 **회계장부를** 기입하는 것이다.

02 account of the incident　　　　　　　　　　　　　사고에 대한 **설명**

- Her **account of the accident** was different from his.
  그 사고에 대한 여자의 **설명**은 남자와 달랐다.
- Jimmy Eriksson, the suspect, refused to **account for** his movements on that night.
  용의자인 Jimmy Eriksson은 그날 밤 자신이 무얼 했는지 **설명하길** 거부했다.

03 on account of storm　　　　　　　　　　　　　　　태풍 **때문에**

- The news reporter said at least six boats sank **on account of** the storm.
  기자는 태풍 **때문에** 적어도 6척의 선박이 침몰했다고 말했다.

04 account for 12%　　　　　　　　　　　　　　　　12%를 **차지한다**

- Did you know that Afro-Americans now **account for 12%** of the US population.
  당신은 아프리카계 미국인이 현재 미국 인구의 12%를 **차지한다**는 걸 알고 있었습니까?

05 bank account　　　　　　　　　　　　　　　　　　은행 **계좌**

- My salary will be paid into World Bank, so I've opened an **account** with the bank.
  내 월급이 World 은행으로 지급될 예정이라, 나는 그 은행에 **계좌**를 개설했다.

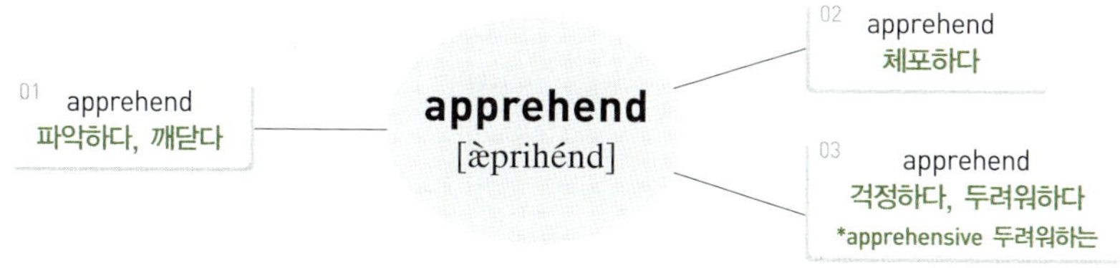

01 **apprehend the danger**　　　　　위험성을 **깨닫다**

- Richard was somewhat slow to **apprehend the danger** at that time, so he got seriously wounded.
  Richard 당시 위험성을 **깨닫는데** 다소 느린 편이어서, 심각한 부상을 입었다.

02 **apprehend the suspects**　　　　　용의자를 **체포하다**

- The police searched the area using dogs until they **apprehended the suspects**.
  경찰은 개를 이용해서 그 지역을 수색한 끝에 용의자를 **체포했다**.

03 **one's apprehensive glances**　　　　　**두려워하는** 시선

- **His apprehensive glances** at the people who were walking in the street revealed his nervousness.
  거리를 걷는 사람들을 **두려워하는** 그의 시선은 그가 신경과민임을 보여주었다.

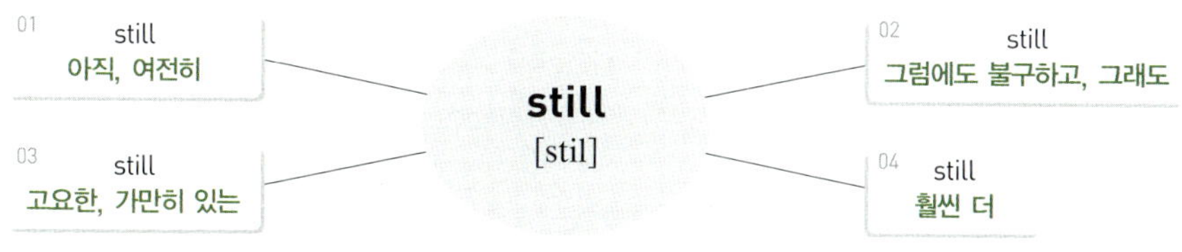

01 **still haven't finished**　　　　　**아직** 끝내지 못했다

- Most students **still haven't finished** their essay.
  대부분의 학생들은 **아직** 에세이를 다 쓰지 못했다.

02 **A and still B**　　　　　A라는 상황임에도 **불구하고** B하다

- Outside it was bitterly cold, **and still** we had a great time.
  밖의 날씨는 매섭게 추**웠지만**, 우리는 멋진 시간을 보냈다.

03 **keep still**　　　　　**가만히 있다**

- The child **kept still** while his mother tied his shoe.
  그 아이는 엄마가 그의 신발끈을 묶는 동안 **가만히** 있었다.

04 **still more difficult**　　　　　**훨씬 더** 어렵게

- The freezing cold weather made our task **still more difficult**.
  영하의 추운 날씨는 우리의 작업을 **훨씬 더** 어렵게 만들었다.

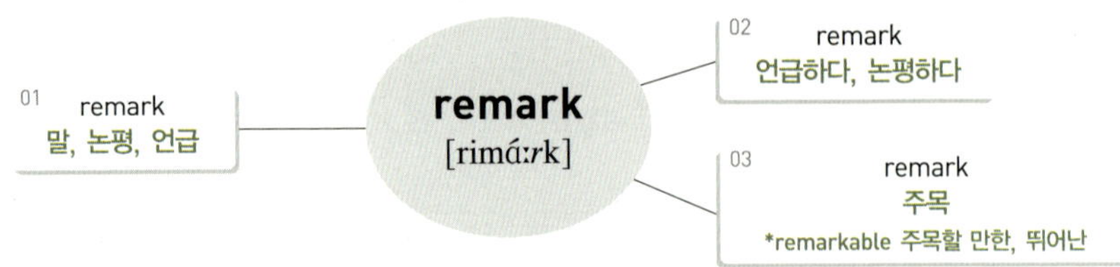

01 make rude remarks 무례한 **말을** 하다

- The children **made rude remarks** about the old man.
  아이들은 노인에게 무례한 **말을** 했다.

02 critics remarked that ~ 비평가들은 ~라고 **평했다**

- **Critics remarked that** the film was quite original.
  비평가들은 그 영화가 꽤 독창적이라고 **평했다**.

03 a woman worthy of remark **주목할** 가치가 있는 여성

- Oprah Winfrey, who has taught women in America how to be happy, is **a woman worthy of remark**.
  미국 여성에게 행복하게 사는 법을 가르쳐 온 오프라 윈프리는 **주목**할 만한 사람이다.
- He was **the most remarkable student** that the teacher had ever met.
  그는 교사가 만났던 학생 중 가장 **뛰어난** 학생이었다.

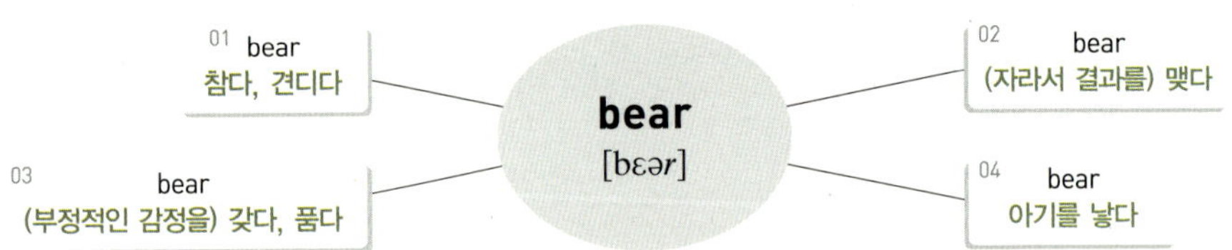

01 bear the cold 추위를 견디다

- Those who could not **bear the cold** did not survive.
  추위를 **견디지** 못하는 사람은 살아남지 못했다.

02 the trees will bear leaves 나무에 잎이 **나다**

- **The trees will bear leaves** in the spring.
  봄이 되면 나무에 잎이 **날** 것이다.

03 bear a grudge against 원한을 **품다**

- The woman still **bears a grudge against** the man for smashing her television.
  여자는 자신의 TV을 부순 것에 대해서 남자에게 여전히 원한을 **품고** 있다.

04 bear seven children 자녀를 7명을 **낳다**

- She **bore seven children,** but only four survived.
  그녀는 자녀를 7명 **낳았지만**, 4명만 살아남았다.

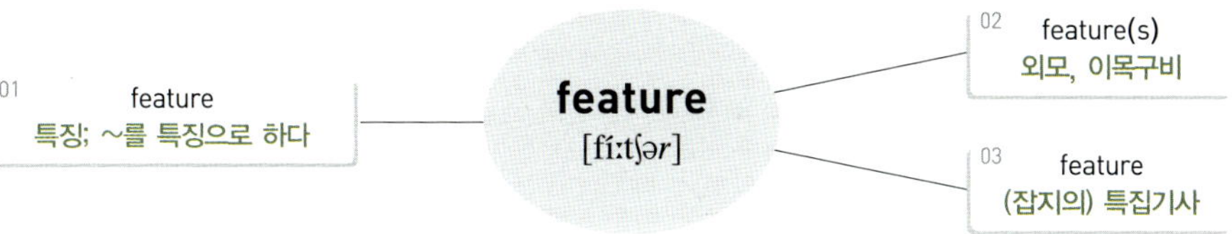

01 a common feature 일반적인 **특징**

- A keen sense of smell is **a common feature** among dogs.
  날카로운 후각은 개의 일반적인 **특징**이다.

02 his rough features 그의 거친 **외모**

- **His rough features** made him appear cold and unfeeling.
  그의 거친 **외모**는 그를 차갑고 냉정한 사람으로 보이게 했다.

03 a regular feature 정기적으로 싣는 **기사**

- *The Royal Chef* magazine runs **a regular feature** on traditional home cooking.
  로얄쉐프 잡지는 전통 가정요리에 관한 **기사**를 정기적으로 싣는다.

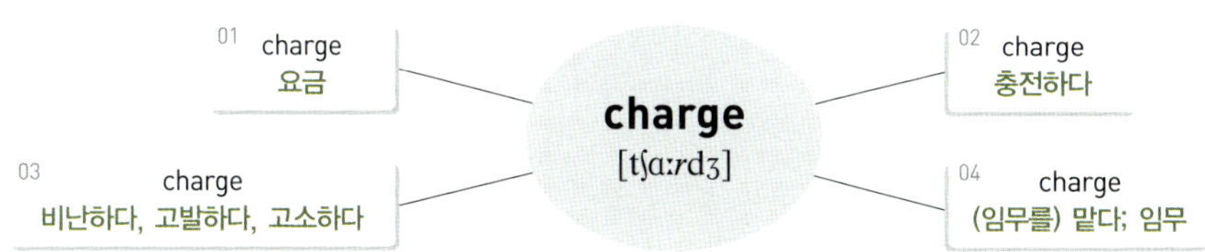

day
20

01 there is no charge for ~ ~하는 것은 **공짜이다**

- **There is no charge for** using the public library.
  공공 도서관은 **공짜로** 이용할 수 있다.

02 recharge one's brains 뇌를 **재충전한다**

- Sleep **recharges our brains** and helps us think more clearly.
  잠은 우리의 뇌를 **재충전해서** 우리가 더욱 명확하게 생각할 수 있도록 돕는다.

03 charge A with B A를 B 때문에 **비난하다**

- Demonstrators **charged** the police **with** using excessive force against them.
  시위자들은 경찰이 그들에게 과도한 폭력을 사용했다고 **비난했다**.

04 be in charge of investigating 조사를 **책임지고 있다**

- The commission **is in charge of investigating** war crimes.
  위원회는 전쟁범죄를 조사하는 **일을 맡고 있다**.

exercise [éksərsàiz]

01 exercise
(권력, 권리를) 행사하다

02 exercise
연습하다; 연습문제

03 exercise
운동; 운동하다

01 exercise one's right to vote   투표권을 **행사하다**

- In a democratic society, every adult citizen should be able to **exercise his or her right to vote**.
  민주 사회에서 모든 성인 시민들은 투표권을 **행사할** 수 있어야 한다.

02 writing exercises   쓰기 **연습문제**

- Finish and hand in the **writing exercises** from page 39 to 46 by next Monday.
  39페이지에서 46페이지에 있는 쓰기 **연습문제**를 다음 주 월요일까지 끝내고 제출하세요.

03 take regular exercise   규칙적으로 **운동하다**

- **Taking regular exercise** is good for your health.
  규칙적인 **운동**은 당신의 건강에 좋다.

suit [suːt]

01 suit
(색깔, 스타일이) ~과 어울리다

02 suit
소송, 고소

03 suit
정장 한 벌

04 suit
~에 적합하다, 알맞다

01 suit him well   그에게 잘 **어울리다**

- He bought those Levi's jeans because they **suit him well**.
  그는 리바이스 청바지가 자신에게 잘 **어울려서** 그것들을 샀다.

02 file suit against   **소송**을 걸다

- Several consumers who had been injured **filed suit against** the company.
  상처를 입은 몇몇 소비자들은 회사를 상대로 **소송**을 걸었다.

03 wear a suit   **정장**을 입다

- Ever since he started working for the bank, he has had to **wear a suit** every day.
  그는 은행에서 일한 이래로, 그는 매일 **정장**을 입어야 했다.

04 suit one's tastes and needs   ~의 취향과 욕구에 **맞다**

- Don't worry. Anything our company makes would **suit your tastes and needs**.
  걱정 마세요. 우리 회사가 만드는 것은 무엇이든 당신의 취향과 욕구에 **맞을** 것입니다.
- The soil and temperature in the region **are suited for** growing coffee.
  그 지역의 토양과 기온은 커피를 재배하기에 **적합하다**.

01 correspond with 일치하다

- Her account of events **corresponds with** what the police officer said to me.
사건에 대한 그녀의 설명은 그 경찰관이 내게 얘기한 것과 **일치한다**.

02 A correspond to B A는 B에 **해당하다**

- In some countries, the role of the president **corresponds to** that of a prime minister.
어떤 나라에서는 대통령의 역할이 국무총리의 역할**에 해당한다**.

03 correspond with one's colleague 동료들과 **편지를 주고받다**

- Charles frequently **corresponded with his colleagues**.
Charles는 동료들과 자주 **편지를 주고받았다**.

01 spring out of the forest 숲에서 갑자기 **튀어나오다**

- Tom and Huck **sprang out of the forest** and jumped toward Joe.
Tom과 Huck은 숲에서 갑자기 **튀어나와서** Joe를 향해 점프했다.

02 bed springs 침대 **스프링**

- People try to get tips how to fix squeaky **bed springs** so they can get a good night's rest.
사람들은 밤에 푹 쉬기 위해, 삐걱거리는 침대 **스프링**을 고칠 수 있는 방법에 대해 조언을 얻으려고 노력한다.

03 hot spring 온천

- A huge subterranean lake provides natural hot mineral waters to several **hot springs**.
거대한 지하 호수가 미네랄이 함유된 뜨거운 천연수를 몇몇 온**천**에 제공한다.

04 spring fashion collection 봄 패션 컬렉션

- The designer used yellow colors and light fabrics in his **spring fashion collection**.
그 디자이너는 그의 **봄** 패션 컬렉션에서 노란색과 가벼운 직물을 사용했다.

day
20

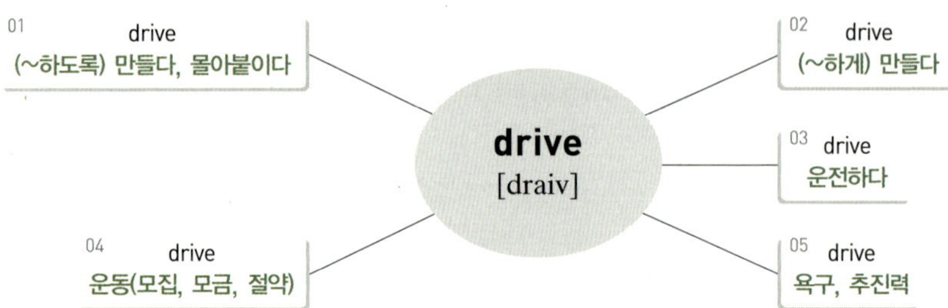

01 drive A into B
A를 B라는 방향으로 **가게 만들다**

- What **drives** a man **into** arctic temperatures to reach the North Pole?
무엇이 인간을 북극에 도달하기 위해 극심하게 추운 곳으로 **가게 만들까**?

02 drive people crazy
사람을 미치게 **하다**

- In the past, early intervention in psychiatry sometimes **drove people crazy**.
과거에 정신의학의 조기 개입이 때로는 사람들을 미치**게 만들었다**.

03 a woman driving a car
운전하고 있는 한 여성

- **The woman driving her car** was not focusing on driving, but thinking about something else instead.
운전하고 있는 그 여자는 운전에 집중하지 않고 다른 생각을 하고 있었다.

04 a fund-raising drive
기금 모금 **운동**

- The university sponsored **a fund-raising drive** for the starving African children.
그 대학은 굶주린 아프리카 어린이를 위한 기금 모금 **운동**을 후원했다.

05 new employees with drive
추진력을 지닌 신입사원

- Our company is always looking for **new employees with drive**, ambition and innovative ideas.
우리 회사는 **추진력**과 야망과 혁신적인 아이디어를 지닌 신입사원을 항상 찾고 있다.

EXERCISES

A 다음 단어에 해당하는 우리말을 <u>2개 이상</u> 쓰시오.

01 exercise ___________

____

02 spring ___________

____

03 still ___________

____

B 다음 단어에 <u>공통적으로</u> 해당하는 영어 단어를 쓰시오.

01 참다, 견디다
아기를 낳다 ___________

02 ~하게 만들다
운전하다 ___________

03 설명하다
계좌, 계정 ___________

C 다음 <u>밑줄 친</u> 단어의 문맥상 적절한 뜻을 고르시오.

01 make rude <u>remarks</u>   a. 말, 언급   b. 주목

02 <u>suit</u> her tastes and needs   a. 소송   b. 알맞다

03 <u>charge</u> the police with using excessive force   a. 충전하다   b. 비난하다

04 new employees with <u>drive</u> and ambition   a. 추진력   b. 운동(모금)

05 <u>correspond</u> with one's colleagues   a. ~에 해당하다   b. 편지를 주고받다

D 다음 문장의 빈 칸에 <u>공통으로</u> 들어갈 적절한 단어를 원형으로 쓰시오.

01 • All of the movie theaters in the city _________ the same amount for adult admission.

• The district attorney is expected to _________ the former mayor with accepting bribes.

02 • Police officers were able to _________ the fugitive after a lengthy search of the local area.

• The scientific community is waiting for the government to _________ the importance of environmental preservation.

03 • A new _________ of this tablet computer is a high resolution display, which is well-suited for viewing high definition movies.

• There is a _________ about UN Secretary General Ban Ki-moon in this week's issue of *Newsdesk* magazine.

주요 다의어 (3) Polysemy

● count ● sentence ● attribute ● balance ● due ● apply ● complex ● effect ● capital ● deliver ● reserve ● mean ●

Preview

문맥에 따라 달라지는 여러 의미를 지닌 단어를 마스터한다.
- Students usually **count on** their parents to help them pay for textbooks.
- A judge **sentenced** the serial killer **to death**.
- Professionals are those who really **apply themselves** to the job.

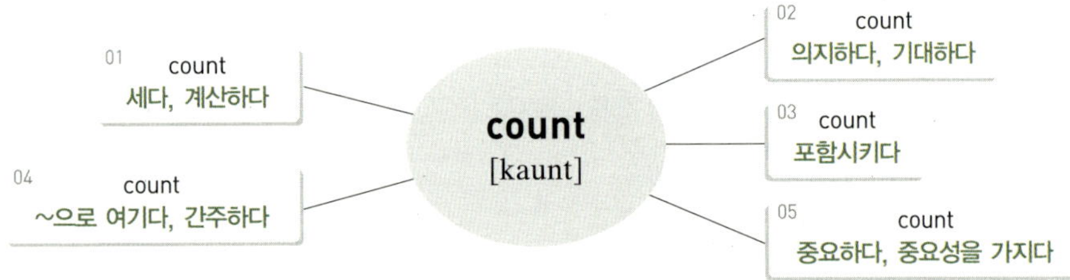

---

01 count the coins and bills 동전과 지폐를 **세다**

- He **counted the coins and bills** in his pocket and put them all into the kettle of the Salvation Army.
  그는 주머니에 있는 동전과 지폐를 **세어**보고 그것들 모두를 구세군 냄비에 넣었다.

02 count on 의지하다

- Students usually **count on** their parents to help them pay for textbooks.
  학생들은 대개 교재를 사는데 드는 비용을 부모에게 **의지한다**.

03 not count children 아이들은 **포함시키지** 않다

- There will be 150 people at the wedding, **not counting children**.
  아이들을 **제외**하고, 결혼식에는 150명이 올 것이다.

04 count oneself as a real musician 자신을 진정한 음악가로 **여기다**

- Even though she had a good voice, Sally had not **counted herself as a real musician**.
  Sally는 좋은 목소리를 지녔지만, 자신을 진정한 음악가로 **여긴** 적은 없었다.

05 be A that count 중요한 것은 A이다

- It's not a person's looks **that count** but it's what's inside that really matters.
  중요한 것은 사람의 외모가 아니라, 내면이다.

01 sentence
문장

sentence
[séntəns]

02 sentence
판결, 선고, 처형

03 sentence
(형을) 내리다, 선고하다

01 **in one sentence**　　　　　　　　　　　　　한 문장으로

- It is difficult to sum up one's own life's philosophy **in one sentence**.
자신의 인생관을 한 **문장**으로 요약하는 것은 어렵다.

02 **receive a sentence of thirty days in jail**　　　징역 30일을 선고받다

- He **received a sentence of thirty days in jail** for stealing a ring.
그는 반지를 훔친 죄로 징역 30일을 **선고**받았다.

03 **sentence a serial killer to death**　　　연쇄 살인범에게 사형을 내리다

- A judge **sentenced the serial killer to death**.
판사는 연쇄살인범에게 사형**선고를 내렸다**.

01 attribute
~을 ~의 탓으로 돌리다

02 attribute
(작품 등을) ~의 것이라고 하다(to)

attribute
[ətríbjuːt]

03 attribute
(성질 등이) 있다고 생각하다

04 attribute [ǽtribjut]
자질, 속성, 특성

01 **attribute A to B**　　　　　　　　　　A를 B탓으로 돌리다

- Many people are **attributing** the warmer winters **to** climate change.
사람들은 겨울이 점점 따뜻해지는 현상이 기후변화 **때문이라고 생각한다**.

02 **attribute to Leonardo Da Vinci**　　　레오나르도 다빈치 작품으로 여기다

- The museum will be exhibiting unsigned sketches **attributed to Leonardo Da Vinci**.
그 박물관은 레오나르도 다빈치 **작품으로 여겨지는** 낙관이 없는 스케치를 전시할 예정이다.

03 **attribute patience to him**　　　　그가 참을성이 있다고 생각하다

- People **attribute patience to him** that he just doesn't have.
사람들은 그가 참을성이 **있다고 생각**하지만, 사실 그렇지 않다.

04 **the attributes in a musician**　　　　음악가로서의 자질

- Both candidates possess **the attributes** we want in a musician.
두 후보는 우리가 원하는 음악가로서의 **자질**을 가지고 있다.

day
21

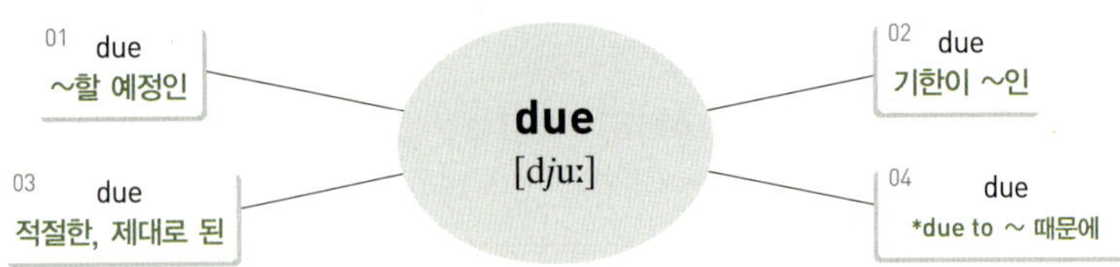

01 keep one's balance　　균형을 유지하다

- Adrian will have trouble **keeping her balance** while wearing the roller skates.
  Adrian 혼자서 롤러스케이트화를 신고 **균형**을 잡기는 힘들 것이다.
- He helped his daughter **balance on her bicycle** before she started pedalling.
  그는 딸이 페달을 밟기 전에 자전거를 탄 채 **균형**을 유지하는 것을 도왔다.

02 a large balance in one's bank account　　은행 계좌에 있는 많은 **예금 잔액**

- She was glad to see **a large balance in her bank account**.
  그녀는 계좌에 있는 많은 **예금 잔액**을 보고 기뻤다.

03 pay off the balance on one's credit cards　　카드**빚**을 갚다

- He finally **paid off the balance on his credit cards**.
  그는 마침내 카드**빚**을 전부 갚았다.

due [dju:]

- 01 due　~할 예정인
- 02 due　기한이 ~인
- 03 due　적절한, 제대로 된
- 04 due　*due to ~ 때문에

01 be due to be held　　~가 열릴 예정이다

- The conference **was due to be held** in Seoul last July, but was postponed because of heavy rain.
  지난 7월에 서울에서 열리**기로 했던** 회의는 폭우로 연기되었다.

02 return books by due date　　**기한** 내에 책을 반납하다

- The city library will fine students for not **returning books by their due date**.
  시립 도서관은 **기한** 내에 책을 반납하지 않는 학생들에게는 벌금을 물릴 것이다.

03 drive without due care　　**제대로** 신경 쓰지 않고 운전하다

- He was found to have been **driving without due care** and attention.
  그는 **제대로** 주의 집중하지 않고 운전해 온 것으로 드러났다.

04 due to the government's efforts　　정부의 노력**으로 인해**

- **Due to the government's efforts**, the financial system has been stabilized.
  정부의 노력**으로 인해**, 금융 시스템이 안정되었다.

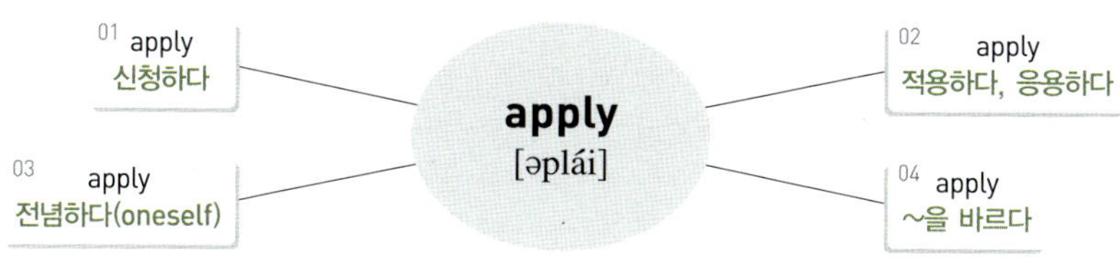

01 apply to the U.S. embassy for a visa　　　미대사관에 비자를 **신청하다**

- You have to **apply to the U.S. embassy for a visa**.
  당신은 미 대사관에 비자를 **신청해야** 한다.

02 apply to the treatment of cancer　　　암 치료에 **응용하다**

- A similar technique can be **applied to the treatment of cancer**.
  비슷한 기술을 암 치료에 **응용될** 수 있다.

03 apply oneself to the job　　　그 일에 **전념하다**

- Professionals are those who really **apply themselves to the job**.
  전문가들은 정말로 일에 **전념하는** 사람들이다.

04 apply essential oils　　　에센셜 오일을 **바르다**

- She **applied essential oils** to the back of her neck.
  그녀는 목 뒤에 에센셜 오일을 **발랐다**.

01 complex issue　　　**복잡한** 문제

- It's a very **complex issue** to which there is no straightforward answer.
  그것은 명확한 정답이 없는 **복잡한** 문제이다.

02 a housing complex　　　**복합** 주거 단지

- The city is building **a housing complex** on that block.
  그 도시는 그 구역에 **복합** 주거 **단지**를 짓는 중이다.

03 a complex about one's appearance　　　외모 **콤플렉스**

- She seems to have **a complex about her appearance**, judging from her thick makeup.
  두꺼운 화장으로 보아, 그녀는 자신의 외모에 **콤플렉스**가 있는 듯하다.

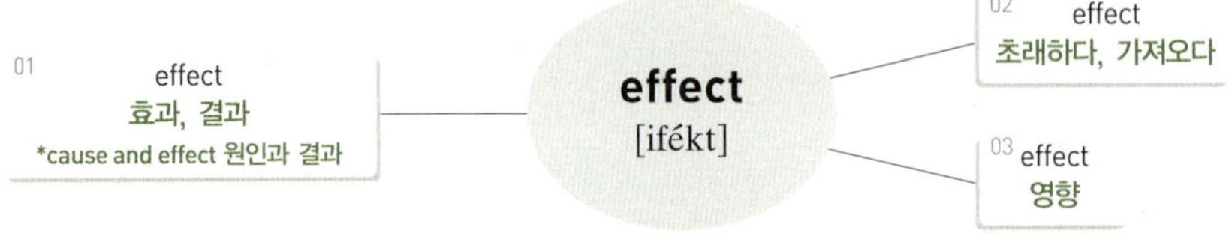

01 achieve better effect   더 나은 **효과**를 얻다

- Mr. Grey, having cancer, needed more of the drug to **achieve better effect**.
  암환자인 Grey씨가 더 나은 **효과**를 얻으려면 더 많은 약이 필요했다.

02 work to effect change   변화를 **가져오기** 위해 일하다

- As a politician, he **worked to effect change** in the medicare.
  그는 정치가로서 노인 의료보험 제도에 변화를 **가져오기** 위해 일했다.

03 a disastrous effect on the environment   환경에 준 치명적인 **영향**

- The radiation leak has **a disastrous effect on the environment**.
  방사능 누출은 환경에 치명적인 **영향**을 미친다.

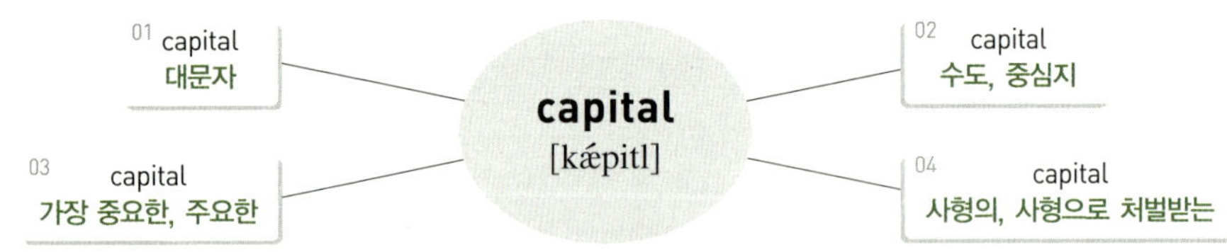

01 a capital letter   대문자

- The first letter of your name must be written as **a capital letter**.
  이름의 첫 번째 글자는 **대문자**로 적어야 한다.

02 South Korea's capital, Seoul   남한의 **수도**, 서울

- Park Won Soon has recently been elected as Mayor of **South Korea's capital, Seoul**.
  박원순은 최근 남한의 **수도**인 서울 시장에 당선되었다.

03 our capital concern   우리의 **가장 중요한** 관심사는

- Listen, David. **Our capital concern** is that everyone must be fed in this orphanage.
  David, 잘 들어. 우리의 **최대** 관심사는 이 고아원에 있는 모든 사람들이 끼니를 거르지 않는 것이야.

04 capital punishment   사형

- There are strong arguments for and against **capital punishment**.
  사형을 찬성하거나 또는 반대하는 주장들이 있다.

01 deliver
배달하다

deliver
[dilívər]

02 deliver
연설하다, 의견을 말하다

03 deliver
태어나게 하다, 분만시키다

01 deliver pizzas
피자를 **배달하다**

- He makes money, **delivering pizzas** on the weekends.
  그는 주말에 피자를 **배달해서** 돈을 번다.

02 deliver a speech
연설하다

- The president honorably **delivered the last speech** before retiring from the presidency.
  그 대통령은 대통령직에서 물러나기 전에 명예롭게 마지막 **연설을 했다.**

03 was delivered of
출산하다

- In the middle of the night, she **was delivered of** a healthy girl.
  한밤중에 그녀는 건강한 딸을 **출산했다.**

01 reserve
남겨두다, 미리 마련해두다

02 reserve
예약하다

reserve
[rizə́ːrv]

03 reserve
지정보호지역

04 reserve
자제, 침묵, 신중

01 reserve water
물을 **남겨놓다**

- The scouts **reserved** half of their **water** for the hike back home.
  정찰병들은 등산해서 다시 집으로 돌아올 것에 대비해 물의 절반을 **남겨 두었다.**

02 reserve a table
테이블을 **예약하다**

- Ron made a phone call to a family restaurant to **reserve a table** for him and his friends for dinner.
  Ron은 그와 친구들이 저녁을 먹기 위해서 패밀리 레스토랑에 전화를 걸어 테이블을 **예약했다.**

03 the wildlife reserve
야생동물 **보호구역**

- Hunting is not allowed in **the wildlife reserve**, but many poachers disregard this rule.
  야생동물 **보호구역**에서 사냥은 금지되어 있으나, 많은 밀렵꾼들이 규칙을 무시한다.

04 naturally reserved manner
타고난 **내성적인 태도**

- His **naturally reserved manner** kept him from showing his feelings.
  그의 타고난 **내성적**인 태도는 자신의 감정을 드러내지 않게 했다.

day
21

01 mean
의미하다

02 means
수단

03 mean
중간의, 평균

04 mean
의도하다, 계획하다, ~할 작정이다

05 mean
사나운

06 mean
비열한, 심술궂은, 못된

mean(s)
[miːn]

01 red means "stop" 붉은 색은 "정지"를 의미한다

- With traffic lights, **red means "stop"** and green **means "go"**.
  신호등에서 붉은 색은 "정지"를, 녹색은 "진행"을 **의미한다**.

02 means of transportation 교통수단

- Reindeer sleds were the main **means of transportation** for hunters.
  순록이 끄는 썰매는 사냥꾼들의 주요한 교통**수단**이었다.

03 the mean temperature in Busan 부산의 **평균** 기온

- **The mean temperature in Busan** was 20℃ this month.
  부산의 이번 달 **평균** 기온은 20도였다.

04 mean ~ as a compliment 칭찬으로 ~을 **의도하다**

- Don't be offended. She **meant** it **as a compliment**.
  기분 나빠하지 마세요. 그녀는 칭찬으로 그것을 **의도했던** 거예요.

05 a mean dog next door **사나운** 이웃집 개

- Children should be careful of that **mean dog next door**.
  아이들은 **사나운** 이웃집 개를 조심해야 한다.

06 mean words 비열한 말

- Saying **mean words** will make anyone get angry and even hurt.
  비열한 말을 하는 것은 어떤 사람이든 화나게 하거나 심지어 상처받게 할 것이다.

A 다음 단어에 해당하는 우리말을 <u>2개 이상</u> 쓰시오.

01 capital _______________

____

02 due _______________

____

03 effect _______________

____

B 다음 단어에 <u>공통적으로</u> 해당하는 영어 단어를 쓰시오.

01 배달하다 _______________
연설하다

02 ~의 탓으로 돌리다 _______________
자질, 속성

03 세다, 계산하다 _______________
~로 여기다

C 다음 <u>밑줄 친</u> 단어의 문맥상 적절한 뜻을 고르시오.

01 pay off the <u>balance</u> on my credit cards 　　a. 균형　　b. (빚의) 잔금

02 <u>apply</u> to the U.S. embassy for a visa 　　a. 신청하다　　b. 전념하다

03 the <u>mean</u> temperature in Busan 　　a. 평균의　　b. 심술궂은

04 a <u>complex</u> about his appearance 　　a. 복합건물　　b. 콤플렉스

05 the wildlife <u>reserve</u> 　　a. 보호구역　　b. 침묵

D 다음 문장의 빈 칸에 <u>공통으로</u> 들어갈 적절한 단어를 원형으로 쓰시오.

01 • Some university students _________ on their parents to pay all of the tuition costs for them.
• If you _________ his two years as an intern, Joshua has five years of experience as an engineer.

02 • Wet roads _________ motorists should drive slower and more cautiously.
• The science teacher has gained a reputation for being _________ to her students.

03 • Students in the intermediate English class were asked to answer every question using a complete _________.
• The man convicted of murder was given a life _________ for his crimes.

주요 다의어 (4) Polysemy

● figure ● arrange ● yield ● dictate ●
● term ● represent ● spot ● content ●
● odd ● state ● even ● cover ●

Preview

문맥에 따라 달라지는 여러 의미를 지닌 단어를 마스터한다.

● Shakespeare is still a controversial **historical figure** in that people debate whether he really existed or not.
● The kidnapper might refuse to **yield to demands** to release the six children.
● **In terms of** wages and working conditions, our company is the best in the publishing industry.

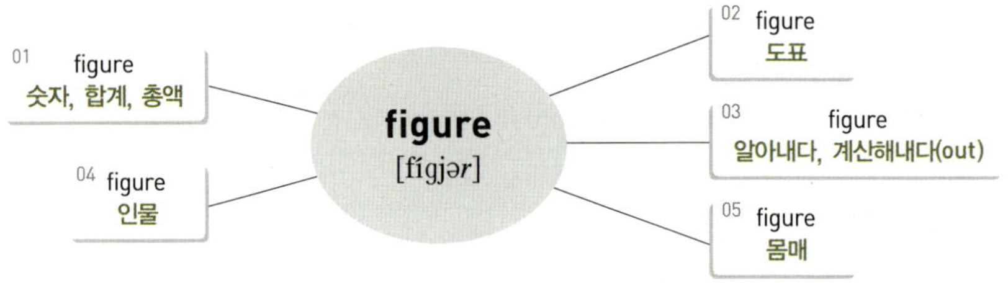

01 government figures　　　　　　　　　　　　　정부가 발표한 **수치**

- **Government figures** show a continued decline in unemployment.
  정부가 발표한 **수치**는 실업률이 계속 줄어드는 것을 보여준다.

02 figure 7 illustrates that ~　　　　　　　　도표 7은 ~를 보여준다

- **Figure 7 illustrates** changing patterns of employment over the years.
  도표 7은 지난 수년간 변화하는 고용패턴을 보여준다.

03 figure out　　　　　　　　　　　　　　　　알아내다

- They used astronomy to **figure out** that there are 365 days in a year.
  그들은 1년이 365일이라는 것을 **알아내기** 위해 천문학을 사용했다.

04 a controversial historical figure　　　논란의 대상이 되는 역사적 **인물**

- Shakespeare is still **a controversial historical figure** in that people debate whether he really existed or not.
  셰익스피어는 실제로 존재했는지 여부에 있어 아직도 논란의 대상이 되는 역사적 **인물**이다.

05 slender figure　　　　　　　　　　　　　　　날씬한 **몸매**

- That big dress does not suit her **slender figure**.
  그 큰 드레스는 그녀의 날씬한 **몸매**에 맞지 않는다.

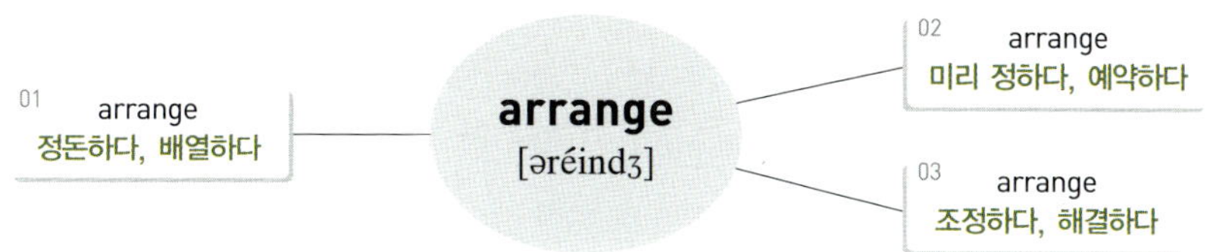

01 arrange in order 　　　　　　　　　　　　　　　　　　　　순서대로 **정리하다**

- His books are neatly **arranged in** alphabetical **order**.
  그의 책은 알파벳 순서로 깔끔하게 **정리되어** 있다.

02 arrange hotels 　　　　　　　　　　　　　　　　　　　　　호텔을 **예약하다**

- Richard and his fellow travelers had to carefully choose a route, check schedules, and **arrange hotels**.
  Richard와 그의 동료 여행자들은 주의 깊게 여행 경로는 고르고, 교통편 시간표를 확인하고, 호텔을 미리 **예약해야만** 했다.

03 arrange the quarrel 　　　　　　　　　　　　　　　　　　　싸움을 **해결하다**

- There must be a way to make the two families **arrange the quarrel** by themselves.
  두 집안이 스스로 싸움을 **해결할** 방법이 있음에 틀림없다.

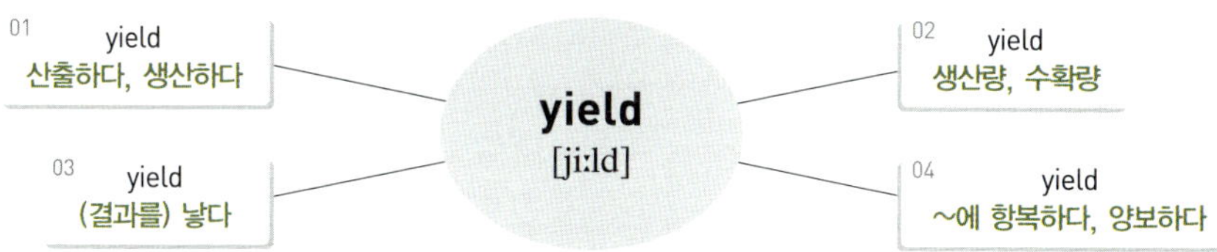

01 yield lots of vegetables 　　　　　　　　　　　　　　　　채소를 많이 **생산하다**

- Our farm **yielded lots of vegetables** this year.
  올해 우리 농장에서는 야채가 많이 **났다**.

02 crop yields 　　　　　　　　　　　　　　　　　　　　　　곡물 **수확량**

- Climate change has begun to cut into **crop yields**.
  기후 변화로 인해 곡물 **수확량**이 줄어들기 시작했다.

03 yield surprising results 　　　　　　　　　　　　　　　　놀라운 결과를 **낳다**

- New methods have **yielded surprising results** in the field.
  새로운 방법은 그 분야에서 놀라운 결과를 **낳았다**.

04 yield to demands 　　　　　　　　　　　　　　　　　　　요구에 **굴복하다**

- The kidnapper might refuse to **yield to demands** to release the six children.
  그 유괴범은 여섯 명의 아이들을 풀어주라는 요구에 **항복하기**를 거부할 지도 모른다.
- When driving, some people do not care about stop and **yield signs**.
  운전할 때 어떤 사람들은 정지나 **양보** 표지판을 신경 쓰지 않는다.

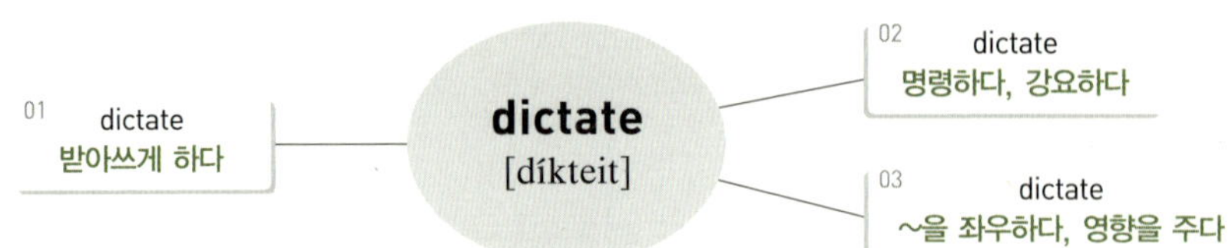

01 dictate a letter to A   A에게 편지를 **받아쓰게 하다**

- Mr. Johnson **dictated the letter to** his secretary, so she might know everything.
  Johnson씨는 그의 비서에게 편지를 **받아쓰게 했다.** 그러니 그녀가 모든 걸 다 알 것이다.

02 dictate their children's career   자녀에게 (특정) 직업을 **강요하다**

- Parents should not **dictate their children's career**.
  부모는 자식에게 (특정) 직업을 **강요해서는** 안 된다.

03 dictate one's future   미래에 **영향을 미치다**

- Students generally think that grades in college **dictate their future success**.
  학생들은 일반적으로 대학 성적이 자신의 미래의 성공에 **영향을 미친다**고 생각한다.

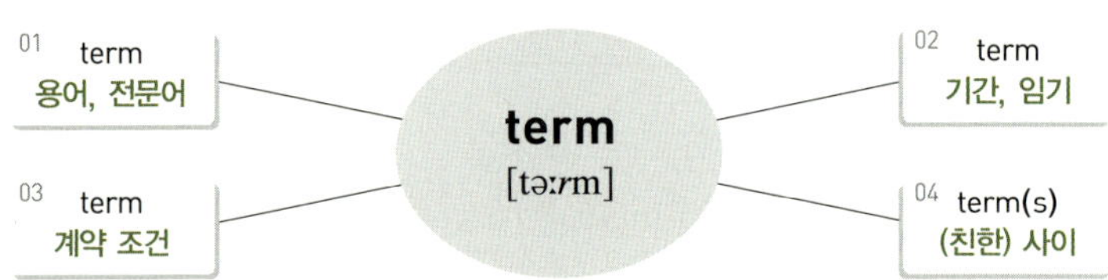

01 technical terms   전문 **용어**

- Professionals often speak using **technical terms**.
  전문가들은 종종 전문 **용어**를 써서 말한다.

02 the president's term in office   대통령 **임기**

- **The president's term in office** was extended from five to seven years.
  대통령 **임기**는 5년에서 7년으로 늘어났다.

03 terms of a contract   계약 조건

- Our lawyers will determine whether the **terms of the contract** are unfair.
  우리 변호사들은 **계약 조건**이 불공정한지 검토할 것이다.
- **In terms of** working conditions, our company is the best in the publishing industry.
  근무 조건 **면에서**, 우리 회사는 출판 업계에서 가장 좋은 곳이다.

04 be on good terms with   사이좋게 지내다

- She **is on good terms with** her neighbor.
  그녀는 이웃들과 **사이**좋게 지낸다.

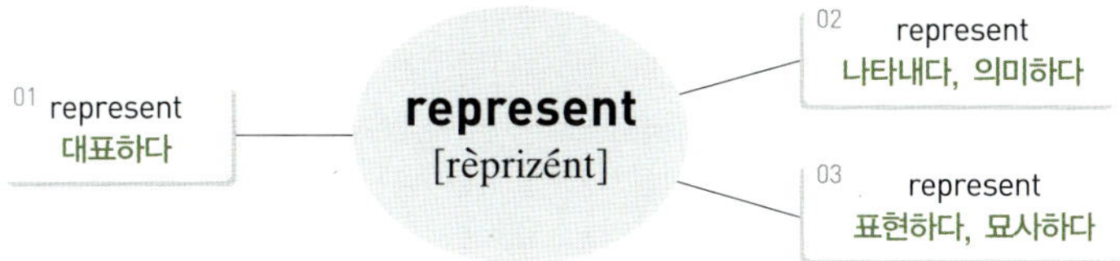

01 represent A　　A를 대표하다

- Yuna Kim, **representing** South Korea, won a gold medal at the 2010 Winter Olympics in Vancouver.

  한국을 **대표하는** 김연아는 2010년 밴쿠버 동계올림픽에서 금메달을 땄다.

02 represent the 50 states　　50개의 주를 나타내다

- The 50 stars on the national flag of the USA **represent the 50 states**.

  미국 국기에 그려진 별 50개는 50개 주를 **나타낸다**.

03 represent women negatively　　여성을 부정적으로 묘사하다

- His novels often **represent women negatively**, so they have been criticized by many feminists.

  그의 소설은 종종 여성을 부정적으로 **묘사해서** 많은 여성주의자들에 의해 비판받았다.

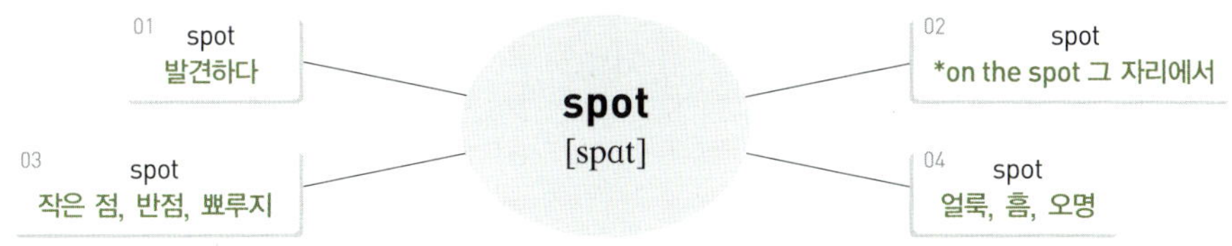

01 spot the difference　　차이점을 발견하다

- **Spotting the difference** between these two similar pictures is a kind of observation skills test.

  비슷한 두 그림에서 차이점을 **발견하는** 것은 일종의 관찰력 테스트이다.

02 on the spot　　그 자리에서

- The criminal was arrested **on the spot** where he committed a crime.

  범인은 자신이 범죄를 저지른 **그 자리에서** 체포되었다.

03 spot on one's face　　얼굴에 난 여드름

- Teenagers tend to care too much about the **spots on their faces** which will disappear naturally.

  10대들은 얼굴에 난 자연스레 사라질 **여드름**에 대해 지나치게 신경을 쓰는 경향이 있다.

04 a few spots of blood　　몇몇의 피 얼룩 자국

- The detective followed **a few spots of blood** on the floor before finding a person dead.

  그 형사는 마루 위에 떨어진 몇 방울의 피 **얼룩** 자국을 따라가서 한 사람이 죽어있는 것을 발견했다.

day
22

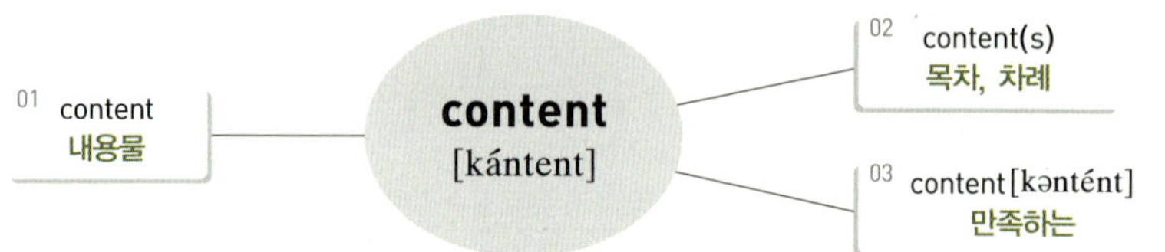

---

01 the content of his pockets   주머니에 안에 든 **내용물**

- He emptied out **the contents of his pockets** onto the table.
  그는 주머니 안에 든 **내용물**을 전부 꺼내 탁자 위에 올려놓았다.

02 the table of contents   **목차**

- The names of the book's chapters are listed in **the table of contents**.
  각 장의 제목들은 책의 **목차**에 실려있다.

03 be content with   ~에 **만족하다**

- She really wanted ice cream, but she **was content with** low-fat yogurt.
  그녀는 아이스크림을 간절히 원했지만, 저지방 요거트로 **만족했다**.

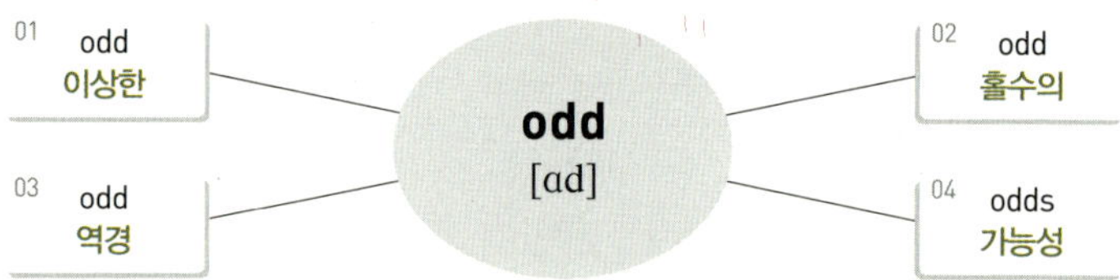

---

01 odd weather   **이상** 기후

- **Odd weather** patterns occasionally bring summer snow to Australia.
  이상 기후패턴으로 인해 호주에는 한 여름에 가끔 눈이 온다.

02 an odd number   **홀수**

- **An odd number** is a number that can not be evenly divided by 2.
  홀수는 2로 균등하게 나누어질 수 없는 수이다.

03 against all odds   온갖 **역경**에도 불구하고

- "**Against all odds**" is an educational online video game that puts students in the shoes of a refugee.
  "온갖 **역경**에도 불구하고"는 학생들을 난민의 입장에 서게 하는 교육용 온라인 비디오 게임이다.

04 the odds are   ~할 **가능성**이 있다

- **The odds are** that he will not arrive today.
  오늘 그가 도착하지 않을 **수도 있다**.
- **The odds** of getting hit by a falling satellite **are** very small.
  추락하는 인공위성에 부딪힐 **가능성**은 매우 적다.

01 state 상태
02 state 밝히다, 명시하다
03 state 나라, 정권, 정부, 주
04 state (공식적으로) 진술하다, 표명하다

state [steit]

01 be in a terrible state
끔찍한 **상태**에 있다

- Jane **was in a terrible** state after losing her job.
  Jane은 일자리를 잃은 후에 끔찍한 **상태**에 있었다.

02 state one's reasons for ~
~의 이유를 분명히 **밝히다**

- The committee failed to **state their reasons for** this decision.
  위원회는 이 결정에 대한 이유를 분명히 **밝히지** 못했다.

03 pass state secrets to ~
~에게 **국가**의 기밀을 넘기다

- He was killed for **passing state secrets to** foreign powers.
  그는 외국의 권력자에게 **국가**의 기밀을 넘겨서 살해당했다.

04 the witness states that ~
증인이 ~라고 **진술하다**

- **The witness stated** that he had seen the accident.
  증인은 그가 그 사고를 목격했다고 **진술했다**.

01 even ~조차, 까지도
02 even (비교급 앞) 훨씬
03 even 짝수
04 even 평평한

even [íːvən]

01 even A
A **조차도**

- **Even** Paul, who is usually shy, stayed for the party.
  평소에 부끄럼을 잘 타는 Paul **조차** 파티에 남아있었다.

02 even faster
훨씬 더 빨리

- Paul runs fast, but his sister runs **even faster**.
  Paul도 빨리 달리지만, 그의 여동생이 **훨씬** 더 빨리 달린다.

03 even numbered floors
짝수층

- The left elevator only stops at **even numbered floors**.
  왼쪽 엘리베이터는 오로지 **짝수** 층에만 선다.

04 even ground
평지

- The children liked to play ball at the park because the **ground was even**.
  아이들은 땅이 **평평했**기 때문에 공원에서 공놀이를 하는 것을 좋아했다.

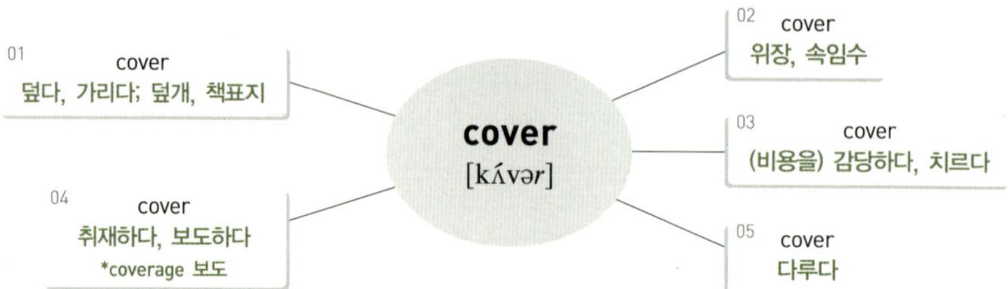

01 cover the dough with plastic wrap
반죽을 플라스틱 랩으로 **덮다**

- **Cover the dough with plastic wrap** and place in a warm area for 10-15 minutes for yeast to foam.
  반죽을 랩으로 **덮은** 뒤, 이스트 거품이 형성되도록 10분에서 15분정도 따뜻한 곳에 두어라.
- She used dried leaves and twigs to **cover up the hole**.
  그녀는 구멍을 **가리기** 위해 마른 나뭇잎과 가지를 사용했다.

02 a cover for unlawful activity
불법 행위를 **감추기** 위한 구실

- The business was **a cover for unlawful activity**.
  그 사업은 불법 행위를 **감추기** 위한 구실이었다.

03 cover A's tuition fees
A의 학비를 **대다**

- Whether parents should **cover** their children's college **tuition fees** is still a controversial issue.
  부모가 자녀의 대학 학비를 **감당해야** 하는가는 여전히 논란거리이다.
- The pocket money David gets barely **covers his school expenses**.
  David가 받는 용돈은 학교에서 필요한 비용을 간신히 **감당하고 있다**.

04 cover a story
이야기를 하나 **취재하다**

- The reporter **covered a story** for the radio news.
  기자는 라디오 뉴스를 위해 이야기를 하나 **취재했다**.
- The BBC was given a special award for its **news coverage** of the war in the Middle East.
  BBC는 중동전쟁에 관한 뉴스**보도**로 특별상을 받았다.

05 cover important topics
중요한 주제를 **다루다**

- The book didn't **cover** so many **important topics**, considering its flashy advertisement.
  그 책은 화려한 광고를 고려해 봤을 때, 그렇게 많은 중요한 주제들을 **다루지** 않았다.

A 다음 단어에 해당하는 우리말을 <u>2개 이상</u> 쓰시오.

01 state __________

____

02 even __________

____

03 odd __________

____

B 다음 단어에 <u>공통적으로</u> 해당하는 영어 단어를 쓰시오.

01 배열하다
조정하다 __________

02 대표하다
나타내다 __________

03 발견하다
얼굴, 흠 __________

C 다음 <u>밑줄 친</u> 단어의 문맥상 적절한 뜻을 고르시오.

01 <u>dictate</u> their children's career

a. 강요하다 b. 받아쓰게 하다

02 <u>yield</u> surprising results

a. 양보하다 b. (결과를) 낳다

03 a controversial historical <u>figure</u>

a. 인물 b. 합계

04 the president's <u>term</u> in office

a. 임기 b. 사이

05 <u>cover</u> the dough with plastic wrap

a. 보도하다 b. 덮다

D 다음 문장의 빈 칸에 <u>공통으로</u> 들어갈 적절한 단어를 원형으로 쓰시오.

01 • According to the table of __________, the bibliography begins on page 312.

• The doctor was __________ with his decision to take an early retirement.

02 • According to the __________ and conditions of the contract, a written notice must be given at least two weeks prior to leaving.

• The __________ "Catch 22" became a popular expression for a no-win situation shortly after the novel with the same name was published.

03 • We __________ that the airfare and hotel for our vacation will be about seven hundred dollars.

• The actress spent six days a week at the gym to maintain her hourglass __________ .

주요 다의어 (5) Polysemy

● engage ● article ● subject ● board ●
● pose ● facility ● leave ● scale ●
● block ● blow ● fix ● cross ●

Preview

문맥에 따라 달라지는 여러 의미를 지닌 단어를 마스터한다.
● We need **female subjects** between the ages of 25 and 40 to test a new drug.
● Korean flight schedules **are subject to** change due to the frequent bad weather conditions in summer.
● **Blowing your nose** in an improper way may affect the duration of your illness.

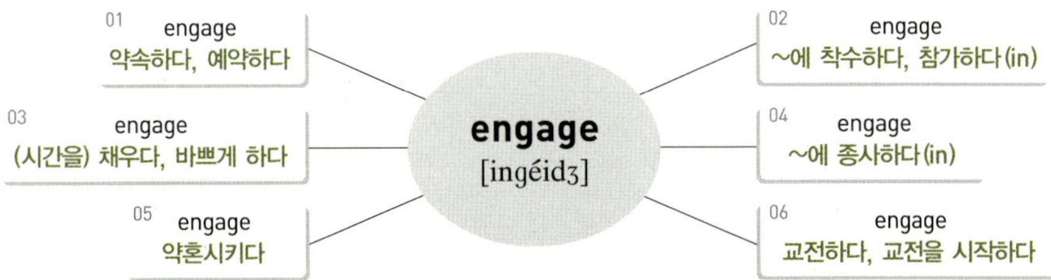

01 engage oneself to ~　　　　　　　　~하기로 **약속하다**

- Mr. Parker has already **engaged himself to** pick you up at the airport.
Parker씨는 당신을 공항에 데리러 가겠다고 **약속했어**.

02 engage with public issues　　　　　　　　공론에 **참여하다**

- The lecture will teach you how to **engage** others constructively **with public issues**.
그 강의는 다른 사람들을 공론에 건설적으로 **참여시키는** 방법에 대해 알려줄 것이다.

03 have one's schedule engaged　　　　　　　　~의 스케줄을 **채우다**

- You always **have your schedule** fully **engaged** just like a workaholic. Please take some rests.
당신은 일중독자처럼 항상 스케줄을 꽉꽉 **채우는군요**. 제발 좀 쉬세요.

04 engaged in two different jobs　　　　　　　　두 개의 **다른 직종에 종사하다**

- Moira is **engaged in two different jobs**: a writer and singer.
Moira는 작가와 가수라는 두 개의 다른 **직종에 종사한다**.

05 be engaged　　　　　　　　**약혼하다**

- They **were engaged** for one year before they were married.
그들은 결혼하기 1년 전에 **약혼했다**.

06 engage the enemy　　　　　　　　적과 **교전하다**

- The soldiers started to **engage the enemy** with tank and infantry units.
군인들은 탱크와 보병연대로 적과 **교전을** 시작했다.

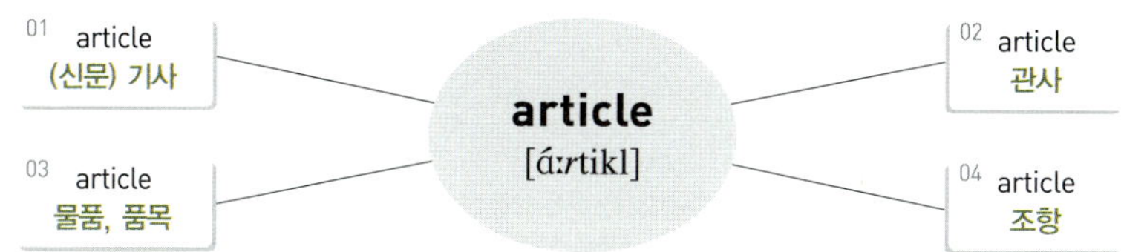

01 newspaper article   신문 **기사**

• He saw a local **newspaper article** that was highly critical of the government.
그는 정부에 대해 매우 비판적인 한 지방 신문 **기사**를 보았다.

02 the definite article   정관사

• In English, "The" is **the definite article** and "A/An" are indefinite articles.
영어에서 "The"는 정**관사**이고, "A/An"은 부정관사이다.

03 toilet articles   화장실 **용품**

• The price of **toilet articles**, such as soap and shampoo, has risen.
비누와 샴푸와 같은 화장실 **용품** 가격이 올랐다.

04 article one of the Constitution   헌법 1**조**

• **Article one of the Constitution** declares that South Korea is a democratic republic.
헌법 1**조**는 대한민국은 민주공화국임을 명시한다.

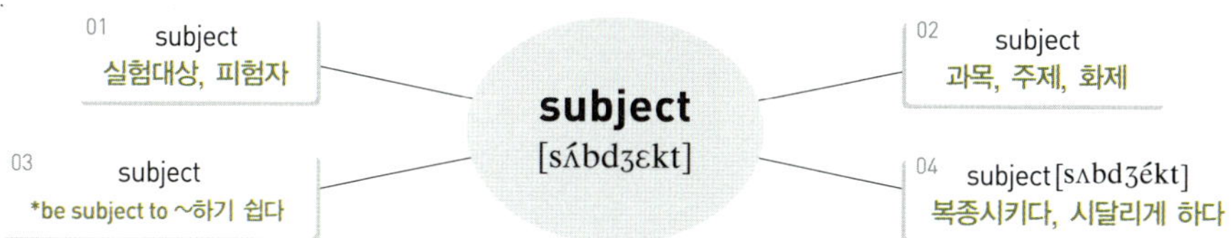

01 female subjects   여성 **피실험자**

• We need **female subjects** between the ages of 25 and 40 to test a new drug.
우리는 신약을 평가하기 위해 25세에서 40세 사이의 여성 **피실험자**가 필요하다.

02 one's favorite subject   좋아하는 **과목**

• She's a very dedicated student whose **favorite subject** is math.
그녀는 매우 열심히 공부하는 학생이며, 가장 좋아하는 **과목**은 수학이다.

03 be subject to change   변하기 쉽다

• Korean flight schedules **are subject to change** due to the frequent bad weather conditions in summer.
한국 비행기 시간표는 여름의 잦은 악천후 때문에 변경**되기 쉽다**.

04 subject A to B   A를 **강제로** B 하에 **두다**

• Chuck **subjected** his classmates **to** years of physical abuse, and he got kicked out of school in the end.
Chuck은 수년간 학우**에게** 신체적 폭력**을 가해서** 결국 퇴학당했다.

01 wait to board — 탑승하기를 기다리다

- Passengers are **waiting to board** at the airport.
  승객들은 공항에서 **탑승하기**를 기다리고 있는 중이다.

02 on the school board — 학교 **게시판**에

- Mrs. Simpson posted up a notice **on the school board**.
  Simpson 여사는 학교 **게시판**에 공고를 붙였다.

03 board with someone — ～의 집에 **하숙**하다

- A couple of students and I were **boarding with** Mrs. Keller.
  몇몇 학생들과 나는 Keller씨의 집에서 **하숙하고** 있었다.

04 the board of directors — 이사회

- **The board of directors** had a meeting to discuss several issues.
  이사회는 몇 가지 주제들을 의논하기 위해 모임을 가졌다.

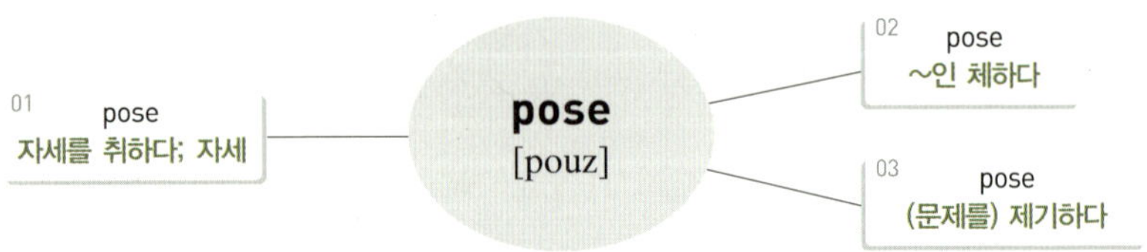

01 standing/sitting pose — 서있는/앉아있는 **자세**

- The photographer asked us to **pose both standing and sitting**.
  사진사는 우리에게 서있는 **자세**와 앉아있는 **자세**를 취하게 했다.

02 pose as A — A인 **척 하다**

- The gang entered the bank vault **posing as** security guards.
  갱들은 은행금고에 경비요원인 **척 하고** 들어갔다.

03 pose problems — 문제를 제기하다

- The death of the respected leader will **pose** several serious **problems** for the nation.
  존경받는 지도자의 죽음은 그 국가에 몇 가지 심각한 문제를 **제기할 것이다**.

01 sports facility 스포츠 **시설**

- Our school provides **sports facilities** to meet the students' needs.
  저희 학교는 학생들의 욕구를 만족시키기 위해 운동 **시설**을 제공합니다.

02 spell checking facility 철자 검색 **기능**

- Don't worry about spelling errors. Google offers **spell checking facility**.
  철자오류에 대해 걱정하지 마세요. 구글은 철자 검색 **기능**을 제공합니다.

03 facility for languages 언어에 대한 **재능**

- Jennifer has an amazing **facility for languages**: she can speak almost 5 languages.
  Jennifer는 언어에 놀라운 **재능**이 있다. 그녀는 거의 5개 국어를 할 수 있다.

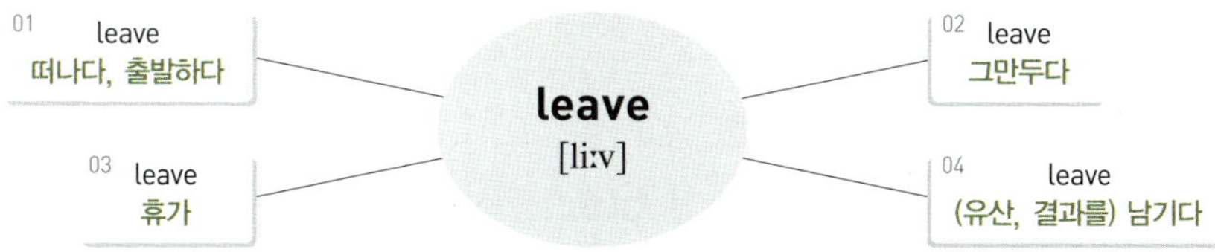

01 leave for Japan 일본으로 **떠나다**

- The plane **leaves for Japan** at 12:35.
  비행기는 12시 35분에 일본으로 **떠난다**.

02 where we leave off 우리가 (읽다가) **중단한** 곳

- The woman read today from **where she left off** yesterday.
  오늘 그 여자는 어제 읽다가 **중단한** 곳부터 읽었다.

03 be on leave **휴가** 중이다

- While Jane **is on leave**, I will cover for her.
  Jane이 **휴가** 간 동안, 내가 그녀 일을 대신 할 것이다.

04 leave A to B A를 B에게 유산으로 **남기다**

- He **left** all his money and his house **to** his only daughter.
  그는 외동딸에게 자신이 가진 돈 전부와 집을 유산으로 **남겼다**.
- The suicide bombing **left** 25 civilians dead in Israel.
  이스라엘에서 자살 폭탄테러로 인해 민간인 25명**이 죽었다**.

01 the scales of justice
정의의 **저울**

- Lady Justice holds **the scales of justice**.
  정의의 여신상은 정의의 **저울**을 들고 있다.

02 fish scale
생선 **비늘**

- The main reason that a **fish** has **scales** is to provide external protection to its body.
  생선 몸에 **비늘**이 있는 이유는 몸을 외부로부터 보호하기 위해서이다.

03 a large-scale war
대**규모** 전쟁

- Israel planned for the possibility of **a large-scale war** in 2009.
  이스라엘은 2009년에 대**규모** 전쟁 가능성에 대비했다.

04 practice the scale
음계를 연습하다

- Beginners need to **practice the scale** seriously even if they don't like the sound of it.
  초보자들은 소리가 듣기 싫어도 진지하게 **음계**를 연습할 필요가 있다.

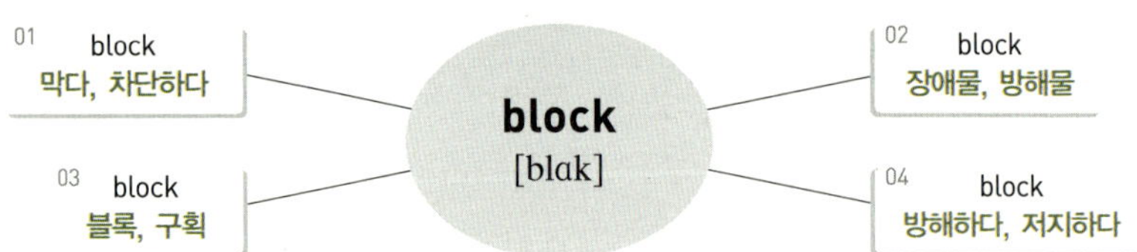

01 block roads
도로를 **막다**

- Sorry, but I can't get there so soon. Police **blocked** off the **streets** around the city center.
  미안하지만 그 곳에 그렇게 빨리 갈 수 없어. 경찰이 시내 중앙 도로를 **막았어**.

02 writer's block
작가의 **장애물**

- He couldn't finish his novel because of his **writer's block**.
  그는 작가로서의 **장애물** 때문에 소설을 끝낼 수 없었다.

03 around the block
블록 주위를

- I saw the two men in black walk **around the block** and disappear suddenly.
  나는 검정색 옷을 입은 두 남자가 **블록** 주위를 걷다가 갑자기 사라지는 걸 보았다.

04 block A from B-ing
A가 B하는 것을 **저지하다**

- The police violently **blocked** the peace protesters **from marching**.
  경찰은 폭력적으로 평화 시위자들이 행진하는 것을 **저지했다**.

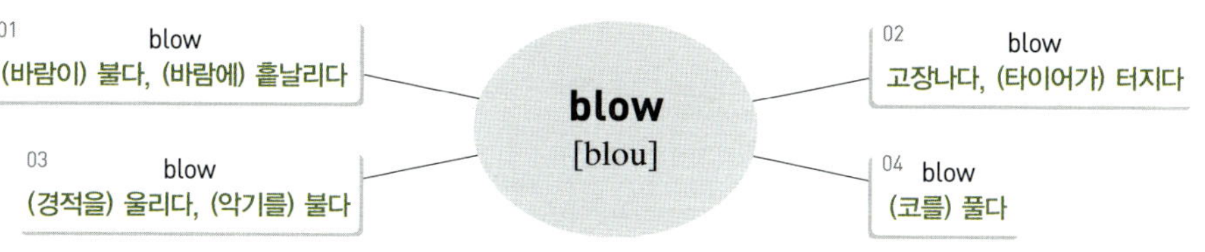

01 blow away in the wind　바람에 날리다

- A cherry blossom will **blow away in the wind**.
  벚꽃이 바람에 **날릴** 것이다.

02 blow a fuse　퓨즈가 나가다

- The **fuse** is not going to **blow** during this thunderstorm.
  폭풍우에 퓨즈가 **나가지** 않을 것이다.

03 blow one's horn　(자동차) 경적을 울리다

- Why do drivers in Seoul **blow their horns** when a car in front of them does not go?
  왜 서울 운전자들은 앞차가 가지 않으면 경적을 **울리지**?

04 blow one's nose　코를 풀다

- **Blowing your nose** in an improper way may affect the duration of your illness.
  코를 잘못된 방식으로 **푸는** 것은 증상이 지속되는 결과를 초래할 수 있다.

01 fix the issue　문제를 해결하다

- Permanent damage may occur to the computer system if **the issue** is not **fixed** immediately.
  만약 이 문제가 바로 **해결되지** 않는다면, 컴퓨터 시스템이 영구적으로 손상될 수 있다.

02 be fixed directly　직접 고정되다

- The handrail can **be fixed directly** to the wall.
  난간은 벽에 직접 **고정될** 수 있다.

03 fix a date　날짜를 확실히 정했다

- The researchers **fixed the date** of the ancient artifacts.
  연구원들은 고대 유물이 사용되던 시기를 확실히 **정했다**.

04 fix a dessert　디저트를 마련하다

- Eric **fixed** a delicious **dessert**.
  Eric은 맛있는 디저트를 **마련했다**.

day 23

01 cross
가로지르다, 건너다

02 cross
화난, 언짢은

cross
[krɔːs]

03 cross
성호를 긋다; 십자가

04 cross
교차시키다, (팔, 다리를) 꼬다

05 cross
지우다(out)

---

01 cross the road 길을 건너다

- Sam was hit by a car when he tried to **cross the road** near Jamsil Station.
  Sam은 잠실역 근처에 있는 길을 **건너려고** 하다가 차에 치였다.

02 be cross with 약간 화가 나다

- He **was cross with** her for being late.
  그는 그녀가 늦게 와서 **화가 좀 나** 있었다.

03 cross oneself 가슴에 성호를 긋다

- Emma always **crosses herself** before having meals.
  Emma는 식사를 하기 전에 항상 가슴에 **성호를 긋는다**.

04 cross one's arms 팔짱을 끼다

- It is impolite to **cross your arms** in front of senior citizens.
  연장자 앞에서 팔짱을 **끼는** 것은 예의에 어긋난다.

05 cross out 지우다

- We need to **cross out** a number of names on the wedding invitation list.
  우리는 결혼식 초대손님 목록에서 많은 이름을 **지워야** 한다.

A 다음 단어에 해당하는 우리말을 <u>2개 이상</u> 쓰시오.

01 article

02 facility

03 fix

B 다음 단어에 <u>공통적으로</u> 해당하는 영어 단어를 쓰시오.

01 예약하다
    약혼시키다

02 떠나다
    휴가

03 규모
    음계

C 다음 <u>밑줄 친</u> 단어의 문맥상 적절한 뜻을 고르시오.

01 <u>pose</u> several problems a. ~인 체하다 b. 제기하다

02 <u>block</u> the peace protesters form marching a. 차단하다 b. 저지하다

03 <u>blow</u> one's horn a. 터지다 b. 울리다

04 <u>cross</u> the road a. 건너다 b. 지우다

05 on the school <u>board</u> a. 게시판 b. 이사회

D 다음 문장의 빈 칸에 <u>공통으로</u> 들어갈 적절한 단어를 원형으로 쓰시오.

01 • Of all of the classes she took in high school, Sally's favorite __________ was European history.

    • Suspicious passengers can be __________ to additional security checks before they are allowed to board the plane.

02 • Mr. Hoffman has __________ in physical activities during his free time to stay in shape.

    • The personnel manager __________ a dozen employees to prepare for the expansion of our office.

03 • The scientist measured the mass of the specimen on a __________ before beginning his experiment.

    • In this fairy tale, a knight wore an impenetrable suit of armor made entirely from dragon __________.

주요 다의어 (6) Polysemy

● draw ● strike ● issue ● plain ●
● illustrate ● bill ● raise ● fair ●
● stick ● follow ● spell ● critical ●

Preview

문맥에 따라 달라지는 여러 의미를 지닌 단어를 마스터한다.
- We can **draw some lessons** for the current situation from the past.
- The Korean government **issued** new five thousand won **bills**.
- The couple who lost a son to cancer **raised money for charity** that had helped them.

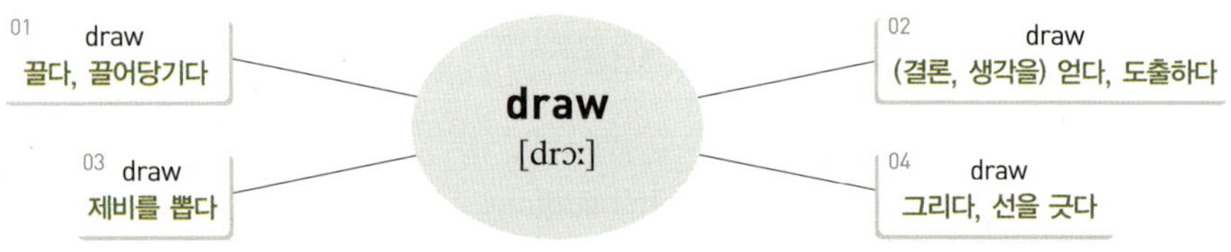

01 draw a lot of people's attention   많은 사람들의 관심을 **끌다**
- The boy who paints like an old master **drew a lot of people's attention**.
  그림의 대가들처럼 그림을 그리는 그 소년은 많은 사람들의 관심을 **끌었다**.

02 draw some lessons   교훈을 **이끌어내다**
- We can **draw some lessons** for the current situation from the past.
  우리는 과거에서 현재 상황에 필요한 결론을 **끌어낼 수 있다**.

03 draw a ticket   제비를 **뽑다**
- Each of the townspeople **drew a ticket** from the box.
  각각의 마을 사람들은 상자에서 **제비를 뽑았다**.

04 draw a heart   하트를 **그리다**
- Find a stick and **draw a heart** in the sand and write her name inside it.
  막대기를 찾아서 모래 위에 하트를 **그리고**, 그 안에 그녀의 이름을 적으시오.

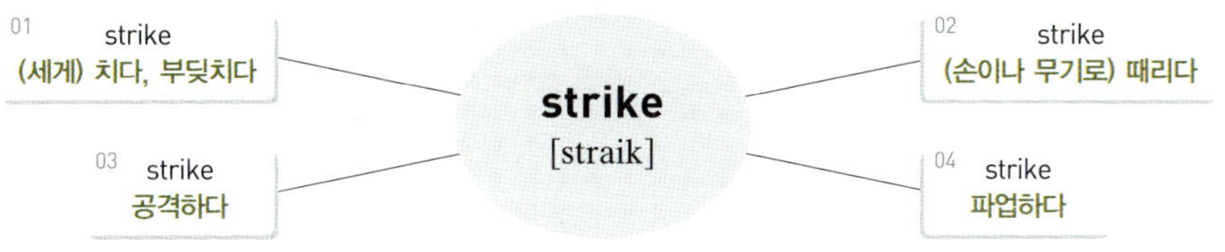

01 strike the pavement — 보도에 **부딪히다**

- Jason Bourne, the hero of the movie, fell and his head **struck the pavement**, but he was alright.
  영화의 영웅인 Jason Bourne은 넘어져 머리를 도로에 **부딪쳤지만**, 그는 무사했다.

02 strike without warning — 경고 없이 **때리다**

- The police **struck** several demonstrators **without warning**.
  경찰은 몇몇 시위하는 사람들을 경고 없이 **때렸다**.

03 strike the enemy fortifications — 적군의 요새를 **공격하다**

- The army suddenly **struck the enemy fortifications** in the middle of the night.
  군대는 적군의 요새를 한밤 중에 갑자기 **공격했다**.

04 strike for higher pay — 임금 인상을 요구하며 **파업하다**

- Factory workers have been **striking for higher pay** since last month.
  공장 노동자들은 지난 달 이래 임금 인상을 요구하며 계속 **파업 중이다**.

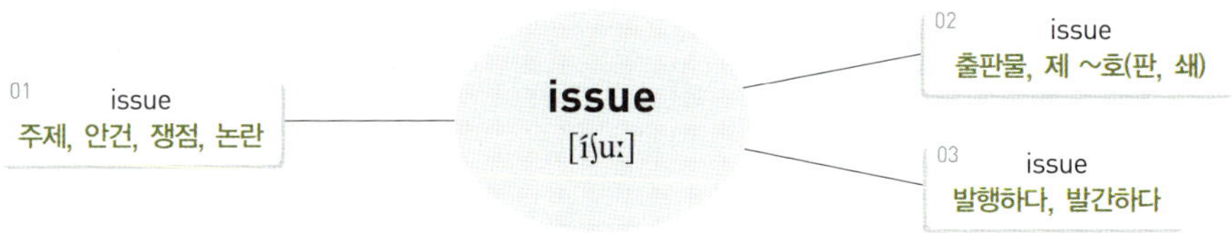

01 discuss various issues — 다양한 **안건들**에 관해 토론하다

- The citizens **discussed various issues** at the town meeting.
  시민들은 마을 회의에서 다양한 **안건들**에 관해 토론했다.

02 the April issue of the magazine — 4월호 잡지

- **The April issue of the magazine** *Esquire* featured a short science fiction story.
  에스콰이어 잡지 4월**호**는 한편의 짧은 과학 소설을 특집으로 실었다.

03 issue new five thousand won bills — 새로운 5천원짜리 지폐를 **발행하다**

- The Korean government **issued new five thousand won bills**.
  한국정부는 새로운 5천원짜리 지폐를 **발행했다**.

day 24

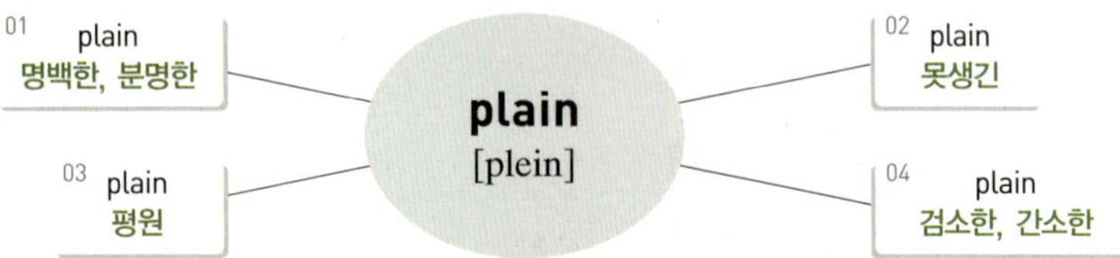

01 the plain fact
분명한 사실

- **The plain fact** is that he is not doing his job very well.
  분명한 사실은 그가 그 일을 잘하지 못한다는 것이다.

02 a plain woman
못생긴 여자

- Research shows that a handsome man does not tend to truly love **a plain woman**.
  연구결과에 따르면 외모가 잘생긴 남자는 **못생긴** 여자를 진정으로 사랑하지 않는 경향이 있다.

03 raise cattle on the plains
소를 평원에서 키우다

- People **raise cattle on the plains** in the western United States.
  미국 서부에 사는 사람들은 **평원**에서 소를 키운다.

04 a plain dress
수수한 드레스

- She wore **a plain** white **dress** to the party.
  그녀는 파티에서 **수수한** 흰 색 드레스를 입었다.

01 to illustrate one's point
~의 요점을 분명히 설명하기 위해

- **To illustrate his point**, the teacher told the students examples from his own life experience.
  자신의 요점을 **분명히 설명하기** 위해, 교사는 학생들에게 자신의 체험에서 예를 들어 말했다.

02 illustrate the need for A
A가 필요하다는 것을 보여주다

- The school gun incident **illustrates the need for** a better security system.
  학교 내 총격사건은 더 나은 보안 시스템이 필요하다는 것을 **보여준다.**

03 be illustrated with
삽화를 넣은

- The picture book **was illustrated with** very detailed drawings.
  이 그림책에는 자세한 그림이 **곁들여져 있었다.**

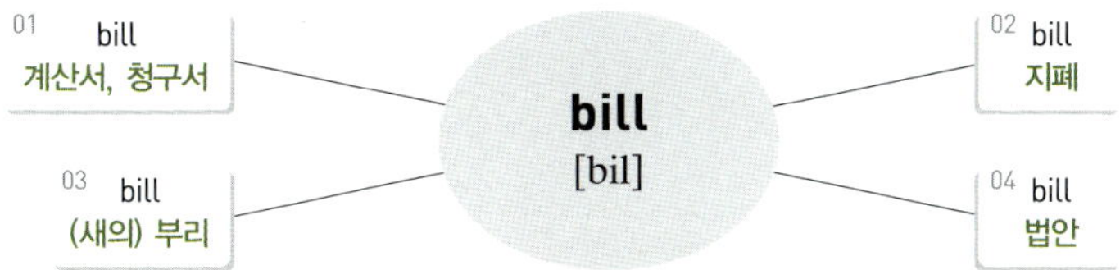

01 split the bill
비용을 나누어 계산하다

- You can go to an expensive restaurant with your friends and **split the bill**.
친구들과 함께 비싼 식당에서 밥을 먹고 **비용**을 나누어 낼 수도 있다.

02 a two-dollar bill
2달러짜리 **지폐**

- **A two-dollar bill** is rare, so people usually hold onto it.
2달러짜리 **지폐**는 수가 많지 않아, 사람들은 보통 그것을 쓰지 않고 계속 가지고 있다.

03 a long sharp bill
길고 날카로운 **부리**

- The bird has **a long sharp bill**.
그 새는 길고 날카로운 **부리**를 가지고 있다.

04 educational reform bills
교육 개혁 **법안**

- **Educational reform bills** drew contrasting opinions at the meeting.
교육 개혁 **법안**은 모임에서 상반된 견해들을 불러왔다.

01 raise one's hand
손을 들다

- The student **raised his hand** to ask the lecturer a question on public justice.
학생은 강연자에게 공공 정의에 관한 질문을 하기 위해 손을 **들었다**.

02 a wage raise
임금 **인상**

- The workers went on strike for higher pay, and finally won **a wage raise** of 30 percent.
노동자들은 더 높은 임금을 위해 파업을 했고, 마침내 30퍼센트의 임금 **인상**을 얻어냈다.

03 raise money for charity
자선을 위해 **모금하다**

- The couple who lost a son to cancer **raised money for the charity** that had helped them.
아들을 암으로 잃은 부부가 자신들을 도운 사람들을 위해 자선 **모금을 했다**.

04 raise an adopted child
입양아를 **기르다**

- She shared the challenges and rewards of **raising an adopted child** with others.
그녀는 입양아를 **키울** 때 느낀 어려움과 보람을 다른 사람과 나누었다.

01 It is not fair to ~
~하는 것은 **공정**하지 못하다

- **It is not fair to** kill an innocent person by the death penalty.
죄가 없는 사람을 사형을 내려 죽이는 것은 **공정**하지 못하다.

02 the fair princess
아름다운 공주

- **The fair princess** turned out to be a wicked witch.
그 **아름다운** 공주는 실제로는 사악한 마녀인 것으로 밝혀졌다.

03 a fair number of people
상당히 많은 사람들이

- **A fair number of people** attended the public lecture of J.K. Rowling.
상당히 많은 사람들이 J. K. Rowling의 공개 강연에 참석했다.

04 fair weather
맑은 날씨

- Office forecasted **fair weather** with minimum temperature of 16˚C on Sunday.
기상청은 일요일 최저 기온 16도의 **맑은** 날씨가 될 것이라고 예보했다.

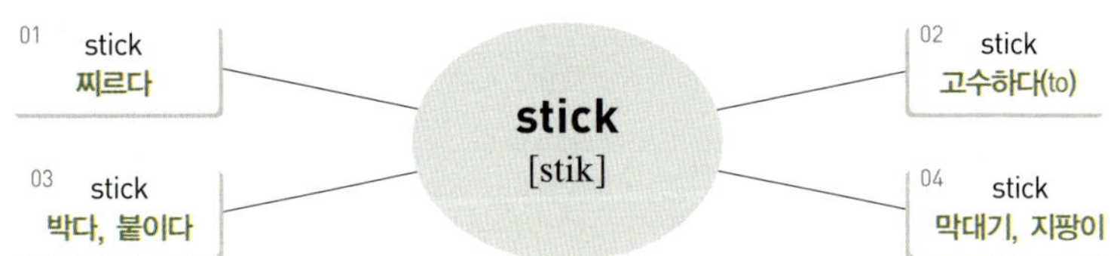

01 stick patients with the needles
환자를 주사바늘로 **찌르다**

- The nurse had to learn how to **stick patients with needles** and draw blood.
간호사는 어떻게 환자를 주사바늘로 **찔러서** 피를 뽑아내는지를 배워야 했다.

02 stick to
고수하다

- In general, the republican party members **stick to** conservative policies, whereas the democratic party members hold to liberal ones.
일반적으로 공화당 의원들은 보수적인 정책을 **고수한** 반면, 민주당 의원들은 진보적인 정책을 지지한다.

03 stick a pin in
바늘을 **꽂다**

- George and Izzie simply **stuck a pin in** at random among the names of candidates.
George와 Izzie는 단순하게 후보자들 이름 중에서 무작위로 한 명을 골라 바늘을 **꽂았다**.

04 brandish sticks
막대를 휘두르다

- The mob on TV news came over the hill yelling and **brandishing sticks**.
텔레비전 뉴스에 등장한 군중은 소리를 지르고 **막대**를 휘두르면서 언덕으로 왔다.

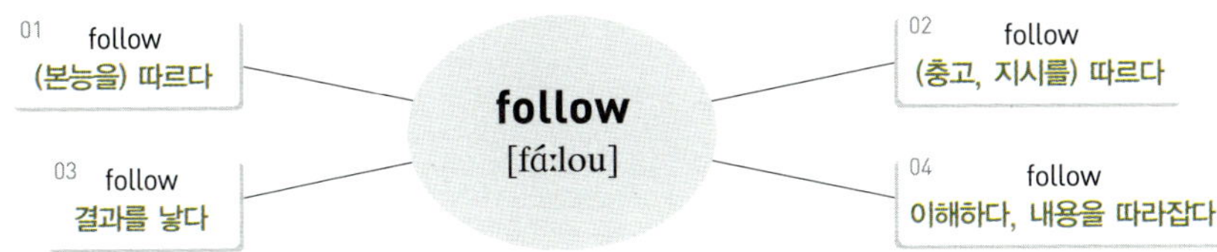

01 follow one's instinct   ~의 본능에 따르다

- All creatures **follow their instinct**, which is related to their survival.
모든 생명체는 자신의 본능을 **따르는데**, 이는 그들의 생존과 관련이 있다.

02 follow someone's advice   누군가의 충고를 따르다

- He decided to **follow his parents' advice** and go into medical school.
그는 부모님의 의견을 **따라** 의대에 가기로 결심했다.

03 A, it follows that B   A한다면 B라는 결과를 낳게 될 것이다

- Without stores in town, **it follows** that people will have to shop somewhere else.
마을에 가게가 없다면, 사람들은 다른 곳에서 장을 봐야하는 **결과를 낳게 될** 것이다.

04 follow lecture   강의를 이해하다

- The professor asked students whether they **followed her lecture** on the impressionist.
교수는 인상주의에 대한 자신의 강의를 학생들이 **이해하는지** 물었다.

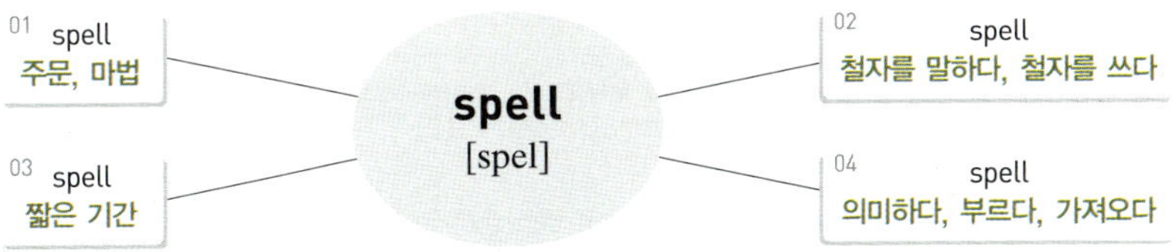

01 cast a spell over   마법을 걸다

- Harry Potter **cast a spell over** Lord Vordmort.
해리포터는 Vordmort 경에게 **마법**을 걸었다.

02 spelling mistakes   철자가 틀린 것

- Many students are careless about their **spelling mistakes**.
많은 학생들은 자신이 **철자**를 틀리는 것을 소홀히 한다.

03 rest a spell   잠깐 쉬다

- Since they had worked all day, they **rested a spell**.
그들은 온종일 일했기 때문에, **잠깐** 쉬었다.

04 spell death   죽음을 의미한다

- Failure **spells death** at this time of crisis.
이 위기의 순간에 실패는 죽음을 **의미한다**.

day 24

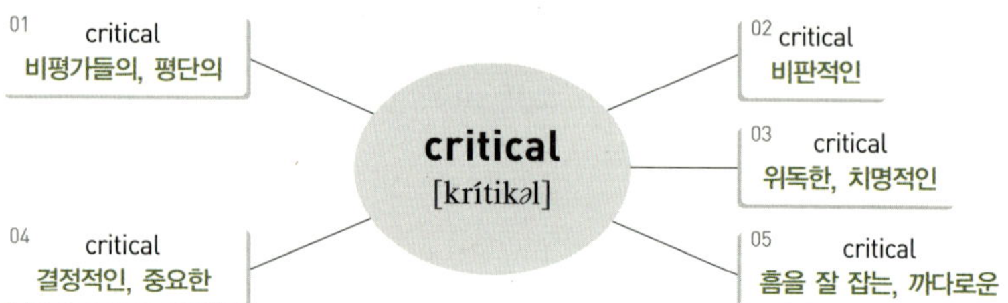

01 a critical success   평단의 호평

- The film became **a critical** and financial **success**.
  그 영화는 **비평가들의** 호평을 받고, 흥행을 하는 데에도 성공했다.

02 critical thinking   비판적 사고

- Scientific research requires **critical thinking**.
  과학 연구는 **비판적** 사고를 요구한다.

03 in a critical condition   위독한 상태인

- Jane is **in a critical condition**. You are not allowed to meet her right now.
  Jane은 **위독한** 상태이다. 당신은 지금 당장 그녀를 볼 수 없다.

04 a critical component   결정적인 요소

- Water, rapidly polluted by human beings, is actually **a critical component** of ecological cycles.
  물은 인간에 의해 급속도로 오염되고 있지만 생태계가 순환하는 데 있어 **결정적인** 요소이다.

05 one's critical mother-in-law   까다로운 시어머니

- **Her mother-in-law was so critical** that it seemed impossible to please her.
  그녀의 시어머니는 너무 **까다로워서** 만족시키기란 거의 불가능한 듯했다.

A 다음 단어에 해당하는 우리말을 2개 이상 쓰시오.

01 bill ____________________

____

02 spell ____________________

____

03 fair ____________________

____

B 다음 단어에 공통적으로 해당하는 영어 단어를 쓰시오.

01 설명하다

그림을 넣다 ____________________

02 급여 인상

모금하다 ____________________

03 못생긴

검소한 ____________________

C 다음 밑줄 친 단어의 문맥상 적절한 뜻을 고르시오.

01 <u>stick</u> patients with the needles   a. 찌르다   b. 고수하다

02 <u>strike</u> the enemy fortifications   a. 공격하다   b. 파업하다

03 <u>draw</u> a lot of people's attention   a. 끌다   b. 그리다

04 <u>follow</u> one's instinct   a. 이해하다   b. 따르다

05 a <u>critical</u> component   a. 결정적인   b. 위독한

D 다음 문장의 빈 칸에 공통으로 들어갈 적절한 단어를 원형으로 쓰시오.

01 • It is rare for a politician to give a __________ answer when questioned about a scandal.

• The painting depicted Native Americans hunting buffalo on a grassy __________.

02 • Unemployment is expected to be an important __________ during the next presidential election.

• The military is supposed to __________ each recruit four sets of uniforms and two pairs of boots.

03 • It is common for the players on the winning team to __________ their coach on their shoulders after the championship game.

• A couple seeking to adopt a child promised to __________ the boy from the orphanage in a loving home.

broaden ⟷ narrow

absolute ⟷ relative

literacy vs literature

urban ⟷ rural

inhabit vs inhibit

혼동어 & 반의어

Confusing & Opposite Words

intake ⟷ outlet

adapt vs adopt

주요 혼동어 (1) Confusing Words

comparable  comparative

comparable [kámpərəbəl] ⓐ 비교할 만한, 비슷한, 필적하는

• two cars of **comparable** size and price
비슷한 크기와 가격의 차 2대

comparative [kəmpǽrətiv] ⓐ 비교를 통한, 비교의

• a **comparative** study of Korea and Japan
한국과 일본의 비교 연구

substitute  constitute

substitute [sʌ́bstətjùːt] ⓥ 대신하다, 교체하다

• **substitute** coke for water
물을 콜라로 대체하다

constitute [kánstətjùːt] ⓥ 구성하다, 구성 요소가 되다

• the countries that **constitute** the EU
유럽연합을 구성하는 나라들

immortal  immoral

immortal [imɔ́ːrtl] ⓐ 불멸의, 불후의

• an **immortal** classic by Shakespeare
셰익스피어가 쓴 불후의 명작

immoral [imɔ́(ː)rəl] ⓐ 부도덕한

• **immoral** behavior
부도덕한 행동

extinguish  distinguish

extinguish [ikstíŋgwiʃ] ⓥ 끄다, 진화하다

• **extinguish** one's cigarette
담배를 끄다

distinguish [distíŋgwiʃ] ⓥ 구별하다, 두드러지게 하다

• **distinguish** between causes and effects
원인과 결과를 구별하다

suspect VS suspense

suspect [səspékt] ⓝ 용의자 ⓥ 의심하다

• the usual **suspect**
유력한 용의자

suspense [səspéns] ⓝ 서스펜스, 긴장감

• can't bear the **suspense**
긴장감을 견딜 수 없다

optimal  minimal

optimal [ɑ́ptəməl] ⓐ 최선의, 최상의, 최적의

- **optimal** conditions
  최적의 조건

minimal [mínəməl] ⓐ 최소의

- **minimal** damage
  최소의 손상

compulsory  compulsive

compulsory [kəmpʌ́lsəri] ⓐ 강제적인, 의무적인, 필수의

- **compulsory** education
  의무 교육

compulsive [kəmpʌ́lsiv] ⓐ 강박적인, 상습적인, 자기 통제를 못하는

- **compulsive** gambling
  강박적인 도박

ethical  ethnic

ethical [éθikəl] ⓐ 윤리적인

- learn to behave morally and **ethically**
  도덕적이고 윤리적으로 행동하는 법을 배우다

ethnic [éθnik] ⓐ 민족의

- **ethnic** minorities
  소수 민족

confidence  conference

confidence [kɑ́nfədəns] ⓝ 신뢰, 자신감

- boost one's **confidence**
  자신감을 키우다

conference [kɑ́nfərəns] ⓝ 회의

- participate in the **conference**
  회의에 참가하다

installation  installment

installation [ìnstəléiʃən] ⓝ 설치, 장치, 시설

- **installation** of the computer program
  컴퓨터 프로그램 설치

installment [instɔ́ːlmənt] ⓝ 할부금, (연재물 등의) 1회분

- the second **installment** of a loan
  대출 상환 2회 납입분

day
25

reap vs ripe

reap [riːp] ⓥ 거두다, 수확하다

- **reap** the benefit (of something)
  이익을 거두어들이다

ripe [raip] ⓐ 익은, 숙성한

- a **ripe** juicy peach
  잘 익고 과즙이 풍부한 복숭아

reference  preference

reference[réfərəns] ⓝ 언급, 참조, 추천서
- a letter of **reference**
  추천서

preference[préfərəns] ⓝ 선호
- depend on personal **preference**
  개인 **선호**에 따르다

extinct  instinct

extinct[ikstíŋkt] ⓐ 멸종된
- a website to study **extinct** animals
  멸종된 동물을 공부할 수 있는 웹 사이트

instinct[ínstiŋkt] ⓝ 본능
- deeply-rooted survival **instinct**
  깊게 자리잡은 생존 **본능**

imaginary  imaginative

imaginary[imǽdʒənèri] ⓐ 가상적인, 상상에만 존재하는
- an **imaginary** world of dragons and unicorns
  용과 유니콘의 **가상** 세계

imaginative[imǽdʒənətiv] ⓐ 창의적인, 상상력이 풍부한
- an **imaginative** solution to the problem
  창의적인 문제해결

incredible  incredulous

incredible[inkrédəbəl] ⓐ 믿기 힘든, 놀라운, 굉장한
- **incredible** stories
  믿기지 않는 이야기

incredulous[inkrédʒələs] ⓐ 믿지 않는, 못 믿겠다는 듯한
- with **incredulous** eyes
  불신의 눈빛으로

illusion  delusion

illusion[ilú:ʒən] ⓝ 환상, (일반적) 오해
- **illusion** designed by the video game
  비디오 게임이 만들어낸 **환상**

delusion[dilú:ʒən] ⓝ 망상, (부정적) 착각
- caught up in **delusions**
  망상에 사로잡혀

considerable vs considerate

considerable[kənsídərəbəl] ⓐ 상당한
- a **considerable** amount of time
  상당량의 시간

considerate[kənsídərit] ⓐ 사려 깊은
- a warm and **considerate** man
  따뜻하고 **사려 깊은** 남자

confident  confidential

confident [kɑ́nfidənt] ⓐ 자신감 있는

- Yuna's **confident** smile
  연아의 **자신감 있는** 웃음

confidential [kɑ̀nfədénʃəl] ⓐ 비밀의, 기밀의

- disclosed **confidential** records
  폭로된 **비밀**기록

appreciable  appreciative

appreciable [əprí:ʃiəbl] ⓐ 주목할 만한

- make an **appreciable** difference
  주목할 만한 차이를 만들다

appreciative [əprí:ʃətiv] ⓐ 1. 고마워하는
2. 감상력 있는

- **appreciative** of one's help
  도움에 **고마워하는**

distribution  description

distribution [dìstrəbjú:ʃən] ⓝ 분배

- unequal **distribution** of wealth
  부의 불평등한 **분배**

description [diskrípʃən] ⓝ 묘사, 서술

- detailed **description**
  상세한 **묘사**

expend  expand

expend [ikspénd] ⓥ 지출하다

- **expend** too much time and money
  너무 많은 시간과 돈을 **들이다**

expand [ikspǽnd] ⓥ 확대하다, 팽창하다

- rapidly **expanded** population
  급격하게 **팽창하는** 인구

successive  successful

successive [səksésiv] ⓐ 연속하는

- **successive** victory of the baseball team
  그 야구팀의 **연승**

successful [səksésfəl] ⓐ 성공적인

- Dr. Ahn's **successful** vaccine programs
  안 박사의 **성공적인** 백신 프로그램

emit  omit

emit [imít] ⓥ 방출하다

- **emit** carbon dioxide
  이산화탄소를 **내뿜다**

omit [əmít] ⓥ 생략하다, 누락하다

- **omit** surplus words
  불필요한 단어를 **생략하다**

literacy VS literature

literacy [lítərəsi] ⓝ 글을 읽고 쓸 줄 아는 능력

• achieve basic **literacy**
  기본적으로 글을 읽고 쓸 수 있게 되다

literature [lítərətʃər] ⓝ 문학

• great works of **literature**
  문학의 위대한 업적

application VS appliance

application [æplikéiʃən] ⓝ 적용, 신청, 원서

• deadline for **applications**
  원서 마감일

appliance [əpláiəns] ⓝ 기구, 장치, 설비

• home **appliances**
  가정용 전자 제품

depart VS impart

depart [dipá:rt] ⓥ 떠나다, 출발하다

• people **departing** from America
  미국에서 출발한 사람들

impart [impá:rt] ⓥ 주다, 전하다, 알리다

• **impart** knowledge to clients
  의뢰인들에게 지식을 주다

revolution VS evolution

revolution [rèvəlú:ʃən] ⓝ 1. 혁명 2. 공전

• the French **Revolution** of 1789
  1789년 프랑스 혁명

evolution [èvəlú:ʃən] ⓝ 진화

• the theory of **evolution**
  진화론

perspective VS prospective

perspective [pə:rspéktiv] ⓝ 관점

• from a different **perspective**
  다른 관점에서

prospective [prəspéktiv] ⓐ 예상되는 ⓝ 전망

• the **prospective** costs of providing pensions
  연금지급 예상 비용

disposal VS disposition

disposal [dispóuzəl] ⓝ 제거, 처분권

• at our **disposal**
  우리가 원하는 대로 쓸 수 있는

disposition [dìspəzíʃən] ⓝ 1. 배열 2. 기질

• a **disposition** towards criminal behavior
  범죄 행위를 할 성향

cultivation  civilization

cultivation [kʌ̀ltəvéiʃən] ⓝ 경작, 재배
- fields under **cultivation**
  경작 중인 농지

civilization [sìvələzéiʃən] ⓝ 문명
- the history of Western **civilization**
  서구 **문명**의 역사

exploit  explore

exploit [iksplɔ́it] ⓥ 이용하다, 착취하다, 개발하다
- **exploit** the mineral wealth
  광물 자원을 **이용하다**

explore [iksplɔ́ːr] ⓥ 탐험하다
- **explore** unknown regions
  알려지지 않은 지역을 **탐험하다**

dissent  decent

dissent [disént] ⓝ 반대
- voices of **dissent**
  반대의 목소리

decent [díːsənt] ⓐ 알맞은, 예의바른
- behave in a **decent** way
  예의바른 방식으로 행동하다

sensitive  sensible

sensitive [sénsətiv] ⓐ 세심한, 예민한
- a baby's **sensitive** skin
  아기의 **민감한** 피부

sensible [sénsəbəl] ⓐ 분별있는, 합리적인
- a **sensible** way of dealing with the problem
  문제를 처리하는 **현명한** 방법

afflict  inflict

afflict [əflíkt] ⓥ 괴롭히다, 피해를 입히다
- a country **afflicted** by famine
  가난으로 **고통받는** 나라

inflict [inflíkt] ⓥ (괴로움 등을) 가하다
- **inflict** harm on a helpless animal
  무력한 동물에게 **고통을 가하다**

day
25

head  thread

head [hed] ⓝ 머리, 우두머리
　　　　ⓥ ~로 향하다(for)
- add numbers in one's **head**
  머리 속으로 덧셈하다(**암산**하다)

thread [θred] ⓝ 실, 가닥
- the **threads** of a spiderweb
  거미줄의 **실**

memorable  memorial

memorable [mémərəbəl] ⓐ 기억할 만한	memorial [mimɔ́ːriəl] ⓐ 추모의
• **memorable** line of the play 연극에서 **기억할 만한** 대사	• hold a **memorial** service for the dead 고인을 위해 **추모**제를 열다

signature  signal

signature [sígnətʃər] ⓝ 서명, 사인	signal [sígnəl] ⓝ (동작·소리로 하는) 신호
• write one's **signature** on a document 서류에 **서명**을 하다	• give **signals** to begin and finish 시작과 종료를 알리는 **신호**를 보내다

receipt  reception

receipt [risíːt] ⓝ 영수증	reception [risépʃən] ⓝ (호텔 등의) 접수처
• need a **receipt** to get a refund 환불을 받기 위해서 **영수증**이 필요하다	• a **reception** desk **접수처**

destruction  separation

destruction [distrʌ́kʃən] ⓝ 파괴	separation [sèpəréiʃən] ⓝ 분리
• the **destruction** of ecosystems 생태계의 **파괴**	• **separation** of text and pictures 글과 그림의 **분리**

by all means  by no means

by all means 반드시, 어떻게 해서라도	by no means 결코 ~가 아닌
• Please come to the party **by all means**. **반드시** 파티에 오세요.	• It is **by no means** clear what you said. 당신이 말한 건 **전혀** 명확하지 **않아**.

be concerned about be concerned with

be concerned about ~를 염려하다, ~을 걱정하다	be concerned with ~과 관련이 있다, ~에 관심이 있다
• **be concerned about** one's safety ~의 안전을 **염려하다**	• those who **are concerned** only **with** power 권력에만 **관심 있는** 사람들

A 다음 단어에 해당하는 우리말을 쓰시오.

01 suspect _______________
02 emit _______________
03 disposal _______________
04 appliance _______________
05 expand _______________
06 destruction _______________
07 successive _______________
08 exploit _______________
09 literature _______________
10 by all means _______________

B 다음 단어에 해당하는 영어단어를 쓰시오.

01 익은, 숙성한 _______________
02 묘사, 서술 _______________
03 반대 _______________
04 진화 _______________
05 출발하다 _______________
06 추모의 _______________
07 세심한, 예민한 _______________
08 최적의 _______________
09 비밀의 _______________
10 ~을 염려하다 _______________

C 한글 뜻에 맞는 어휘를 찾아서 ✓ 하세요.

01 ☐ substitute / ☐ constitute cola for water 물을 콜라로 대체하다

02 participate in the ☐ confidence / ☐ conference 회의에 참가하다

03 ☐ imaginary / ☐ imaginative world of dragons and unicorns 용과 유니콘의 가상 세계

04 from a different ☐ prospective / ☐ perspective 다른 관점에서

05 ☐ afflict / ☐ inflict harm on a helpless animal 무력한 동물에게 고통을 가하다

D 다음 문맥에 알맞은 단어로 가장 적절한 것을 고르시오.

01 Some laws exist to discourage citizens from participating in [immoral/immortal] activities, such as gambling.

02 Many scientists believe a large asteroid caused the dinosaurs to become [extinct/instinct] millions of years ago.

03 Theater patrons should be [considerable/considerate] of others and turn off cell phones before the movie begins.

04 Fire fighters were unable to [distinguish/extinguish] the blaze before the flames consumed the entire building.

05 The hospital reserves the right to dismiss staff members for failing to behave in an [ethical/ethnic] manner when dealing with patients.

주요 혼동어 (2) Confusing Words

eligible  illegible

eligible [élidʒəbəl] ⓐ 자격이 있는

- be **eligible** to vote
  투표할 **자격이 있다**

illegible [ilédʒəbəl] ⓐ 읽기 어려운,
판독하기 어려운

- **illegible** handwriting
  읽기 어려운 손글씨

prospect  retrospect

prospect [práspekt] ⓝ 가능성, 기대

- see **prospect** of improving
  개선될 **가능성**을 보다

retrospect [rétrəspèkt] ⓝ 회고, 회상

- in **retrospect** of life
  인생을 **회고**하며

persecute  prosecute

persecute [pə́ːrsikjùːt] ⓥ 박해하다

- Jews **persecuted** by the Nazis
  나치에 의해 **박해 당한** 유태인

prosecute [prásəkjùːt] ⓥ 기소하다

- be **prosecuted** for bribery
  뇌물죄로 **기소 당하다**

respectful  respective

respectful [rispéktfəl] ⓐ 공손한, 경의를 표하는

- listen in **respectful** silence
  경의를 표하며 조용히 듣다

respective [rispéktiv] ⓐ 각자의, 각각의

- the **respective** roles of teachers and students
  교사와 학생의 **각자의** 역할

simultaneous vs spontaneous

simultaneous [sàiməltéiniəs] ⓐ 동시의

- **simultaneous** release of the movie
  영화 **동시** 개봉

spontaneous [spantéiniəs] ⓐ 자발적인,
무의식적인

- **spontaneous** applause and admiration
  자발적인 박수와 감탄

deliberate  delicate

deliberate[dilíbərit] ⓐ 1. 고의의 2. 사려깊은
- a **deliberate** attempt to steal money
  돈을 훔치려는 **고의적인** 시도

delicate[délikət] ⓐ 섬세한, 고운
- **delicate** lace curtains
  섬세한 레이스 커튼

confirm  conform

confirm[kənfə́:rm] ⓥ 굳게하다, 확인하다
- **confirm** the date and time
  날짜와 시간을 **확인하다**

conform[kənfɔ́:rm] ⓥ 따르다, 부응하다
- **conform** to the way of thinking
  사고방식에 **따르다**

design  designate

design[dizáin] ⓥ 디자인하다, 고안하다
- specially **designed** software
  특별하게 **고안된** 소프트웨어

designate[dézignèit] ⓥ 지정하다
- **designated** as a National Monument
  천연기념물로 **지정된**

adapt  adopt

adapt[ədǽpt] ⓥ 적응하다
- **adapt** to changing conditions
  변화하는 환경에 **적응하다**

adopt[ədápt] ⓥ 채택하다
- **adopt** similar business methods
  비슷한 경영 방식을 **채택하다**

concentrate  contaminate

concentrate[kánsəntrèit] ⓥ 집중하다, 전념하다
- **concentrate** one's attention on~
  ～에 주의를 **집중하다**

contaminate[kəntǽmənèit]
ⓥ (병원균 등으로) 오염시키다, 더럽히다
- the wound **contaminated** by bacteria
  박테리아에 **감염된** 상처

apprehensive  comprehensive

apprehensive[æ̀prihénsiv] ⓐ 염려하는
- have an **apprehensive** look on one's face
  얼굴에 **염려하는** 빛이 보이다

comprehensive[kàmprihénsiv]
ⓐ 포괄적인, 광범위한
- have **comprehensive** knowledge
  광범위한 지식을 가지고 있다

moderate VS modest

moderate [mάdərət] ⓐ 보통의, 온건한, 알맞은

• rich soil and a **moderate** climate
  풍부한 토양과 **알맞은** 기후

modest [mάdist] ⓐ 겸손한, 적당한, 수수한

• **modest** living standards
  적당한 생활 수준

approach VS reproach

approach [əpróutʃ] ⓝ 접근, 접근법

• take a team-based **approach**
  팀에 기초한 **접근법**을 취하다

reproach [ripróutʃ] ⓝ 비난, 질책

• in a voice full of **reproach**
  비난이 가득한 목소리로

convenience VS consequence

convenience [kənví:njəns] ⓝ 편의, 편리성

• **conveniences** of online communication
  온라인 통신의 **편리함**

consequence [kάnsikwèns] ⓝ 결과

• have disastrous **consequences**
  참담한 **결과**를 낳다

prosperity VS property

prosperity [prɑspérəti] ⓝ 번영, 번성, 번창

• a period of **prosperity** for our nation
  우리 나라가 **번영**한 시기

property [prάpərti] ⓝ 1. 사물의 속성 2. 재산

• have similar physical **properties**
  비슷한 물리적 **성질**을 가지고 있다

acquisition VS acquaintance

acquisition [ӕkwəzíʃən] ⓝ 획득, 습득

• **acquisition** of language
  언어의 **습득**

acquaintance [əkwéintəns] ⓝ 지인, 아는 사람

• have a wide **acquaintance**
  아는 사람이 많다

industrial VS industrious

industrial [indΛstriəl] ⓐ 산업의

• the **Industrial** Revolution
  산업 혁명

industrious [indΛstriəs] ⓐ 부지런한

• a competent and **industrious** worker
  유능하고 **부지런한** 직원

blow  glow

blow[blou] ⓥ 불다, 바람에 날리다
- the wind **blowing** from the sea
  바다에서 **불어오는** 바람

glow[glou] ⓥ 백열하다 ⓝ 백열, 달아오름
- fireplace **glowing** with fire
  불로 **달아오른** 벽난로

instinctive  distinctive

instinctive[instíŋktiv] ⓐ 본능적인, 직관적인
- a mother's **instinctive** love
  어머니의 **본능적인** 사랑

distinctive[distíŋktiv] ⓐ 특유의, 특이한, 차이를 나타내는
- a smooth, rich coffee with a **distinctive** flavor
  특유한 풍미가 있는 부드럽고, 풍부한 맛의 커피

ambiguous  ambitious

ambiguous[æmbígjuəs] ⓐ 모호한
- an **ambiguous** expression
  모호한 표현

ambitious[æmbíʃəs] ⓐ 야심에 찬, 패기만만한
- an **ambitious** young lawyer
  야심에 찬 젊은 변호사

humility  humiliation

humility[hjuːmíləti] ⓝ 겸손
- accept the honor with **humility**
  겸손하게 영광을 받아들이다

humiliation[hjuːmìliéiʃən] ⓝ 굴욕, 창피
- risk public **humiliation**
  사람들 앞에서의 **굴욕**을 무릅쓰다

confined  compared

confined[kənfáind] ⓐ 갇힌, 외출이 금지된
- the animals **confined** in a pen
  우리에 **갇힌** 동물들

compared[kəmpɛ́ərd] ⓟ ~와 비교해서, ~에 비해
- the easy test **compared** to the last one
  지난 번**에 비해** 쉬운 시험

burglar  vulgar

burglar[bɔ́ːrglər] ⓝ 밤도둑질, 강도
- alarms with a high chance of detecting **burglars**
  도둑에 대한 감지도가 높은 경보장치

vulgar[vʌ́lgər] ⓐ 상스러운, 저속한
- **vulgar** behavior and language
  저속한 행동과 언어

day
26

replace  misplace

replace [ripléis] ⓥ 1. 바꾸다 2. 대신하다

- **replace** a laptop computer with i-pad
  노트북을 아이패드로 **바꾸다**

misplace [mispléis] ⓥ 잘못 두다, 둔 곳을 잊다

- **misplace** glasses and keys
  안경과 열쇠 **둔 곳을 잊다**

exposure  exposition

exposure [ikspóuʒər] ⓝ 노출, 폭로

- risk **exposure** to the flu
  독감에 **노출**될 위험을 감수하다

exposition [èkspəzíʃən] ⓝ 1. 설명, 해설
  2. 박람회

- a clear **exposition** of his ideas
  그의 생각에 대한 분명한 **설명**

comply  compile

comply [kəmplái] ⓥ 응하다, 따르다

- **comply** with the above rules
  위의 규칙에 **따르다**

compile [kəmpáil] ⓥ 편집하다, 수집하다

- **compile** short stories on ghosts
  유령에 관한 짧은 이야기들을 **수집하다**

retire  resign

retire [ritáiər] ⓥ 퇴직하다, 은퇴하다

- **retire** from teaching English
  영어를 가르치는 일에서 **은퇴하다**

resign [rizáin] ⓥ 사임하다, 사직하다

- forced to **resign** as mayor
  시장 자리에서 **사임하라**는 압박을 받다

thrifty  thirsty

thrifty [θrífti] ⓐ 절약하는, 검소한

- be accustomed to a **thrifty** lifestyle
  검소한 생활 방식에 익숙하다

thirsty [θə́ːrsti] ⓐ 목마른

- **thirsty** for new experiences
  새로운 경험에 **목마른**

tide vs tidy

tide [taid] ⓝ 1. 조수 2. 풍조

- a boat swept away in the **tide**
  조수에 휩쓸려간 배

tidy [táidi] ⓐ 단정한, 정돈된

- a neat and **tidy** room
  깔끔하고 **정돈된** 방

loyal  royal

loyal [lɔ́iəl] ⓐ 충성스러운

- a **loyal** supporter of the team
  팀의 **충성스러운** 지지자

royal [rɔ́iəl] ⓐ 왕족의

- **royal** families and their palaces
  왕실 가문과 그들의 궁전

stationary  stationery

stationary [stéiʃənèri] ⓐ 움직이지 않는, 정지된

- ride a **stationary** bicycle
  헬스 자전거(바닥에 **고정되어 움직이지 않는**)

stationery [stéiʃənèri] ⓝ 문구류, 문방구

- buy pencils at a **stationery** store
  문구점에서 연필을 사다

tuition  intuition

tuition [tʃuːíʃən] ⓝ 수업, 수업료

- **tuition** fees for private medical schools
  사립 의과대 **학비**

intuition [ìntʃuíʃən] ⓝ 직관력, 직감

- use **intuition** to decide where to invest
  투자할 곳을 결정하기 위해 **직관**을 이용하다

deliver  delay

deliver [dilívər] ⓥ 배달하다

- have some flowers **delivered**
  꽃을 **배달시키다**

delay [diléi] ⓥ 연기시키다, 지체시키다

- a meeting **delayed** for ten minutes
  10분 **연기된** 회의

economic  economical

economic [ìːkənámik] ⓐ 경제의

- **economic** growth
  경제 성장

economical [ìːkənámikəl] ⓐ 경제적인, 실속 있는

- buy a smart phone with **economical** price
  경제적인 가격으로 스마트폰을 구매하다

ingenious  ingenuous

ingenious [indʒíːnjəs] ⓐ 기발한, 독창적인

- an **ingenious** invention
  독창적인 발명

ingenuous [indʒénjuːəs] ⓐ 순진한, 사람을 잘 믿는

- too **ingenuous** to know the reality
  현실을 알기에는 너무 **순진한**

day 26

respiration  perspiration

respiration[rèspəréiʃən] ⓝ 호흡

- **respiration** difficulty
  호흡 장애

perspiration[pə̀ːrspəréiʃən] ⓝ 땀, 땀 흘리기

- drops of **perspiration** on one's forehead
  이마에 맺힌 **땀**방울

altitude  aptitude

altitude[ǽltətjùːd] ⓝ (해발) 고도

- at an **altitude** of 40,000 feet
  40,000피트 **고도**의

aptitude[ǽptətùːd] ⓝ 소질, 적성

- have a natural **aptitude** for ~
  ~에 타고난 **소질**이 있다

prefer  prepare

prefer[prifə́ːr] ⓥ ~을 (더) 좋아하다

- **prefer** sports to reading
  독서 보다 운동을 **더 좋아하다**

prepare[pripɛ́ər] ⓥ 준비하다

- **prepare** food for dinner
  저녁 식사를 **준비하다**

be engaged in  be engaged to

be engaged in ~에 종사하고 있다

- Harry **is engaged in** a new job.
  Harry는 새로운 일에 **종사하고 있다**.

be engaged to ~와 약혼한 사이다

- Brad **is engaged to** his girlfriend.
  Brad는 여자친구**와 약혼한 사이다**.

provide A with B  provide B for (to) A

provide A with B A에게 B를 제공하다

- **provide** the children **with** free balloons
  아이들**에게** 무료 풍선을 **제공하다**

provide B for[to] A A를 위해 B를 준비하다

- **provide** new uniforms **for** the band
  밴드를 **위해** 새 유니폼을 **준비하다**

work out VS work on

work out 운동하다

- **work out** at the local gym
  지역 체육관에서 **운동하다**

work on ~에 착수하다, ~을 연구하다

- **work on** a book about children's literature
  아동 문학에 관한 책을 **연구하다**

A 다음 단어에 해당하는 우리말을 쓰시오.

01 designate ___________

02 stationary ___________

03 perspiration ___________

04 ingenious ___________

05 resign ___________

06 prospect ___________

07 aptitude ___________

08 instinctive ___________

09 prosperity ___________

10 provide A with B ___________

B 다음 단어에 해당하는 영어단어를 쓰시오.

01 기소하다 ___________

02 설명, 해설 ___________

03 상스러운, 저속한 ___________

04 지인, 아는 사람 ___________

05 절약하는 ___________

06 직관력, 직감 ___________

07 각자의, 각각의 ___________

08 겸손한, 수수한 ___________

09 집중하다 ___________

10 ~에 종사하고 있다 ___________

C 한글 뜻에 맞는 어휘를 찾아서 ✓ 하세요.

01 ☐ loyal / ☐ royal   families and their palaces   왕실 가문과 그들의 궁전

02 accept the honor with   ☐ humility / ☐ humiliation   겸손하게 영광을 받아들이다

03 ☐ confirm / ☐ conform   the date and time   날짜와 시간을 확인하다

04 in a voice full of   ☐ approach / ☐ reproach   비난이 가득한 목소리로

05 ☐ work on / ☐ work out   at the local gym   지역 체육관에서 운동하다

D 다음 문맥에 알맞은 단어로 가장 적절한 것을 고르시오.

01 The ending of the story was **[ambiguous/ambitious]** and open to multiple interpretations by the readers.

02 All students must **[comply/compile]** with the university's dress code when attending classes on campus.

03 The witness told a **[delicate/deliberate]** lie to the police to avoid implicating his close friends in the crime.

04 The doctor wrote the prescription hastily, so the pharmacist had difficulty deciphering the **[eligible/illegible]** handwriting.

05 Health professionals encourage everyone to have a(n) **[apprehensive/comprehensive]** medical checkup every year to diagnose any possible problems.

주요 혼동어 (3) Confusing Words

---

beneficial VS beneficent

beneficial [bènəfíʃəl] ⓐ 유익한, 이로운

- **beneficial** effects of music
  음악의 **이로운** 효과

beneficent [bənéfəsənt] ⓐ 도움을 주는, 선을 베푸는

- carry on **beneficent** work
  자선사업을 하다

---

principal VS principle

principal [prínsəpəl] ⓝ 교장 ⓐ 주요한

- the **principal** of a high school
  고등학교의 **교장**

principle [prínsəpl] ⓝ 원칙, 법칙

- scientific **principles**
  과학적 **원칙**

---

friction VS fraction

friction [fríkʃən] ⓝ 마찰, 저항

- the **friction** of sandpaper on wood
  나무에 대한 사포의 **마찰**

fraction [frǽkʃən] ⓝ 부분, 일부

- a tiny **fraction** of the cookie
  작은 쿠키 **조각**

---

diversity VS diversion

diversity [daivə́ːrsəti] ⓝ 다양성

- understand cultural **diversity**
  문화적 **다양성**을 이해하다

diversion [divə́ːrʒən] ⓝ (방향) 바꾸기, 전환

- **diversion** of water for power generation
  전력 생산을 위한 물의 **방향 전환**

---

integration VS integrity

integration [ìntəgréiʃən] ⓝ 통합

- **integration** into a wider social network
  더 폭넓은 사회망(소셜 네트워크)으로 **통합**

integrity [intégrəti] ⓝ 진실성, 완전한 상태

- a man of great moral **integrity**
  도덕적으로 매우 **청렴한** 사람

---

preserve  persevere

preserve [prizə́:rv] ⓥ 지키다, 보호하다

- **preserve** natural habitats
  자연 서식지를 **보호하다**

persevere [pə̀:rsəvíər] ⓥ 인내하며 계속하다

- **persevere** and finish the race
  인내하며 경기를 끝내다

literal  literary

literal [lítərəl] ⓐ 문자 그대로의, 사실 그대로의

- a **literal** and symbolic meaning of 'fire'
  불의 **문자적** 그리고 상징적 의미

literary [lítərèri] ⓐ 문학의, 문학적인

- stories in **literary** magazines
  문학 잡지의 이야기들

expel  compel

expel [ikspél] ⓥ 퇴학시키다, 축출하다

- **expelled** from a foreign country
  외국에서 **추방된**

compel [kəmpél] ⓥ 강요하다

- **compel** students to wear uniforms
  학생들에게 교복을 입도록 **강요하다**

thorough  through

thorough [θə́:rou] ⓐ 빈틈없는, 철두철미한

- conduct a **thorough** investigation
  철저한 수사를 하다

through [θru:] ⓟ ~을 통해, 통과하여

- see things **through** a camera
  카메라를 **통해** 바라보다

access  excess

access [ǽkses] ⓝ (장소로의) 입장, 접속, 접근권한

- have **access** to restricted areas
  통제구역의 **접근권**을 가지다

excess [iksés] ⓝ (어떤 정도를) 지나침, 과도, 과잉

- in **excess** of 100 miles per hour
  시속 100마일을 **초과**하여

awesome  awful

awesome [ɔ́:səm] ⓐ 경탄할 만한, 어마어마한

- have an **awesome** time
  환상적인 시간을 보내다

awful [ɔ́:fəl] ⓐ 끔찍한, 지독한

- have some **awful** disease
  끔찍한 질병을 앓다

day
27

hardness  vs hardship

hardness	hardship
hardness [há:rdnis] ⓝ 단단함, 견고함	hardship [há:rdʃip] ⓝ 어려움, 고난, 궁핍
• **hardness** of a diamond 다이아몬드의 **단단함**	• face many **hardships** 많은 **어려움에** 직면하다

former vs formal

former	formal
former [fɔ́:rmər] ⓐ (시간상으로) 예전의	formal [fɔ́:rməl] ⓐ 격식을 차린, 공식적인
• a **former** baseball player 전(前) 야구 선수	• a **formal** agreement between the countries 국가들 사이의 **공식** 협정

meditation  vs medication

meditation	medication
meditation [mèdətéiʃən] ⓝ 명상, 묵상	medication [mèdəkéiʃən] ⓝ 약, 약물(치료)
• enrich life through **meditation** **명상**을 통해 삶을 풍요롭게 하다	• **medication** for high blood pressure 고혈압의 **약물 치료**

intelligible vs intelligent

intelligible	intelligent
intelligible [intélədʒəbəl] ⓐ 뜻이 분명한, 이해할 수 있는	intelligent [intélədʒənt] ⓐ 지적인
• choose an **intelligible** book **쉽게 이해할 수 있는** 책을 고르다	• have an **intelligent** conversation with writers 작가와 **지적인** 대화를 나누다

observation  vs observance

observation	observance
observation [àbzərvéiʃən] ⓝ 관찰, 관측	observance [əbzə́:rvəns] ⓝ (법률·규칙 등의) 준수
• based on scientific **observations** 과학적 **관찰**에 근거한	• strict **observance** of the law 법의 엄격한 **준수**

marble  vs marvel

marble	marvel
marble [má:rbəl] ⓝ 대리석	marvel [má:rvəl] ⓥ 경탄하다 ⓝ 경이(로운 것)
• columns made of white **marble** 흰 **대리석**으로 만든 기둥	• **marvel** over the beauty of the city 도시의 아름다움에 대한 **경탄**

objective  objection

objective [əbdʒéktiv] ⓝ 목적, 목표

- the best way to accomplish your **objectives**
  당신의 **목표**를 달성하기 위한 최고의 방법

objection [əbdʒékʃən] ⓝ 이의, 반대

- raise no **objections** to the plan
  계획에 어떠한 **반대**도 제기하지 않다

conscious  conscientious

conscious [kánʃəs] ⓐ 의식하는, 자각하는

- be **conscious** of someone watching me
  누군가 나를 지켜보고 있다는 것을 **의식하**다

conscientious [kànʃiénʃəs] ⓐ 양심적인, 성실한

- a **conscientious** and hard-working student
  성실하며 근면한 학생

hesitancy  consistency

hesitancy [hézətənsi] ⓝ 주저, 망설임

- without the least **hesitancy**
  조금의 **망설임**도 없이

consistency [kənsístənsi]
　　　　ⓝ (태도·의견 등이) 한결같음, 일관성

- study with great **consistency**
  꾸준히 공부하다

contempt  contemplate

contempt [kəntémpt] ⓝ 경멸, 멸시

- show **contempt** for politicians
  정치인들을 **경멸**하다

contemplate [kántəmplèit] ⓥ 심사숙고하다

- **contemplate** the meaning of life
  삶의 의미에 대해 **생각하다**

stain  strain

stain [stein] ⓥ 얼룩지게 하다, 더럽히다

- **stain** the carpet
  카펫을 **더럽히다**

strain [strein] ⓝ 부담, 압박감

- under a lot of stresses and **strains**
  많은 스트레스와 **압박감**에 시달리는

historic historical

historic [histɔ́(:)rik] ⓐ 역사적으로 중요한, 역사에 남을 만한

- a very impórtant **historic** event
  역사적으로 매우 중요한 사건

historical [histɔ́(:)rikəl] ⓐ 역사적, 역사상의

- **historical** accuracy of the movie
  그 영화의 **역사적** 정확성

day
27

inhibit  inhabit

inhibit [inhíbit] ⓥ 억제하다, 방해하다
- factors **inhibiting** good sleep
  숙면을 **방해하는** 요인들

inhabit [inhǽbit] ⓥ (특정 지역에) 살다, 서식하다
- **inhabited** islands
  사람이 **사는** 섬

evolve  involve

evolve [iválv] ⓥ 발달하다, 진화하다
- **evolve** from prehistoric sea creatures
  선사 시대의 바다 생물체에서 **진화하다**

involve [inválv] ⓥ 수반하다, 참여시키다
- **involve** children in the game
  아이들을 게임에 **참여시키다**

soar  roar

soar [sɔːr] ⓥ (가치·물가 등이) 급증하다, 급등하다
- **soaring** unemployment
  급등하는 실업률

roar [rɔːr] ⓥ (큰 짐승 등이) 으르렁거리다
- afraid of **roaring** lions
  으르렁거리는 사자를 무서워하는

commend  commence

commend [kəménd] ⓥ 칭찬하다, 권하다
- be highly **commended**
  매우 **칭찬을 받다**

commence [kəméns] ⓥ 시작되다, 개시하다
- **commence** with an introduction to Art Theory
  예술론에 대한 소개로 **시작하다**

optical VS optional

optical [áptikəl] ⓐ 시각적인
- scare an audience with **optical** effects
  시각효과로 관중을 겁주다

optional [ápʃənəl] ⓐ 선택적인
- three **optional** courses
  세 개의 **선택**과정

heritage VS heredity

heritage [héritidʒ] ⓝ 유산
- preserve the natural **heritage**
  자연 **유산**을 보호하다

heredity [hirédəti] ⓝ 유전
- personality formed by **heredity**
  유전에 의해 형성된 성격

lawn  loan

lawn[lɔːn] ⓝ 잔디, 잔디밭

- cut the **lawn**
  잔디를 깎다

loan[loun] ⓝ 대출, 대출금

- pay off a **loan**
  빚을 갚다

sensational  sentimental

sensational[senséiʃənəl] ⓐ 돌풍을 일으키는, 선풍적인

- **sensational** newspaper stories
  선풍적인 신문 기사

sentimental[sèntiméntl] ⓐ 정서적인, 감정적인

- keep something for **sentimental** reasons
  무언가를 **감정적인** 이유로 간직하다

complement  compliment

complement[kámpləmənt] ⓥ 보완하다

- a sweater perfectly **complemented** by a scarf
  스카프에 의해 완벽히 **보완된** 스웨터

compliment[kámpləmənt] ⓝ 칭찬, 찬사

- give someone a **compliment**
  ~에게 **찬사**를 보내다

command  comment

command[kəmǽnd] ⓥ 명령하다

- **command** troops to open fire
  부대에 발포 **명령을 내리다**

comment[kámənt] ⓝ 논평, 언급

- read a **comment** about a film
  영화에 관한 **평론**을 읽다

negligent  negligible

negligent[néɡlidʒənt] ⓐ 태만한, 부주의한

- **negligent** driving
  부주의한 운전

negligible[néɡlidʒəbəl] ⓐ 무시해도 좋은, 하찮은

- disregard a **negligible** error
  하찮은 오류를 무시하다

perish  polish

perish[périʃ] ⓥ (끔찍하게) 죽다, 소멸되다

- ancient languages **perished** over time
  시간이 지나면서 **소멸된** 고대 언어

polish[páliʃ] ⓥ 1. (윤이 나도록) 닦다 2. 다듬다

- have shoes **polished**
  구두가 **윤이 나게** 하다 (구두를 **닦다**)

day
27

deficient vs definitive

deficient [difíʃənt] ⓐ 부족한, 결핍된

- **deficient** in an essential amino acid
  필수 아미노산이 **부족한**

definitive [difínətiv] ⓐ 최종적인, 확정적인

- a **definitive** victory
  확정적인 승리

jealous vs zealous

jealous [dʒéləs] ⓐ 질투하는, 시기하는

- be **jealous** of his wealthy neighbor
  부유한 이웃을 **시기하**다

zealous [zéləs] ⓐ 열심인

- the candidate's **zealous** supporters
  후보자의 **열렬한** 지지자들

desirable vs desirous

desirable [dizáiərəbəl] ⓐ 바람직한, 호감 가는, 가치 있는

- achieve a **desirable** result
  바람직한 결과를 얻다

desirous [dizáiərəs] ⓐ 바라는, 원하는

- be **desirous** of change
  변화를 **바라**다

competent vs competitive

competent [kámpətənt] ⓐ 능숙한, 유능한

- a highly **competent** scholar
  매우 **유능한** 학자

competitive [kəmpétətiv] ⓐ 경쟁하는, 경쟁력 있는

- become a **competitive** person
  경쟁력 있는 사람이 되다

be bound for vs be bound to + V

be bound for ~행이다, ~로 향하다

- The train **is bound for** Busan.
  이 기차는 부산**으로 향한다**.

be bound to ~할 가능성이 높다, 꼭 ~해야 한다

- Hard working students **are bound to** achieve their goals.
  성실한 학생들은 목표를 달성할 **가능성이 높다**.

turn down vs slow down

turn down (소리·온도 등을) 낮추다

- **turn down** the radio
  라디오 음량을 **낮추다**

slow down 느긋해지다, 늦추다

- **slow down** the aging process
  노화의 진행을 **늦추다**

A 다음 단어에 해당하는 우리말을 쓰시오.

01 literal ___________________
02 observance ___________________
03 excess ___________________
04 soar ___________________
05 principal ___________________
06 command ___________________
07 integrity ___________________
08 deficient ___________________
09 contempt ___________________
10 be bound for ___________________

B 다음 단어에 해당하는 영어단어를 쓰시오.

01 경탄하다, 경이 ___________________
02 지적인 ___________________
03 (경제적) 어려움 ___________________
04 대출금 ___________________
05 시작하다 ___________________
06 얼룩지게 하다 ___________________
07 마찰, 저항 ___________________
08 열심인 ___________________
09 보완하다 ___________________
10 (소리 등을) 낮추다 ___________________

C 한글 뜻에 맞는 어휘를 찾아서 ✓ 하세요.

01 ☐ meditation / ☐ medication — for high blood pressure — 고혈압의 약물치료

02 study with great — ☐ hesitancy / ☐ consistency — 꾸준히 공부하다

03 ☐ preserve / ☐ persevere — natural habitats — 자연 서식지를 보호하다

04 personality formed by — ☐ heritage / ☐ heredity — 유전에 의해 형성된 성격

05 ☐ conscious / ☐ conscientious — of someone watching me — 누군가 나를 지켜보고 있는 것을 의식하다

D 다음 문맥에 알맞은 단어로 가장 적절한 것을 고르시오.

01 The main **[objection/objective]** of today's orientation session is to introduce everyone to our company's products.

02 Several species of endangered birds **[inhibit/inhabit]** this forest, so the government has made it a wildlife refuge.

03 Richard's constant disregard for safety regulations **[expelled/compelled]** the management to terminate his contract.

04 The fire created a **[diversity/diversion]** and allowed the fugitive to evade the police officers in pursuit.

05 The traffic accident was caused by a **[negligent/negligible]** driver who was using a cell phone while behind the wheel of his car.

주요 반의어 (1) Opposite Words

permission  prohibition

permission [pəːrmíʃən] ⓝ 허가

- get **permission** from one's parents
  부모님으로부터 **허락**을 받다

prohibition [pròuhibíʃən] ⓝ 금지

- the **prohibition** of smoking in restaurants
  식당에서 흡연 **금지**

practice  theory

practice [prǽktis] ⓝ 실제

- the theory and **practice** of music
  음악의 이론과 **실제**

theory [θíəri] ⓝ 이론

- Darwin's **theory** of evolution
  다윈의 진화**론**

uncomplicated  intricate

uncomplicated [ʌnkámpləkèitid]
　　　　　　　　ⓐ 복잡하지 않은

- **uncomplicated** machinery
  복잡하지 않은 기계

intricate [íntrəkit] ⓐ 복잡한

- **intricate** patterns
  복잡한 패턴

material  spiritual

material [mətíəriəl] ⓐ 물질계의

- out of the **material** world
  물질계로부터

spiritual [spírit∫uəl] ⓐ 정신적인

- the emotional and **spiritual** needs of patients
  환자의 감정적 그리고 **정신적** 요구

prosperity  poverty

prosperity [prɑspérəti] ⓝ 번영

- a time of economic **prosperity**
  경제적 **번영**의 시기

poverty [pávərti] ⓝ 빈곤, 가난

- conditions of extreme **poverty**
  극도로 **가난**한 상태

include  exclude

include [inklú:d] ⓥ 포함하다
- the hotel room charge **including** breakfast
  조식이 **포함된** 호텔 숙박비

exclude [iksklú:d] ⓥ 제외하다
- Jeju tour **excluding** Mt. Hanra
  한라산이 **제외된** 제주도 여행

reason  intuition

reason [rí:zən] ⓝ 이성
- based on **reason**, not emotion
  감정이 아닌 **이성**을 바탕으로

intuition [ìntjuíʃən] ⓝ 직관
- feminine **intuition**
  여자의 **직감**

analyze  synthesize

analyze [ǽnəlàiz] ⓥ 분석하다
- **analyze** problems
  문제를 **분석하다**

synthesize [sínθəsàiz] ⓥ 합성하다, 종합하다
- **synthesize** rock and Korean traditional rhythms
  락 음악과 한국 전통 리듬을 **종합하다**

resistance  submission

resistance [rizístəns] ⓝ 저항, 반항, 반대
- a stubborn **resistance** to change
  변화에 대한 완강한 **저항**

submission [səbmíʃən] ⓝ 굴복, 복종, 항복
- beat somebody into **submission**
  누군가를 패배시켜 **굴복**시키다

retail  wholesale

retail [rí:teil] ⓝ 소매
- **retail** price
  소매 가격

wholesale [hóulsèil] ⓝ 도매
- how to buy clothes **wholesale**
  옷을 **도매**로 구입하는 법

revenue  expenditure

revenue [révənjù:] ⓝ 수익, 세입
- double advertising **revenues**
  두 배의 광고 **수익**

expenditure [ikspénditʃər] ⓝ 경비, 지출, 세출
- urban workers' annual **expenditure**
  도시 근로자의 연간 **지출**

day
28

deliberate  unintentional

deliberate [dilíbərit] ⓐ 의도적인, 고의적인

- a **deliberate** lie
  의도적인 거짓말

unintentional [ʌ̀nintén∫ənəl] ⓐ 의도치 않은, 고의가 아닌

- make an **unintentional** error
  의도치 않은 실수를 하다

reward  punishment

reward [riwɔ́ːrd] ⓝ 보상, 보답

- a **reward** for working hard
  열심히 근무한 것에 대한 **보상**

punishment [pʌ́ni∫mənt] ⓝ 처벌

- ban physical **punishment** in schools
  교내 **체벌**을 금지하다

scarcity  plenty

scarcity [skɛ́ərsəti] ⓝ 부족, 결핍, 품귀

- the **scarcity** of employment opportunities
  취업 기회의 **부족**

plenty [plénti] ⓝ 풍부, 많음, 충분함

- **plenty** of time
  충분한 시간

stability  mobility

stability [stəbíləti] ⓝ 안정성

- pursue economic **stability**
  경제적 **안정**을 추구하다

mobility [moʊbíləti] ⓝ 이동성

- portable tablet for **mobility**
  이동할 수 있는 휴대용 태블릿

damaged  recovered

damaged [dǽmidʒd] ⓐ 손상된

- return **damaged** goods
  손상된 제품을 반환하다

recovered [rikʌ́vərd] ⓐ 회복된

- **recovered** from injuries
  부상에서 **회복된**

absolute  relative

absolute [ǽbsəlùːt] ⓐ 절대적인

- **absolute** power corrupts absolutely
  절대 권력은 반드시 부패한다

relative [rélətiv] ⓐ 상대적인

- **relative** value vs. absolute value
  상대적 가치 대 절대적 가치

abstract  concrete

abstract [ǽbstrækt] ⓐ 추상적인

- **abstract** notions like "equality" or "freedom"
  "평등" 또는 "자유"와 같은 **추상적인** 개념

concrete [kánkriːt] ⓐ 구체적인

- give **concrete** evidence
  구체적인 증거를 제공하다

accidental  designed

accidental [æ̀ksidéntl] ⓐ 우연의

- an **accidental** discovery
  우연한 발견

designed [dizáind] ⓐ 의도적인, 계획적인

- God's **designed** purpose
  신이 **의도한** 목적

arrogant  humble

arrogant [ǽrəgənt] ⓐ 거만한

- an **arrogant** attitude
  거만한 태도

humble [hʌ́mbəl] ⓐ 겸손한

- a modest and **humble** man
  소박하고 **겸손한** 사람

submit  dominate

submit [səbmít] ⓥ 복종하다

- **submit** to authority
  권위에 **복종하다**

dominate [dámənèit] ⓥ 지배하다

- areas **dominated** by the Roman Empire
  로마 제국의 **지배를 받는** 지역

artificial  natural

artificial [à:rtəfíʃəl] ⓐ 인공적인

- implant a permanent **artificial** heart
  영구적인 **인공** 심장을 이식하다

natural [nǽtʃərəl] ⓐ 자연적인, 타고난

- spectacular **natural** beauty
  장관을 이루는 **자연의** 아름다움

brisk  dull

brisk [brisk] ⓐ 활기찬, 활발한

- at a **brisk** pace
  활발한 걸음으로

dull [dʌl] ⓐ 따분한, 침체된

- a **dull** street on Sunday
  일요일의 **활기 없는** 거리

day 28

optimistic  pessimistic

optimistic[ὰptəmístik] ⓐ 낙관적인

• take an **optimistic** view
  낙관적인 견해를 취하다

pessimistic[pèsəmístik] ⓐ 비관적인

• a **pessimistic** view of politics
  정치에 대한 **비관적인** 견해

cheerful  gloomy

cheerful[tʃíərfəl] ⓐ 명랑한

• a **cheerful**, affectionate child
  명랑하고 다정한 아이

gloomy[glúːmi] ⓐ 우울한

• depressed by **gloomy** weather
  우울한 날씨로 기분도 우울해진

reveal  cover

reveal[rivíːl] ⓥ 드러내다, 적발하다

• **reveal** secrets
  비밀을 **드러내다**

cover[kávər] ⓥ 덮다, 감추다

• **cover** up stains with paint
  페인트 칠로 얼룩을 **덮다**

production  consumption

production[prədákʃən] ⓝ 생산, 제조, 제작

• mass **production**
  대량 **생산**

consumption[kənsámpʃən] ⓝ 소비

• dramatic rises in fuel **consumption**
  연료 **소비**의 급증

conservative  progressive

conservative[kənsə́ːrvətiv] ⓐ 보수적인

• **conservative** views on education
  교육에 대한 **보수적인** 견해

progressive[prəgrésiv] ⓐ 혁신적인, 진보적인

• a **progressive** reform by Roosevelt
  루즈벨트의 **진보적** 개혁

voluntary  compulsory

voluntary[váləntèri] ⓐ 자발적인

• do **voluntary** work
  자발적인 활동(자원봉사)을 하다

compulsory[kəmpálsəri] ⓐ 강제적인, 의무적인

• 11 years of **compulsory** education
  11년의 **의무** 교육

cultivated  savage

cultivated [kʌ́ltəvèitid] ⓐ 세련된, 교양있는

- select an item with **cultivated** taste
  세련된 취향으로 물품을 고르다

savage [sǽvidʒ] ⓐ 야만적인, 미개한

- inhuman **savage** behavior
  비인간적인 **야만적** 행동

deficient  sufficient

deficient [difíʃənt] ⓐ 부족한, 모자라는

- people **deficient** in vitamin C
  비타민 C가 **부족한** 사람

sufficient [səfíʃənt] ⓐ 충분한

- **sufficient** money to buy a sports car
  스포츠카를 구입하기에 **충분한** 돈

dense  sparse

dense [dens] ⓐ 빽빽한, 밀집한

- a **dense** forest
  빽빽한 숲(밀림)

sparse [spɑːrs] ⓐ 드문, (밀도가) 희박한

- have a **sparse** population
  인구 밀도가 **희박**하다

conceit  humility

conceit [kənsíːt] ⓝ 자만심, 잘난 척

- the **conceit** of the male singer
  남자 가수의 **자만심**

humility [hjuːmíləti] ⓝ 겸손

- a world champion of **humility**
  겸손한 세계 챔피언

drunken  sober

drunken [drʌ́ŋkən] ⓐ 술에 취한, 만취한

- accused of **drunken** driving
  음주 운전으로 기소된

sober [sóubər] ⓐ 술 취하지 않은, 맑은 정신의

- get **sober** with deep sleep
  숙면으로 **술을 깨다**

attack  defend

attack [ətǽk] ⓥ 공격하다

- army tanks **attacking** a village
  마을을 **공격하는** 군대의 탱크

defend [difénd] ⓥ 방어하다, 막다

- **defend** one's country against invaders
  조국을 침입자들로 부터 **방어하다**

day **28**

infinite  confined

infinite [ínfənit] ⓐ 무한한
- explore the **infinite** space
  무한한 우주를 탐험하다

confined [kənfáind] ⓐ 한정된, 좁은
- keep animals in **confined** spaces
  동물들은 **좁은** 공간에 두다

underestimate  overestimate

underestimate [ʌ̀ndəréstəmeit]
　　　　　　　ⓥ 과소평가하다
- **underestimate** the importance of a good education
  좋은 교육의 중요성을 **과소평가하다**

overestimate [òuvəréstəmeit]
　　　　　　　ⓥ 과대평가하다
- **overestimate** one's own ability
  자신의 능력을 **과대평가하다**

acceptance  refusal

acceptance [əkséptəns] ⓝ 수락
- a letter of **acceptance**
  합격 통지서

refusal [rifjú:zəl] ⓝ 거절, 거부
- give a firm **refusal**
  단호하게 **거절**하다

reluctant  enthusiastic

reluctant [rilʌ́ktənt] ⓐ 꺼리는, 마지못한
- **reluctant** to admit the truth
  사실을 인정하기를 **꺼리는**

enthusiastic [enθù:ziǽstik] ⓐ 열렬한, 열광적인
- **enthusiastic** supporters of the president
  대통령의 **열성적인** 지지자들

emerging  declining

emerging [imə́:rdʒiŋ] ⓐ 최근 생겨난, 신흥의
- invest in **emerging** markets
  신흥 시장에 투자하다

declining [dikláiniŋ] ⓐ 쇠퇴하는, 감소하는
- recover the **declining** employment rates
  감소하는 고용율을 회복하다

domestic  foreign

domestic [douméstik] ⓐ 국내의
- boost the **domestic** economy
  국내 경제를 부흥시키다

foreign [fɔ́(:)rin] ⓐ 외국의
- place to exchange **foreign** money
  외국 화폐를 교환하는 장소

A 다음 단어에 해당하는 우리말을 쓰시오.

01 deliberate _______________

02 intricate _______________

03 sober _______________

04 pessimistic _______________

05 accidental _______________

06 include _______________

07 permission _______________

08 savage _______________

09 wholesale _______________

10 infinite _______________

B 다음 단어에 해당하는 영어단어를 쓰시오.

01 드러내다 _______________

02 분석하다 _______________

03 부족한 _______________

04 물질의 _______________

05 방어하다 _______________

06 우울한 _______________

07 굴복, 복종 _______________

08 자만심 _______________

09 자발적인 _______________

10 과대평가하다 _______________

C 한글 뜻에 맞는 어휘를 찾아서 ✔ 하세요.

01 feminine
☐ intuition
☐ reason
여자의 직감

02 pursue economic
☐ stability
☐ mobility
경제적 안정을 추구하다

03 ☐ submit ☐ dominate to authority
권위에 복종하다

04 a letter of
☐ acceptance
☐ refusal
합격 통지서

05 ☐ reluctant ☐ enthusiastic to admit the truth
사실을 인정하기를 꺼리는

D 다음 문맥에 알맞은 단어로 가장 적절한 것을 고르시오.

01 A lack of [**abstract/concrete**] physical evidence means that a jury will not convict the suspect of the crime.

02 Food stamps and other forms of government assistance are available to families living in [**prosperity/poverty**].

03 The athlete appeared [**arrogant/humble**] in the televised interview after claiming he was the greatest player in the sport.

04 [**Scarcity/Plenty**] of housing has sparked the construction of several high-rise apartments in the eastern part of the city.

05 There is a [**conservative/progressive**] movement sprouting to improve working conditions for our nation's factory workers.

주요 반의어 (2) Opposite Words

acquire  lose

acquire[əkwáiər] ⓥ 얻다, 획득하다
- **acquire** a reputation as a perfectionist
  완벽주의자라는 평판을 **얻다**

lose[luːz] ⓥ 잃다, 지다
- **lose** all money in gambling
  도박에서 돈을 다 **잃다**

sink  float

sink[siŋk] ⓥ 가라앉다, 내려앉다
- **sink** into the deep water
  심해로 **가라앉다**

float[flout] ⓥ 뜨다, 띄우다
- clouds **floating** in the sky
  하늘에 **떠 있는** 구름

fair  biased

fair[fɛər] ⓐ 공정한, 정당한
- a **fair** distribution of wealth
  부의 **공정한** 분배

biased[báiəst] ⓐ 치우친, 편견을 지닌
- **biased** towards the practice of eating dog meat
  개고기를 먹는 관습에 대해 **편견을 가진**

compliment  criticism

compliment[kámpləmənt] ⓝ 칭찬
- take something as a **compliment**
  무언가를 **칭찬**으로 받아들이다

criticism[krítisìzəm] ⓝ 비난, 비평
- accept strong **criticism**
  신랄한 **비판**을 받아들이다

confession  denial

confession[kənféʃən] ⓝ 고백, 자백, 인정
- make a full **confession** to the police
  경찰에게 모든 것을 **자백**하다

denial[dináiəl] ⓝ 부인, 부정
- a strong **denial** of responsibility
  책임에 대한 강한 **부정**

broaden  narrow

broaden [brɔ́ːdn] ⓥ 넓히다

- **broaden** the highway
  고속도로를 **넓히다**

narrow [nǽrou] ⓥ 좁히다, 좁게하다

- **narrow** the options
  선택권을 **좁히다**

contract  expand

contract [kəntrǽkt] ⓥ 줄어들다, 수축하다

- release **contracted** muscles with massage
  마사지로 **수축된** 근육을 이완시키다

expand [ikspǽnd] ⓥ 팽창하다, 확장하다

- water frozen and **expanded** inside the pipe
  얼어서 파이프 속에서 부피가 **팽창한** 물

division  multiplication

division [divíʒən] ⓝ 분할, 나눗셈

- teach **division** in math class
  수학 시간에 **나눗셈**을 가르치다

multiplication [mʌ̀ltəplikéiʃən] ⓝ 증가, 곱셈

- memorize a **multiplication** table
  구구단을 외우다

extensive  intensive

extensive [iksténsiv] ⓐ 넓은, 광범위한

- conduct **extensive** research into ~
  ~에 대해 **광범위한** 연구를 수행하다

intensive [inténsiv] ⓐ 집약적인, 집중적인

- carry out an **intensive** study
  집중적인 연구를 실시하다

end  means

end [end] ⓝ 목적

- achieve political **ends**
  정치적 **목적**을 달성하다

means [miːnz] ⓝ 수단

- **means** of communication
  의사 소통의 **수단**

expense  income

expense [ikspéns] ⓝ 지출

- travel **expenses**
  여행 **경비**

income [ínkʌm] ⓝ 수입

- low-**income** families
  저소득 가정

day
29

flourish  collapse

flourish [flə́ːriʃ] ⓥ 번창하다, 번성하다

- **flourish** in direct sunlight
  햇빛이 직접 내리쬐는 곳에서 **번성하다**

collapse [kəlǽps] ⓥ 쇠약해지다, 붕괴되다

- the reason why the Roman Empire **collapsed**
  로마 제국이 **멸망한** 이유

guilt  innocence

guilt [gilt] ⓝ 죄가 있음, 유죄

- feelings of **guilt**
  죄책감

innocence [ínəsns] ⓝ 무죄, 결백

- prove his **innocence**
  그의 **무죄**를 입증하다

harmony  discord

harmony [háːrməni] ⓝ 조화, 일치, 화합

- tribes living in **harmony** with nature
  자연과 **조화**를 이루어 사는 부족

discord [dískɔːrd] ⓝ 불화, 불일치, 부조화

- ongoing **discord** between the two
  둘 사이의 계속되는 **불화**

haste  delay

haste [heist] ⓝ 급함, 서두름

- make **haste** to get there on time
  그 곳에 정각에 도착하기 위해 **서두르**다

delay [diléi] ⓝ 지연, 늦춤

- months of **delay** due to bad weather
  악천후로 인한 몇 개월의 **지연**

inflation  deflation

inflation [infléiʃən] ⓝ 물가 상승, 통화팽창

- a high **inflation** rate
  높은 **물가 상승률**

deflation [difléiʃən] ⓝ 경기하강, 통화수축

- severe economic **deflation**
  심각한 **경기 하강**

intake  outlet

intake [íntèik] ⓝ 흡입구, 흡입량

- daily **intake** of vitamins and minerals
  비타민과 미네랄의 하루 **섭취량**

outlet [áutlet] ⓝ 배출구, 배출량

- find an **outlet** for stress
  스트레스를 **배출할 통로**를 찾다

labor ↔ capital

labor[léibər] ⓝ 노동

- better environment for **labor** and childbirth
  노동과 출산을 위한 더 나은 환경

capital[kǽpitl] ⓝ 자본

- attract foreign **capital**
  외국 **자본**을 유치하다

continuous ↔ interrupted

continuous[kəntínjuəs] ⓐ 계속되는, 지속적인

- batteries with up to five hours of **continuous** use
  5시간 **연속** 사용 가능한 배터리

interrupted[ìntərʌ́ptid] ⓐ 가로막힌, 중단된

- a lecture **interrupted** with frequent questions
  잦은 질문으로 **중단된** 강의

modesty ↔ arrogance

modesty[mádisti] ⓝ 겸손

- accept the award with **modesty**
  겸손하게 상을 받다

arrogance[ǽrəgəns] ⓝ 오만

- the movie star's **arrogance** and rudeness
  그 영화 배우의 **오만함**과 무례함

degrade ↔ upgrade

degrade[digréid] ⓥ 질을 낮추다

- **degrade** the image quality
  화질을 **낮추다**

upgrade[ʌ́pgrèid] ⓥ 질을 높이다

- **upgrade** your computer skills
  당신의 컴퓨터 기술을 **향상시키다**

hostile ↔ favorable

hostile[hástl] ⓐ 적대시하는, 불친절한

- a result of a **hostile** attitude
  적대적인 태도의 결과

favorable[féivərəbəl] ⓐ 우호적인

- **favorable** to the idea
  그 생각에 **우호적인**

motion ↔ rest

motion[móuʃən] ⓝ 움직임, 이동, 운동, 몸짓

- Newton's first law of **motion**
  뉴턴의 제1**운동** 법칙

rest[rest] ⓝ 휴식, 쉼, 정지

- get some **rest**
  휴식을 좀 취하다

dynamic  static

dynamic[dainǽmik] ⓐ 동적인, 활동적인

• a person with a **dynamic** personality
활동적인 성격을 지닌 사람

static[stǽtik] ⓐ 정적인

• remain **static** for a long period
오랫동안 **정적인** 상태로 유지하다

abundant  scarce

abundant[əbʌ́ndənt] ⓐ 충분한, 풍부한

• an **abundant** supply of fresh water
담수의 **충분한** 공급

scarce[skɛərs] ⓐ 모자라는, 불충분한

• allocate **scarce** resources
부족한 자원을 할당하다

elaborate  plain

elaborate[ilǽbərèit] ⓐ 공들인, 정교한

• develop an **elaborate** plan
정교한 계획을 세우다

plain[plein] ⓐ 소박한, 간단한

• a **plain** wooden table
소박한 나무 탁자

implicit 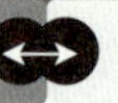 explicit

implicit[implísit] ⓐ 암시적인, 함축적인

• the **implicit** meaning in his remark
그의 언급에 **암시된** 의미

explicit[iksplísit] ⓐ 명시적인, 분명한

• give **explicit** instructions
명확한 지시를 내리다

implied  expressed

implied[implʌ́id] ⓐ 함축된, 암시된

• **implied** contents of the contract
계약서에 **암시된** 내용

expressed[iksprést] ⓐ 명시된, 표현된

• **expressed** promise
명시적인 약속

weaken  enhance

weaken[wíːkən] ⓥ 약화시키다

• **weaken** the immune system
면역 체계를 **약화시키다**

enhance[inhǽns] ⓥ 강화하다

• **enhance** the quality of life
삶의 질을 **높이다**

internal  external

internal [intə́ːrnəl] ⓐ 내부의

· damaged **internal** organs
  손상된 **내부** 장기

external [ikstə́ːrnəl] ⓐ 외부의

· **external** appearance
  외모

fertile  barren

fertile [fə́ːrtl] ⓐ 비옥한, 기름진

· areas of **fertile** land
  토양이 **비옥한** 지역

barren [bǽrən] ⓐ 불모의, 메마른

· the Sahara Desert's **barren** landscape
  황량한 풍경의 사하라 사막

flexible  rigid

flexible [fléksəbəl] ⓐ 유연한, 융통성 있는

· be made of **flexible** materials
  유연한 재료로 만들어지다

rigid [rídʒid] ⓐ 뻣뻣한, 엄격한

· **rigid** control over behavior
  행동에 대한 **엄격한** 통제

plump  lean

plump [plʌmp] ⓐ 포동포동한

· a **plump** and healthy baby
  포동포동하고 건강한 아기

lean [liːn] ⓐ 야윈, 마른

· how to get a **lean** body
  마른 몸매 가꾸는 방법

general  specific

general [dʒénərəl] ⓐ 일반적인

· as a **general** rule
  일반적으로, 보통은

specific [spisífik] ⓐ 구체적인, 특정한

· for a **specific** reason
  구체적인 이유로

permit  forbid

permit [pəːrmít] ⓥ 허락하다

· **permitted** to access the restricted area
  제한 구역에 접근할 수 있게 **허락된**

forbid [fərbíd] ⓥ 금지하다

· **forbid** the drinking of alcohol
  술을 마시는 것을 **금지하다**

day
29

civilized  barbarous

civilized [sívəlàizd] ⓐ 문명화된

- act like a **civilized** human being
  문명인처럼 행동하다

barbarous [bɑ́ːrbərəs] ⓐ 미개한, 야만적인

- the **barbarous** treatment of the native peoples
  원주민에 대한 **야만적인** 대우

dismiss  employ

dismiss [dismís] ⓥ 해고하다

- be **dismissed** from one's job
  직장에서 **해고되다**

employ [implɔ́i] ⓥ 고용하다

- **employ** more waiters during the summer
  여름 동안 추가로 웨이터를 **고용하다**

unite  separate

unite [juːnáit] ⓥ 결합하다, 통합하다

- **unite** the independent nations
  독립 국가들을 **통합하다**

separate [sépərèit] ⓥ 분리하다, 나누다

- **separate** two fields by a fence
  두 밭을 울타리로 **나누다**

predecessor  successor

predecessor [prédəsèsər] ⓝ 전임자, 선배

- learn something from a **predecessor**
  전임자에게 ~을 배우다

successor [səksésər] ⓝ 후임자, 후배

- a possible **successor** to the king
  그 왕의 가능한 **후임자**

shallow  deep

shallow [ʃǽlou] ⓐ 얕은

- cross the **shallow** part of the river
  강의 **얕은** 부분을 건너다

deep [diːp] ⓐ 깊은

- earthquakes originated from a **deep** part
  깊은 곳에서 발생하는 지진

upset  stable

upset [ʌpsét] ⓐ 뒤집힌, 혼란된, 이상이 생긴

- get an **upset** stomach
  배탈이 나다

stable [stéibl] ⓐ 안정된, 동요하지 않는

- be in a **stable** condition
  안정적인 상태에 있다

A 다음 단어에 해당하는 우리말을 쓰시오.

01 interrupted
02 expense
03 dismiss
04 contract
05 external
06 degrade
07 static
08 intensive
09 shallow
10 discord

B 다음 단어에 해당하는 영어단어를 쓰시오.

01 지연
02 정교한
03 고백
04 엄격한
05 오만
06 뜨다, 띄우다
07 명시적인
08 분리하다, 나누다
09 노동
10 구체적인

C 한글 뜻에 맞는 어휘를 찾아서 ✓ 하세요.

01 accept strong ☐ compliment ☐ criticism — 신랄한 비판을 받아들이다

02 prove his ☐ guilt ☐ innocence — 그의 무죄를 입증하다

03 ☐ enhance ☐ weaken the quality of life — 삶의 질을 높이다

04 learn something from a ☐ predecessor ☐ successor — 전임자에게 ~을 배우다

05 ☐ forbid ☐ permit the drinking of alcohol — 술 마시는 것을 금지하다

D 다음 문맥에 알맞은 단어로 가장 적절한 것을 고르시오.

01 A decade of poor investments and sloppy management ultimately led to the **[flourish/collapse]** of the company.

02 It is important for reporters to present a **[fair/biased]** account of the news and omit any personal views from their story.

03 The speaker's tone **[implied/expressed]** that he was being sarcastic, but it's difficult to know for certain.

04 The **[fertile/barren]** land along the river in the southern region is the country's center of agriculture.

05 Domestic companies are expanding their operations and hiring workers, meaning it's a **[hostile/favorable]** time for job seekers.

주요 반의어 (3) Opposite Words

generous  stingy

generous [dʒénərəs] ⓐ 관대한, 아끼지 않는

- **generous** to the kids
  아이들에게 **관대한**

stingy [stíndʒi] ⓐ 인색한, 구두쇠의, 쩨쩨한

- too **stingy** to raise salaries
  급여를 인상하기에는 너무 **인색한**

genuine  fake

genuine [dʒénjuin] ⓐ 진짜의, 진품의

- 100% guaranteed **genuine** leather
  100% 보장된 **진짜** 가죽

fake [feik] ⓐ 가짜의

- a **fake** ID card
  가짜 신분증

guilty  innocent

guilty [gílti] ⓐ 죄가 있는, 유죄의

- find her **guilty** of murder
  그녀를 살인죄로 **유죄** 판결하다

innocent [ínəsnt] ⓐ 무죄의

- the **innocent** victims of terrorism
  테러의 **무고한** 희생자

altruism  selfishness

altruism [ǽltruìzəm] ⓝ 이타주의

- donate money out of **altruism**
  이타주의적인 마음으로 돈을 기부하다

selfishness [sélfiʃnis] ⓝ 이기심

- those who do not see their own **selfishness**
  스스로의 **이기심**을 알지 못하는 사람들

hereditary  acquired

hereditary [hərédətèri] ⓐ 1. 유전하는
2. 세습의

- protect **hereditary** rights
  세습권을 보호하다

acquired [əkwáiərd] ⓐ 후천적으로 얻은

- studies on an **acquired** disease
  후천적 질병에 관한 연구

horizontal  vertical

horizontal [hɔ̀:rəzántl] ⓐ 수평의
- draw a **horizontal** line
  수평선을 그리다

vertical [vɔ́:rtikəl] ⓐ 수직의
- a shirt with **vertical** stripes
  수직 줄무늬가 그려진 셔츠

dissuade  persuade

dissuade [diswéid] ⓥ ~하지 못하게 설득하다
- **dissuade** a great worker from quitting
  훌륭한 직원이 그만두지 **못하게 설득하다**

persuade [pərswéid] ⓥ ~하도록 설득하다
- **persuade** someone to accept the job
  누군가가 그 일자리를 수락**하도록 설득하다**

appreciate  confuse

appreciate [əprí:ʃièit] ⓥ 이해하다
- **appreciate** the difficulty of your situation
  당신이 처한 상황의 어려움을 **이해하다**

confuse [kənfjú:z] ⓥ 혼동하다
- **confuse** him with another man
  그를 다른 사람과 **혼동하다**

ignorant  aware

ignorant [ígnərənt] ⓐ 모르고 있는
- an **ignorant** and uneducated man
  무지하고 교육받지 못한 사람

aware [əwέər] ⓐ 의식하고 있는, 알고 있는
- well **aware** of the importance of the Internet
  인터넷의 중요성에 대해 잘 **알고 있는**

inferior  superior

inferior [infíəriər] ⓐ 열등한
- wine of **inferior** quality
  저급한 품질의 와인

superior [supíəriər] ⓐ 우월한
- **superior** knowledge of the area
  그 지역에 대한 **우수한** 지식

beneficial  harmful

beneficial [bènəfíʃəl] ⓐ 유익한, 이로운
- mutually **beneficial**
  상호 **이익이 되는**

harmful [háːrmfəl] ⓐ 해로운, 유해한
- the **harmful** effects of drinking
  음주의 **해로운** 영향

day 30

loose  tight

loose [luːs] ⓐ 느슨한, 헐거운	tight [tait] ⓐ 꽉 끼는
• a **loose**-fitting cotton shirt 헐렁한 면 셔츠	• wear a **tight** dress 꽉 끼는 옷을 입다

mental  physical

mental [méntl] ⓐ 정신적인	physical [fízikəl] ⓐ 육체적인
• overcome **mental** health problems 정신 건강 문제를 극복하다	• endure **physical** pain 육체적 고통을 견디다

monotonous  various

monotonous [mənátənəs] ⓐ 단조로운	various [vɛ́əriəs] ⓐ 다양한
• low-paid **monotonous** work 저임금의 단조로운 작업	• **various** shapes and sizes 다양한 형태와 크기

vacant  occupied

vacant [véikənt] ⓐ 1. 비어있는 2. 한가한	occupied [ákjəpàid] ⓐ 1. 사용 중인 2. 바쁜
• look for a **vacant** seat 빈 좌석을 찾다	• **occupied** apartments 사용 중인 아파트

rural  urban

rural [rúərəl] ⓐ 시골의	urban [ə́ːrbən] ⓐ 도시의
• grow up in **rural** Kentucky 시골의 켄터키 지방에서 자라다	• living conditions of **urban** areas 도시 지역의 생활 여건

obscure  clear

obscure [əbskjúər] ⓐ 불분명한, 애매모호한	clear [kliər] ⓐ 분명한, 명백한
• an **obscure** figure in the fog 안개 속에 있는 불분명한 형체	• **clear** differences between the two 둘 사이의 분명한 차이점

offensive 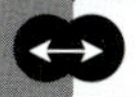 defensive

offensive [əfénsiv] ⓐ 공격적인, 공격의

- have an **offensive** attitude towards ~
  ~에 대해 **공격적인** 태도를 취하다

defensive [difénsiv] ⓐ 방어적인, 수비의

- a **defensive** measure against nuclear attack
  핵 공격에 대응하는 **방어적** 조치

reduce  increase

reduce [ridʒúːs] ⓥ 줄이다, 감소시키다

- **reduce** the amount of sugar
  설탕의 양을 **줄이다**

increase [inkríːs] ⓥ 늘리다, 증가시키다

- food prices **increase** by 10%
  음식가격이 10% **증가하다**

partial 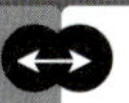 total

partial [páːrʃəl] ⓐ 일부의, 부분적인

- a **partial** solution to traffic congestion
  교통 혼잡에 대한 **부분적인** 해결책

total [tóutl] ⓐ 전체의, 총계의

- the **total** amount of the bill
  지폐의 **총합**

loss  benefit

loss [lɔ(ː)s] ⓝ 손해, 손실, 상실

- cope with financial **loss**
  경제적 **손실**을 극복하다

benefit [bénəfit] ⓝ 이익, 이득

- the **benefits** of fresh air and sunshine
  신선한 공기와 햇빛의 **이점**

populous  deserted

populous [pápjələs] ⓐ 인구가 많은

- the most **populous** city in the U.S.
  미국에서 가장 **인구가 많은** 도시

deserted [dizə́ːrtid] ⓐ 황량한, 사람이 살지 않는

- **deserted** town after a tornado
  토네이도가 지나간 후 **황량한** 마을

inhale  exhale

inhale [inhéil] ⓥ 들이마시다, 빨아들이다

- **inhale** the fresh air
  신선한 공기를 **들이마시다**

exhale [ekshéil] ⓥ 내쉬다, 내뿜다

- a fragrance **exhaling** from flowers
  꽃에서 **내뿜는** 향기

savings  spending

savings [séiviŋs] ⓝ 저축, 절약

• open a **savings** account
  예금 계좌를 개설하다

spending [spéndiŋ] ⓝ 지출, 소비

• government **spending** for scientific research
  과학 학술 연구를 위한 정부의 **지출**

previous  following

previous [príːviəs] ⓐ 이전의, 앞의

• in the **previous** chapter
  이전의 장에서

following [fálouiŋ] ⓐ 다음의, 그 뒤에 오는

• check in the **following** example
  다음의 예시에서 확인하다

frank  secretive

frank [fræŋk] ⓐ 솔직한

• to be perfectly **frank**
  정말 **솔직히** 말하면

secretive [sikríːtiv] ⓐ 숨기는 경향이 있는

• **secretive** about weight
  몸무게를 **숨기는 경향이 있는**

prudent  rash

prudent [prúːdənt] ⓐ 신중한

• make a **prudent** plan for investment
  투자를 위한 **신중한** 계획을 세우다

rash [ræʃ] ⓐ 경솔한

• make a **rash** decision
  경솔한 결정을 내리다

respect  despise

respect [rispékt] ⓥ 존경하다

• the need to **respect** human rights
  인권 **존중**의 필요성

despise [dispáiz] ⓥ 경멸하다, 얕보다

• **despise** the advice
  충고를 **무시하다**

radical  gradual

radical [rædikəl] ⓐ 1. 급진적인 2. 근본적인

• a more **radical** approach to social problems
  사회문제에 대한 보다 더 **근본적인** 접근

gradual [grædʒuəl] ⓐ 점진적인

• make **gradual** improvements
  점진적으로 개선하다

raw  ripe

raw[rɔː] ⓐ 날것의, 가공되지 않은
- **raw** fish and **raw** meat
  날생선과 **생고기**

ripe[raip] ⓐ 익은
- **ripe** juicy peach
  잘 익고 과즙이 많은 복숭아

supply  demand

supply[səplái] ⓝ 공급 ⓥ 공급하다
- secure the **supply** of raw materials
  원자재 **공급**을 확보하다

demand[dimǽnd] ⓝ 수요 ⓥ 요구하다
- increase production to meet **demand**
  수요를 충족시키기 위해 생산을 늘리다

defendant  plaintiff

defendant[diféndənt] ⓝ 피고 ⓐ 피고의
- find the **defendant** not guilty
  피고의 무죄를 알게 되다

plaintiff[pléintif] ⓝ 원고 ⓐ 원고의
- the **plaintiff**'s groundless lawsuit
  원고의 근거 없는 소송

thrifty  wasteful

thrifty[θrífti] ⓐ 검소한, 절약하는
- hardworking and **thrifty** people
  근면하고 **검소한** 사람들

wasteful[wéistfəl] ⓐ 낭비하는
- abandon a **wasteful** lifestyle
  낭비하는 생활방식을 버리다

trivial  significant

trivial[tríviəl] ⓐ 하찮은, 사소한
- disregard **trivial** problems
  사소한 문제를 무시하다

significant[signífikənt] ⓐ 중요한, 상당한
- a **significant** increase in sales
  판매량의 **상당한** 증가

assert  deny

assert[əsə́ːrt] ⓥ 단언하다, 강력히 주장하다
- **assert** one's point of view
  ~의 관점을 **주장하다**

deny[dinái] ⓥ 부정하다
- **deny** the existence of aliens
  외계인의 존재를 **부정하다**

day **30**

conquer 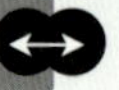 surrender

conquer[káŋkər] ⓥ 정복하다, 이기다
- **conquer** the enemy
  적을 **정복하다**

surrender[səréndər] ⓥ 항복하다
- **surrender** to the absolute power
  절대 권력에 **항복하다**

shortage  surplus

shortage[ʃɔ́ːrtidʒ] ⓝ 결핍, 부족
- IT skills **shortage** in the U.S.
  미국의 IT 기술 **부족**

surplus[sə́ːrplʌs] ⓝ 과잉, 잉여
- a **surplus** of workers and insufficient jobs
  노동자 **과잉**과 충분치 않은 일자리

retard  accelerate

retard[ritáːrd] ⓥ 속도를 줄이다, 지연시키다
- **retard** the spread of fire
  불길이 퍼지는 것을 **지연시키다**

accelerate[æksélərèit] ⓥ 가속하다
- **accelerate** economic growth
  경제 발전을 **가속화하다**

construct  destroy

construct[kənstrʌ́kt] ⓥ 건설하다
- **construct** a new bridge
  새 다리를 **건설하다**

destroy[distrɔ́i] ⓥ 파괴하다
- **destroy** the entire building
  건물 전체를 **파괴하다**

void  valid

void[vɔid] ⓐ 무효한, 효력이 없는
- a **void** contract
  무효 계약

valid[vǽlid] ⓐ 유효한, 효력이 있는
- a **valid** driver's license
  유효한 운전 면허증

simplified  detailed

simplified[símpləfàid] ⓐ 간소화한
- figure out more **simplified** process
  더 **간소화한** 과정을 생각해 내다

detailed[díːteild] ⓐ 상세한
- a **detailed** description
  상세한 묘사

A 다음 단어에 해당하는 우리말을 쓰시오.

01 urban ____________________
02 dissuade ____________________
03 monotonous ____________________
04 valid ____________________
05 deserted ____________________
06 vertical ____________________
07 partial ____________________
08 thrifty ____________________
09 ignorant ____________________
10 prudent ____________________

B 다음 단어에 해당하는 영어단어를 쓰시오.

01 해로운 ____________________
02 애매한 ____________________
03 급진적인 ____________________
04 들이마시다 ____________________
05 익은 ____________________
06 가짜의 ____________________
07 이전의 ____________________
08 단언하다 ____________________
09 유전적인 ____________________
10 피고, 피고의 ____________________

C 한글 뜻에 맞는 어휘를 찾아서 ✔ 하세요.

01 donate money out of ☐ altruism / ☐ selfishness — 이타주의적인 마음으로 돈을 기부하다

02 cope with financial ☐ loss / ☐ benefit — 경제적 손실을 극복하다

03 ☐ appreciate / ☐ confuse the difficulty of your situation — 당신이 처한 상황의 어려움을 이해하다

04 ☐ despise / ☐ respect the advice — 충고를 무시하다

05 ☐ conquer / ☐ surrender to the absolute power — 절대 권력에 항복하다

D 다음 문맥에 알맞은 단어로 가장 적절한 것을 고르시오.

01 Only a handful of people were aware of the **[frank/secretive]** agreement between the two corporations.

02 The **[generous/stingy]** business owner donated over one million dollars of his company's profits to charity last year.

03 A marathon tests an individual's **[mental/physical]** endurance and requires participants to be in great shape.

04 The government spends a **[trivial/significant]** amount of its budget on health care, as it amounts to nearly 50% of all expenditures.

05 A fleet of bombers were sent on a(n) **[offensive/defensive]** raid to preemptively destroy the enemy's weapons factories.

어원부록

부정 접두사 (Negative Prefixes)

부정 접두사(Negative Prefixes)

UN 부정, 반대 not	**un** + employed = unemployed 부정(not)　　고용된　　실직한, 일이 없는	
unavoidable	un부정 + avoidable피할 수 있는	ⓐ 피하기 어려운, 불가피한
unidentified	un부정 + identified확인된	ⓐ 미확인의, 정체불명의
unlock	un부정 + lock자물쇠를 잠그다	ⓥ 자물쇠를 열다
unfold	un부정 + fold접다	ⓥ 펴다, 열리다
uncover	un부정 + cover가리다, 숨기다	ⓥ 폭로하다, 뚜껑을 벗기다
untie	un부정 + tie묶다	ⓥ 풀다
unattainable	un부정 + attainable달성할 수 있는	ⓐ 성취할 수 없는, 도달하기 어려운
unintentional	un부정 + intentional의도적인	ⓐ 고의가 아닌, 무심코 한

AB 분리, 이탈 off, away	**ab** + normal = abnormal 벗어난　　정상적인　　비정상의, 예외적인	
abhor	ab멀리(도망가다) + hor몸서리치며	ⓥ 몹시 싫어하다, 혐오하다
abolish	ab분리(~가 멈춘) + olish자라다	ⓥ 폐지하다
abstain	abs~로부터 + tain(자신을) 붙잡다	ⓥ 삼가다, 절제하다
abstract	abs~로 부터 + tract끌어내다	ⓐ 추상적인 ⓝ 추상, 개요 ⓥ 추출하다
abuse	ab(올바른 사용에서) 벗어나게 + use사용하다	ⓝ 남용, 욕설 ⓥ 남용하다, 학대하다

DIS 부정, 반대 not	**dis** + order = disorder 부정(not)　　질서　　무질서, 혼란	
disapprove	dis부정 + approve찬성하다	ⓥ 찬성하지 않다, 못마땅해하다
discontent	dis부정 + content만족	ⓝ 불만, 불평, 불쾌
discredit	dis부정 + credit신용, 명예	ⓥ 신용을 떨어뜨리다
disentangle	dis부정 + entangle얽히게 하다	ⓥ 풀다, 빠져나오다
disintegrate	dis반대로 + integrate통합하다	ⓥ 붕괴시키다, 붕괴되다
disqualify	dis반대로 + qualify자격을 주다	ⓥ 실격시키다, 실격자로 판정하다

dissatisfy	dis부정 + satisfy만족시키다	ⓥ 불만을 느끼게 하다
dissimilar	dis부정 + similar닮은, 유사한	ⓐ 비슷하지 않은, 다른
diffident	dif부정 + fid믿다 + ent(형용사)	ⓐ 자신 없는, 수줍은
disable	dis부정 + able할 수 있는	ⓥ 무능하게 하다
disgrace	dis부정 + grace명예	ⓝ 불명예, 망신
dishonor	dis부정 + honor명예	ⓝ 불명예
disagree	dis부정 + agree일치하다	ⓥ 일치하지 않다, 의견이 다르다
disengage	dis부정 + engage관여하다	ⓥ 연결을 풀다, 해방하다

IL, IR 부정, 반대 not	**il** + logical = illogical 부정(not) 논리적인 비논리적인, 불합리한	
illegible	il부정 + legible읽을 수 있는	ⓐ 읽기 어려운, 판독하기 어려운
illegitimate	il부정 + legitimate합법의	ⓐ 위법의, 서출의
illicit	il부정 + licit합법의	ⓐ 불법의, 불의의
illiterate	il부정 + liter글자 + ate(형용사)	ⓐ 글자를 모르는, 무식한
irrational	ir부정 + rational합리적인	ⓐ 이성을 잃은, 불합리한
irrelevant	ir부정 + relevant적절한, 관련된	ⓐ 무관한, 상관없는
irremovable	ir부정 + removable제거할 수 있는	ⓐ 움직일 수 없는, 제거할 수 없는
irresistible	ir부정 + resistible저항할 수 있는	ⓐ 저항할 수 없는, 억누를 수 없는
irresponsible	ir부정 + responsible책임이 있는	ⓐ 무책임한, 신뢰할 수 없는

DE 반대 부정 not	**de** + tect = detect 반대, 부정 덮다 발견하다, 감지하다	
deplete	de반대, 부정 + plete채우다	ⓥ 고갈시키다
detect	de반대, 부정 + tect덮다	ⓥ 발견하다, 감지하다
defy	de반대, 부정 + fy충실한, 충성스러운	ⓥ 반항하다
decode	de반대, 부정 + code암호	ⓥ 해독하다, 판독하다

부정 접두사(Negative Prefixes)

IM 부정, 반대 not	im + moral = immoral 부정(not)　도덕적인　부도덕한	
impartial	im부정 + partial불공평한, 편파적인	ⓐ 편견이 없는, 공평한
immobilize	im부정 + mobilize동원하다, (힘을) 발휘하다	ⓥ 움직이지 않게 하다, 고정시키다
immoderate	im부정 + moderate절제하는, 온건한	ⓐ 무절제한, 중용을 잃은
immodest	im부정 + modest겸손한	ⓐ 조심성 없는, 천박한
impolite	im부정 + polite공손한	ⓐ 버릇없는, 무례한
improper	im부정 + proper적절한	ⓐ 부적당한, 부적절한
impure	im부정 + pure순수한	ⓐ 더러운, 순수하지 않은
impatience	im부정 + patience인내심	ⓝ 성급함, 조바심

CONTRA, COUNTER 반대로 against, in return	counter + attack = counterattack 되받아쳐　공격하다　역습(반격)하다	
contradict	contra반대로 + dict말하다	ⓥ 부정하다, 모순되다
contrast	contra(against)~에 반하여 (대조하여) + st서다	ⓐ 반대의
counteract	counter반대로 + act작용하다, 행동하다	ⓥ 거스르다, 중화하다
counterpart	counter반대편의, 마주하는 + part상대	ⓝ ~에 해당하는 사람(것)
counterfeit	counter(진품과)대조하여 + feit만들다	ⓐ 위조의 ⓥ 위조하다
counterproductive	counter반대로 + productive생산적인	ⓐ 역효과의, 비생산적인
contraception	contra~을 막는 + (con)ception임신	ⓝ 피임, 산아 제한

MAL 나쁜 bad	mal + nourished = malnourished 나쁜　영양상태의　영양부족의	
maladjusted	mal나쁘게 + adjusted적응한	ⓐ 조절 불량의, 환경에 적응 못하는
malevolent	mal나쁘게 + vol희망하다 + ent(형용사)	ⓐ 악의 있는
malignant	mal나쁘게 + gn태어나다 + ant(형용사)	ⓐ 악의가 있는, 악성의
malice	라틴어malus(나쁜)에서 유래	ⓝ 악의, 적의

| maltreat | mal나쁘게 + treat다루다 | ⓥ 학대하다 |

MIS 잘못된, 잘못되게 wrongly, badly	mis 잘못되게 + guide 안내하다 = misguide 오도하다, 잘못 지도하다	
misgiving	mis틀리게 + giving주는 것	ⓝ 불안, 염려
mishap	mis틀리게 + hap운	ⓝ 사고, 불상사
misperception	mis잘못된 + perception인식	ⓝ 오인, 오해
mislead	mis잘못되게 + lead이끌다	ⓥ 오도하다, 잘못 인도하다
misplace	mis잘못 + place두다	ⓥ 잘못 두다, 둔 곳을 잊다

ANTI 반대되는 against, opposite of	Ant(i) 반대되는 + arctic 북극의 = Antarctic 남극의	
antagonist	ant대항하여 + agon싸우는 + ist사람	ⓝ 적대자, 경쟁자
antibiotic	anti대항하여 + bio(미)생물에 + tic(형용사)	ⓐ 항생의, 항생 물질의 ⓝ 항생 물질
antibody	anti대항하여 + body물질	ⓝ 항독소, 항체
antonym	anto반대되는 + nym이름	ⓝ 반의어, 반대어
antidote	anti(독에) 대항하는 + dote(약을) 주다	ⓝ 해독제

IN 부정, 반대 not	in + competent = incompetent 부정(not) 유능한 무능한	
inconsistent	in부정 + consistent일관된	ⓐ 일치하지 않는, 조화되지 않는
infinity	in부정 + finit(e)유한한 + y(명사)	ⓝ 무한대
intolerable	in부정 + tolerable참을 수 있는	ⓐ 참을 수 없는, 견딜 수 없는
innumerable	in부정 + numerable셀 수 있는	ⓐ 셀 수 없이 많은, 무수한
inevitable	in부정 + evitable피할 수 있는	ⓐ 피할 수 없는, 부득이한
incomplete	in부정 + complete완전한	ⓐ 불완전한, 불충분한
inalienable	in부정 + alienable양도할 수 있는	ⓐ 양도할 수 없는
indecent	in부정 + decent괜찮은, 품위 있는	ⓐ 버릇없는, 점잖지 못한

정답 및 해석

A	B
01 지구상의, 육지의	01 gender
02 소행성, 불가사리	02 genocide
03 천문학	03 biology
04 유전학	04 territory
05 생명유지와 관련된, 필수적인	05 astronaut
06 생생한, 선명한	06 geography
07 살충제, 살충	07 biodiversity
08 혁명	08 subterranean
09 점성학, 점성술	09 suicide
10 지질학	10 generate

C

01 genuine   02 disaster   03 biodegradable

04 vitalize   05 involve

D

01 autobiography — 미국의 전 대통령은 자신이 내렸던 몇 가지 중요한 결정에 대한 통찰력이 담긴 자서전을 출판했다.

02 invigorate — 새로운 연구는 비타민의 조합이 노년층에게 활력을 줄 수 있는가에 대해 결론을 낼 것이다.

03 extraterrestrial — 우주 항공국은 태양계 영역 너머에 있는 외계 생명체에 대해 조사하기 위해 탐사선을 발사했다.

04 geometry — 그 유명한 건축가는 원이나 직사각형과 같이 기하학에서 볼 수 있는 단순한 모양을 사용하는 것으로 유명하다.

05 generous — 몇몇 기관들은 연방 정부로부터 새로운 질병의 치료약을 찾는데 쓸 많은 자금을 지원받았다.

A	B
01 움직이지 않게 하다	01 portable
02 추론하다	02 expedition
03 선호, 더 좋아하는 물건	03 commit
04 해고하다	04 portfolio
05 수송하다	05 ascend
06 잘난 체하다	06 promote
07 내려가다	07 labor
08 제조하다	08 permit
09 방출하다	09 remove
10 보행자, 도보의	10 emancipation

C

01 impede   02 manifest   03 motivate

04 deport   05 defer

01 manipulate   훌륭한 영업 사원은 자신이 파는 제품이 필요하다고 믿게 해서 사람들의 의견을 조작할 수 있다.

02 elaborate   파티장의 샹들리에는 거의 600개의 수정 조각으로 이루어져 있다.

03 admit   비록 그 용의자가 명백히 유죄라는 증거가 있지만, 그는 여전히 그 절도건에 자신이 책임이 있다는 것을 인정하지 않았다.

04 refer   독자는 밑줄 친 단어들의 정의를 찾기 위해 그 책 끝에 있는 용어 목록을 참고할 수 있다.

05 collaborate   여러 유명 가수는 자선 단체를 위한 모금에 공동의 노력을 기울여 새로운 노래를 합작해서 만드는 데 동의했다.

DAY 03

A	B
01 나오다, 모습을 드러내다	01 deform
02 반사하다, 반영하다	02 merge
03 비틀다, 왜곡하다	03 deflect
04 개혁하다	04 extort
05 보완하다, 보충하다	05 submerge
06 진자, 시계추	06 appendix
07 집회, 조립	07 ensemble
08 새로움, 진기함	08 novice
09 혁신하다	09 assemble
10 보충물, 보완하다	10 formula

C

01 perform   **02** dissemble   **03** suspended

04 implement   **05** inflect

D

01 immerge   그 더러운 옷은 얼룩과 불쾌한 냄새가 제거되도록 비누 용해액과 물에 담가졌다.

02 complement   대부분의 사람들은 탄산수나 과일 주스보다 우유가 쿠키에 더 적합한 보충 식품이라는 사실에 동의한다.

03 torture   그 간수는 몇 일간 피수용자들이 잠을 못자게 하는 방법으로 고문을 가한 일로 기소당했다.

04 indispensable   한 그룹의 회사원 중 누구도 서로의 언어를 구사할 수 없었기에 그 통역자는 그 회의에서 필수적인 자산으로 인식되었다.

05 renovate   그 공사 노동자는 한 달 동안 호텔을 개조하게 될 것이며 모든 방에 새로운 카펫과 벽지가 구비될 예정이다.

A	B
01 ~을 유지하다, 보존하다	01 disposal
02 얻다, 획득하다	02 repose
03 구성하다, 이루어져 있다.	03 structure
04 결핍한, 빈곤한	04 assist
05 가르치다, 지시하다	05 attain
06 반대하다, 저항하다	06 reserve
07 노출시키다	07 destruction
08 구성하다	08 exist
09 유지하다	09 insist
10 설립하다, 학회	10 maintain

C

01 impose 02 substitute 03 sustain

04 observe 05 abstain

D

01 disposition 그가 웃는 것을 본 사람은 거의 없어서 그 교향악 지휘자는 그의 불평 많은 기질로 유명하다.

02 obstruct 그 주요 도로에서 발생한 교통 사고는 수 시간 동안 교통 진행을 막을 것이므로 운전자들에게 우회할 것을 권유한다.

03 resist Sally는 비록 새 옷을 살 계획은 없었지만, 쇼핑몰에서 뿌리칠 수 없을 만큼 좋은 물건을 발견했다.

04 detain 법 집행관들은 용의선상에 올라 있는 그 테러범을 지방 경찰서에 한 주간 구금할 예정이다.

05 deconstruct 박물관 직원은 동시대 전시를 해체하고 그 전시를 또 다른 도시로 운송할 예정이다.

A	B
01 보이지 않는	01 anthropology
02 전망, 가망	02 analogy
03 ~을 의심하다, 용의자	03 proscribe
04 독재자	04 preclude
05 제외하다	05 indict
06 신화, 신화학	06 spectacle
07 한정하다	07 visualize
08 ~을 베끼다	08 dictate
09 에워싸다, 동봉하다	09 verdict
10 새기다, 파다	10 specific

C

01 supervise 02 inspect 03 ascribe

04 monologue 05 indicate

D

01 improvised　그 요리사는 그 요리법에 필요한 다진 쇠고기를 충분히 가지고 있지 않아서 대신 다진 돼지고기를 사용해 즉흥적으로 조리했다.

02 perspective　헬리콥터에서 사진을 찍어 그 사진사는 특이한 대기 원근법으로 사원 지역을 촬영할 수 있었다.

03 predictability　대부분의 독자들은 그 소설의 예측 가능성으로 인해 이야기의 결론에 놀라지 않았다.

04 exclusive　그 컨트리 클럽의 회원은 클럽의 골프 코스를 독점적으로 이용할 수 있지만 비회원은 보통 코스만 이용해야만 한다.

05 subscribe　Fitness Magazine의 구독자는 소량의 금액으로 매달마다 신간을 메일로 받을 수 있다.

DAY 06

A	B
01 분배하다	01 contribute
02 모호하게 말하다	02 equalize
03 감사의 표시	03 receptive
04 상상하다, 생각하다	04 deceit
05 추정하다, 간주하다	05 accord
06 소비하다	06 apathy
07 붙잡다, 포획	07 perspire
08 따라서, 그러므로	08 inspire
09 불쌍한, 가슴 아픈	09 cordial
10 음모, 공모	10 aspire

C

01 adequate　　**02** expire　　**03** perceive

04 assume　　**05** antipathy

D

01 equivalent　영국이나 미국을 여행할 때 1.6킬로미터가 1마일과 같다는 것을 알아두면 유용하다.

02 attributes　그 기조 연설자는 신입 사원을 채용할 때 봐야 할 가장 중요한 특성에 대해 논의할 예정이다.

03 susceptible　어린이와 성인 모두 다른 계절보다 가을, 겨울에 일반적인 감기에 걸리기 쉽다.

04 resume　그 미식축구 경기는 20분 정도의 중간 휴식 후에 재개할 예정이다.

05 respiration　그 승객의 가슴과 폐 부상은 교통사고 후 그의 호흡을 힘들게 했다.

A	B
01 빼다, 공제하다	01 deduce
02 유효한	02 evaluate
03 유산	03 discredit
04 사법권, 관할	04 legislation
05 상속녀	05 protest
06 증언하다	06 justify
07 송수로	07 decriminalize
08 법률의, 합법의	08 incredible
09 상속하다, 물려받다	09 abduct
10 증언, 증거	10 reproduce

C

01 conduct 02 judicious 03 induce

04 prevail 05 attest

D

01 conducive 열린 의사 소통과 정직은 두 사람 간의 건강한 관계에 도움이 된다.

02 devaluation 미국 달러의 가치 절하는 외국 여행자들이 미국을 여행지로 더 선호하게 해 주었다.

03 credulous 보험 회사는 자신의 고객 중 한 명으로부터 권리 주장을 받을 때 속아 넘어 갈 수 없는 형편이다.

04 legitimate 경험이 없는 후보자가 재직 중인 사람에게 적당한 위협이 될 수 있다고 보는 정치 전문가들은 거의 없다.

05 hereditary 색맹과 다른 유전병은 결함이 있는 유전자가 부모로부터 자손에게 전달되는 것을 말한다.

A	B
01 영향력 있는	01 influenza
02 유동체, 유동적인	02 current
03 초래하다	03 convene
04 도래, 출현	04 precede
05 세입, 수익	05 concede
06 ~을 계속 진행하다	06 pervade
07 끊임없는	07 degrade
08 국회	08 influx
09 침략하다	09 exceed
10 소풍, 짧은 여행	10 recess

C

01 intervene 02 superfluous 03 deceased

04 cease 05 pervasive

01 concur   외과 수술 일정을 잡기 전에 적어도 두 의사가 그 진단에 동의해야 한다.

02 fluctuate   주식 시장의 가치는 매일 변동하는 것으로 알려져 있지만 수십 년 동안 그 실적은 더 일정했다.

03 successive   보수당은 세 번 연속 선거에서 의석을 획득할 수 있었다.

04 aggressive   북극곰은 특히 그들이 다른 먹이를 찾을 수 없을 때, 인간에게 공격적인 것으로 알려져 있다.

05 evade   그 도망자들은 3일간 하수도 지하에 숨어 경찰에게 붙잡히는 것을 피할 수 있었다.

DAY 09

A	B
01 압박하다, 억압하다	01 abstract
02 붕괴시키다	02 erupt
03 강한, 집중적인	03 rupture
04 오래 끌다, ~을 연장하다	04 contract
05 파산한	05 depress
06 쫓아버리다	06 expel
07 쫓아내다	07 suppress
08 강요하다	08 subject
09 추진력, 충동	09 superintend
10 압축, 요약	10 object

C

01 contend   **02** distract   **03** corrupt

04 project   **05** subject

D

01 extract   그 치과의사는 주요 합병증 없이 그 환자의 사랑니 네 개 모두를 발치할 수 있었다.

02 interrupt   회계부장은 종종 핵심 정보가 빠졌다고 느끼면 발표를 방해하곤 했다.

03 inject   매년 의학 전문가들은 수많은 사람들에게 예방 의료 서비스 방식으로 독감 백신 주사를 놓는다.

04 repulsive   그 도시의 쓰레기 처리장에서 나는 불쾌한 냄새는 특히 바람이 많이 부는 날이면 거주민들에게 걱정거리였다.

05 compulsive   상습적인 거짓말쟁이기에 Bennett은 그의 친구들 사이에서 틈만 나면 진실을 회피하는 것으로 알려져 있다.

A	B
01 영속하는, 영구적인	01 coincide
02 난처하게 하다	02 coherent
03 무너지다, 쓰러지다	03 perish
04 기념하다	04 perpetual
05 일치하다, 부합하다	05 symmetry
06 공생	06 transatlantic
07 계몽하다	07 enchant
08 보내다, 전달하다	08 engrave
09 등록, 입학	09 persist
10 오염시키다	10 collide

C

01 synthesize   02 incompatible   03 perennial

04 entitled   05 transplant

D

01 synchronize   모든 발레 댄서들은 그들의 동작을 일치시킬 수 있었고 하나의 단일체로 보였다.

02 cooperate   그 범죄자는 경찰에 협조함으로써 형량을 감량 받았다.

03 persecute   억압적인 정권은 정부의 어떤 부분에 대해서든 비난하는 기자들을 박해했다.

04 perseverance   비록 그 달리기 선수는 발목을 삐었지만 그녀의 굴하지 않는 인내심이 경주를 마치게 했다.

05 transparent   대부분의 사람들은 그것을 열어보지 않고서도 내용물을 볼 수 있도록 투명한 통에 남은 음식을 보관한다.

A	B
01 예언하다, ~의 전조를 보이다	01 forerunner
02 선사 시대의	02 prominent
03 재활 치료를 하다	03 preconception
04 재배치하다, 이전시키다	04 premise
05 번영한	05 reinforce
06 선언하다, 공포하다	06 retail
07 강수량, 낙하	07 procrastinate
08 필수의, 필수과목	08 premonition
09 예보하다	09 prodigal
10 후회하다	10 replace

C

01 restrain   02 foreshadow   03 preoccupied

04 prohibit   05 prolific

D

01 preponderance   압도적인 증거가 그 용의자의 자택에서 수집되었다.

02 proficient   운전자는 자신이 운전 능력이 있다는 증거로 자신의 면허증 사본을 지니고 있어야 한다.

03 prestigious   그 고등학생은 명문대에 입학 허가를 받았다는 사실을 알고서 황홀했다.

04 retreat   그 장군은 그들이 완전히 적군에 포위되기 전에 자신의 군대가 후퇴하도록 명령했다.

05 predicament   Tara는 자신이 특별한 곤경에 처한 것을 알고 여러 친구들에게 도움을 요청해야만 했다.

DAY 12

A	B
01 간과하다, 내려다 보다	01 overcharge
02 겹치다, 중복되다	02 supreme
03 ~보다 멀리 미치다	03 overshadow
04 과잉, 흑자	04 underprivileged
05 빼다	05 substance
06 경멸하다	06 undermine
07 황량한	07 overwhelm
08 기초를 이루는	08 outperform
09 순종적인, 복종하는	09 surrender
10 결함이 있는	10 subconscious

C

01 superior   **02** outdo   **03** overtake

04 undertake   **05** demonstrate

D

01 underestimate   환경보호주의자들은 환경의 중요성을 과소 평가하지 말 것을 경고하고 있다.

02 outweigh   이사회는 합병 시 제안받은 그 이익이 손해를 능가한다고 결론을 내렸다.

03 surpass   전문가들은 다음 세기가 되면 언젠가는 인도의 인구가 중국의 인구를 추월할 것으로 예상한다.

04 subordinate   30년 간 그 회사에 재직해, Patterson씨는 결국 회장 바로 아래의 직위로 승진했다.

05 deteriorate   그 두 국가의 관계가 더 악화되면 상황은 전쟁으로 치닫게 될 수도 있다.

A	B
01 ~을 따라잡다, ~을 쫓아가다	01 have out
02 ~을 입고 있다	02 keep down
03 ~을 기다리다, 붙잡다	03 have against
04 잊지 않고 기억하다, 마음에 담아두다	04 hold out
05 ~을 견디다, 떠받치다	05 keep an eye on
06 ~을 잘 알고 있다, ~에 정통하다	06 keep one's temper
07 유효하다, 적용되다	07 have one's hair done
08 ~에게 계속해서 알리다	08 hold the line

C

01 a. 그녀는 내게 이번 달 말까지 그녀의 소설을 끝마칠 거라고 했다. 나는 그녀가 <u>약속을 지킬 것</u>이라 믿는다.
   b. 완전히 나으려면 6개월 동안 이 알약을 <u>계속 복용하시오</u>.

02 a. Steve는 요즘 신제품 출시로 매우 <u>바쁘다</u>.
   b. <u>한 번 해보면</u> 야구가 매력적인 것을 알게 될 것이다.

03 a. 발표를 하면서 실수를 하더라도 관중 앞에서 <u>당당해라</u>.
   b. 물탱크에는 우리가 며칠을 버틸 정도의 물만 <u>들어있다</u>.

D

01 b 새로 나온 가방이 인기가 많아서, 수요를 따라잡을 수가 없었다.

02 h 우리는 오늘 밤 월드컵 축구 경기가 보고 싶어 못 견디겠어.

03 a 엄마는 아들이 런던에서 한 번도 전화하지 않아 무척 걱정했지만, 마침내 그녀는 그와 연락이 되어 기뻤다.

04 c 50년 동안 우리 대학은 품위, 상상력, 용기라는 세 가지 전통 가치를 고수해 오고 있습니다.

05 e 오늘 방송을 마칠 시간이 되었어요. 저희 홈페이지 게시판에 계속 여러분의 의견 남겨 주세요.

A	B
01 ~에 들어가다, ~한 상태가 되다, 조사하다	01 bring about
02 ~을 정지시키다	02 go under
03 결국 ~하게 되다, 합계가 ~에 이르다	03 come to think of it
04 수포로 돌아가다	04 bring ~ into play
05 ~을 끝내다, 마치다	05 go off
06 발효하다, 실시되다.	06 go wrong
07 ~로 말하면, ~에 대해서라면	07 bring ~ into question
08 거의 ~하게 되다, 자칫 ~할 뻔하다	08 come by

C

01 a. 아이들을 끌기 위해 아이스크림 케이크는 여러 가지 맛과 <u>색깔로 나온다</u>.
   b. 그 책에 수록된 단어는 2,000단어<u>에 이르고</u>, 이 특별 개정판에 추가로 800단어가 실려 있다.

02 a. 4시에 Amy가 수업이 끝나면 집으로 <u>데려다 줄 수</u> 있어요?
   b. 그가 그림을 완성하려는 노력과 예술에 대한 열정이 그의 전시회를 성공으로 <u>이끌었다</u>.

03 **a.** 공부에 집중하지 못할 때에는, 그냥 산책하러 나가서 바람을 쐬어라.

    b. 그 장난감 회사는 작년에 파산 직전에 이르렀다.

D **01** c   집세 상승을 낮추기 위한 방법이 있을까요?

02 a   유럽에 사는 유태인들은 상상도 못할 고난을 겪었다.

03 f   그는 그 상품을 광고할 멋진 아이디어가 떠올랐다.

04 g   그 보수 정당은 진보 정당과 타협점을 찾지 못할 것 같다.

05 h   그녀는 오랫동안 우울증을 겪었지만, 새로운 사랑이 그녀의 삶에 감정적으로 활기를 되찾을 수 있게 했다.

DAY 15

A	B
01 양보하다, 나누어주다	01 give back
02 출산하다	02 give ~ a lift
03 닮다	03 take over
04 극복하다	04 get off
05 건네주다	05 take off
06 다시 가져가다, 취소하다	06 get behind
07 끝내다	07 get ahead
08 주고받다, 타협하다	08 take on

C **01** **a.** 그에게 서류가방을 가지고 갈 것을 한 번 더 말해주어라. 안 그러면 잊어버릴 것이다.

    b. 도서관에서 늘 원하는 만큼 책을 가지고 갈 수 있지는 않다.

02 **a.** 스페인의 호텔에 도착하자마자 나에게 전화해 주세요.

    b. 그 리더는 자신의 팀원에게 의견을 낼 기회를 허락하지 않는 경향이 있다.

03 **a.** 그녀는 전에 그로부터 편지를 받았다.

    b. 외국인은 자신이 말하는 것을 사람들에게 이해시키려고 애를 쓰고 있었다.

D **01** d   다른 사람들과 잘 지내는 능력은 팀원이 되기 위해 필요하다.

02 a   그녀가 두 달 전에 이직을 한 이후로, 새로운 환경에 익숙해지는데 어려움을 겪고 있다.

03 e   무슨 일이든 네가 포기하지 않는다면 다른 사람들은 그것을 실패라고 부르지 않을 것이다.

04 c   내가 열 살 때 부모님이 돌아가신 이후로, 조부모님이 부모님의 자리를 대신해주고 계신다.

05 h   아기가 걸음마를 시작하면, 위험한 물건들은 방해되지 않게 치워야 합니다.

A	B
01 ~의 영향을 받다, ~의 책임이다	01 fall into
02 ~ 페이지로 넘기다, ~에 의지하다	02 take turns
03 물건이 상하다, 너덜너덜해지다	03 fall into the hands of ~
04 말라버리다, 고갈되다	04 fall apart
05 외면하다	05 run through
06 난관에 부딪히다	06 turn out
07 충돌하다, 우연히 만나다, 어려움을 겪다	07 run away
08 줄다, ~에서 떨어지다	08 turn into

C

01 a. 기말고사와 숙제에 대한 대화로 <u>돌아갔다</u>.

    b. 이집트 사람들은 상황이 <u>폭력적으로 바뀔</u> 수 있다고 정부에게 경고했다.

02 a. <u>시청률이 떨어져서</u> 그 방송 프로그램은 종영되었다.

    b. 나와 Steve는 텐트 안으로 기어들어갔고, <u>깊은 잠에 빠졌다</u>.

03 a. 공연예술센터를 왕복 <u>운행하는</u> 버스가 있다.

    b. 경비는 차에 아무도 없는데 <u>엔진이 작동하고 있는</u> 것을 발견했다.

D

01 f 네게 맞지 않으면, 대기업에서의 일자리 제안을 거절해라.

02 c 2킬로미터를 달리자 Baker씨는 지쳐서 뒤쳐지기 시작했다.

03 g 그는 자기 팀원들을 보호하기 위해 해고당하는 위험도 감수하기로 결심했다.

04 e 참석한 사람들은 500명에 못 미쳤고, 이것은 우리의 기대보다 훨씬 적다.

05 h 시간이 얼마 안 남았기 때문에 우리는 뭔가 바로 해야 한다.

A	B
01 울리다, 폭파시키다	01 put off
02 꺼내 놓다, 불을 끄다	02 set up
03 해내다, 제 시간에 도착하다	03 make no difference
04 불 지르다	04 put down
05 ~을 바꾸다, 새단장하다	05 make up
06 넣다, 치우다	06 set aside
07 ~로 향하다	07 make oneself at home
08 풀어주다	08 put a question to ~

C

01 a. 영화는 셰익스피어가 살았던 16세기 런던이 <u>배경이다</u>.

    b. 비상 버튼이 그의 방 벽에 <u>붙어</u> 있을지도 모른다.

02 a. 기술은 사람들이 전화기보다 메일을 확인<u>할 수 있게 했다</u>.

    b. 네 프로젝트를 한 번에 완벽하게 하려고 <u>너무 애쓰지</u> 마라.

03 a. 네 책 24페이지 위에 <u>메모를 해두었다.</u>

    b. 합병 때문에 몇몇 일자리가 <u>위험에 빠지게 되었다.</u>

D

01 a 다른 사람 입장에 서보면, 너 자신을 그 상황에서 빼는 것이 더욱 쉬울 것이다.

02 c 레이디 가가는 아시아 투어를 막 시작했다.

03 f 그녀는 남자친구의 나쁜 행동을 더 이상 참지 않을 것이다.

04 h 사진 속의 이 얼굴을 알아볼 수 있어?

05 e 사람들은 자신의 목적을 이루기 위해 시스템을 이용해서 나아간다.

DAY 18

A	B
01 A를 B로 간주하다	01 call it a day
02 떨어져 나가다, 멈추다	02 look after
03 ~을 요청하다, ~을 필요로 하다	03 break up
04 ~에게 중요한 소식을 전하다	04 call on
05 사전을 찾다	05 look out
06 파산하다, 무일푼이 되다	06 break down
07 주목하다	07 call A after B
08 존경하다	08 call in sick

C

01 a. 인턴들은 외과과장의 사무실로 <u>소집되었다.</u>

    b. Ricky는 와인을 한 잔 더 시키려고 종업원을 <u>불렀다.</u>

02 a. 내 방에 있는 큰 창문에서는 뉴욕 <u>남쪽이 보인다.</u>

    b. 마치 그녀는 세상을 다 가진 것처럼 <u>보였다.</u>

03 a. 그는 외국인들을 불법으로 고용해서 법을 <u>어겼다.</u>

    b. 엄마는 우리가 TV를 보지 못하게 하려고 일부러 TV를 <u>고장냈다.</u>

D

01 d 그는 상대 지도자들에게 시위를 취소하라고 경고했다.

02 h 아시아 소녀들로 이루어진 팝그룹들은 현재 세계 음반시장에 진입하려고 애쓰고 있다.

03 e 그녀는 일류대학에서 교육받지 않은 사람은 누구든지 경멸했다.

04 f 경찰과 시민들 사이에 무력충돌이 발생했다.

05 a 그녀는 긴 휴가를 기대하면서 열심히 일했다.

A	B
02 벌금 / 미세한 / 우수한	02 measure
02 지휘하다 / 안내하다 / 전도하다 / 행동	02 range
03 비용 / 잃게 하다 / 대가	03 appreciate

C

01 (b) 영문과의 새로운 교수진

02 (a) 문제를 100% 제대로 인식하다

03 (b) 의사 일을 시작하다

04 (b) 친구를 때려서 체포되다

05 (a) 성과를 측정하는 척도

D

01 practice
- 가라테, 태권도, 쿵푸 같은 무술을 숙달하기 위해서는 수많은 연습 시간이 필요하다.
- 소개하는 동안에 악수를 하는 관습은 고대 그리스에서 유래했다고 여겨진다.

02 operate
- 그 기업가는 은퇴할 때까지 성공적인 패밀리 레스토랑을 운영할 수 있었다.
- 외과 의사들은 심장 이식이 끝나기 전까지 거의 9시간 동안 수술을 해야 했다.

03 address
- 소포는 평일 3일 안에 특정 주소로 배달되었다.
- 대통령은 임박한 전쟁에 대해서 TV로 국민들에게 연설을 할 것이다.

A	B
01 연습하다 / (권력을) 행사하다 / 운동하다	01 bear
02 뛰어 오르다 / 용수철, 탄성 / 샘, 온천 / 봄	02 drive
03 여전히 / 그래도 / 고요한 / 훨씬 더	03 account

C

01 (a) 무례한 말을 하다

02 (b) 그녀의 취향과 욕구에 알맞다

03 (b) 경찰이 과도한 폭력을 사용한 것을 비난하다

04 (a) 추진력과 야망을 지닌 신입사원

05 (b) 동료들과 편지를 주고받다

D

01 charge
- 그 도시의 모든 영화관은 성인 입장을 위해 같은 비용을 청구한다.
- 그 지역의 검사는 이전 시장을 뇌물 수수 혐의로 기소할 예정이다.

02 apprehend
- 경찰들은 지역을 오랫동안 수색한 후에 도망자를 체포할 수 있었다.
- 과학계는 환경 보존의 중요성을 정부가 인지하도록 기다리는 중이다.

03 feature
- 이 태블릿 컴퓨터의 새 특징은 고해상도 디스플레이인데, 이것은 고해상도 영화를 보는데 적합하다.
- 이번 주 뉴스데스크 잡지에는 반기문 UN 사무총장에 대한 특집기사가 있다.

DAY 21

A	B
01 대문자 / 수도 / 주요한 / 사형의	01 deliver
02 ~할 예정인 / 기한이 ~인 / 적절한 / ~ 때문에	02 attribute
03 효과 / 초래하다 / 영향	03 count

C

01 (b) 카드빚을 모두 갚다

02 (a) 미국 대사관에 비자를 신청하다

03 (a) 부산의 평균 기온

04 (b) 그의 외모에 대한 콤플렉스

05 (a) 야생동물 보호구역

D

01 count
- 몇몇 대학생들은 학비 전부를 그들의 부모님께 의지한다.
- 만약 당신이 인턴으로서 그의 2년을 포함한다면, Joshua는 엔지니어로서 5년의 경력을 가지는 것이다.

02 mean
- 젖은 도로는 운전자들이 더 천천히 그리고 더 주의해서 운전해야 한다는 것을 의미한다.
- 과학 선생님은 그녀의 학생들에게 인색하다는 평판을 얻었다.

03 sentence
- 중급 영어반의 학생들은 모든 질문에 완전한 문장을 사용하여 대답하도록 요구받았다.
- 살인죄가 선고된 남자는 그의 범죄로 인해 종신형을 선고받았다.

A	B
01 상태 / 밝히다 / 나라, 주	01 arrange
02 ~조차 / 훨씬 / 짝수 / 평평한	02 represent
03 이상한 / 홀수의 / 역경 / 가능성	03 spot

C

01 (a) 자녀에게 (특정) 직업을 강요하다

02 (b) 놀라운 결과를 낳다

03 (a) 논란의 대상이 되는 역사적 인물

04 (a) 대통령 임기

05 (b) 반죽을 플라스틱 랩으로 덮다

D

01 content
- 목차에 따르면, 도서목록은 312쪽에서 시작한다.
- 의사는 조기 퇴직을 하기로 한 그의 결정에 만족했다.

02 term
- 계약의 조건과 사정에 따라서, 서면으로 통지가 적어도 떠나기 2주 전에는 되어야 한다.
- Catch 22라는 용어는 같은 이름의 소설이 출판된 직후에 승산 없는 상황을 위한 대중적인 표현이 되었다.

03 figure
- 우리는 휴가를 위해 항공 운임과 호텔 비용을 약 700달러일 것이라고 계산했다.
- 그 여배우는 그녀의 가는 허리를 유지하기 위해 일주일에 6일을 체육관에서 보냈다.

A	B
01 기사 / 관사 / 품목 / 조항	01 engage
02 설비 / 기능 / 재능	02 leave
03 수리하다 / 고정하다 / 확정하다 / 식사를 마련하다	03 scale

C

01 (b) 몇 가지 문제를 제기하다

02 (b) 평화 시위자들이 행진하는 것은 저지하다

03 (b) (자동차) 경적을 울리다

04 (a) 길을 건너다

05 (a) 학교 게시판에

D

01 subject
- Sally가 고등학교에서 듣는 모든 수업들 중에서, 가장 좋아하는 과목은 유럽 역사이다.
- 의심스러운 승객들은 비행기에 탑승하도록 허가받기 전에 추가적인 보안 검사를 하게 할 수 있다.

02 engage
- Hoffman씨는 건강을 유지하기 위해 그의 여가 시간 동안 신체 활동에 참여했다.
- 인사 담당자는 우리 사무실의 확장을 준비하기 위해서 12명의 직원들을 고용했다.

03 scale
- 과학자는 실험을 시작하기 전에 표본의 질량을 저울로 측정했다.
- 이 동화에서 기사는 완전히 용의 비늘로 만들어진 뚫을 수 없는 갑옷을 입었다.

DAY 24

A	B
01 청구서 / 지폐 / (새의) 부리 / 법안	01 illustrate
02 주문 / 철자를 쓰다 / 짧은 기간 / 의미하다	02 raise
03 공정한 / 아름다운 / 상당한 / 맑은	03 plain

C

01 (a) 환자를 주사바늘로 찌르다

02 (a) 적군의 요새를 공격하다

03 (a) 많은 사람들의 관심을 끌다

04 (b) 본능을 따르다

05 (a) 결정적인 요소

D

01 plain
- 정치가가 스캔들에 관해서 질문을 받을 때 명백한 대답을 하는 경우는 드물다.
- 그 그림은 아메리카 원주민이 풀이 덮인 평야에서 버팔로를 사냥하는 것을 그렸다.

02 issue
- 실업은 다음 대선 동안에 중요한 쟁점일 것으로 예상된다.
- 군대는 각각의 신병에게 4벌의 군복과 2벌의 군화를 제공하게 되어있다.

03 raise
- 승리한 팀의 선수들이 선수권 대회 후에 그들의 어깨 위로 코치를 들어 올리는 것은 일반적이다.
- 입양할 아이를 찾는 부부는 고아원에서 온 아이를 사랑이 넘치는 가정에서 키울 것을 약속했다.

A	B
01 용의자, 의심하다	01 ripe
02 방출하다	02 description
03 제거, 처분권	03 dissent
04 기구, 장치	04 evolution
05 확대하다, 팽창하다	05 depart
06 파괴	06 memorial
07 연속하는	07 sensitive
08 이용하다, 개발하다	08 optimal
09 문학	09 confidential
10 반드시, 어떻게 해서라도	10 be concerned about

C

01 substitute   02 conference   03 imaginary

04 perspective   05 inflict

D

01 immoral — 일부 법은 국민들이 도박 같은 부도덕한 활동에 참여하는 것을 단념시키기 위해 존재한다.

02 extinct — 많은 과학자들은 수백만 년 전에 큰 소행성이 공룡을 멸종하게 했다고 믿는다.

03 considerate — 극장의 손님들은 다른 사람들을 배려해야 하고, 영화가 시작하기 전에 휴대폰을 꺼야 한다.

04 extinguish — 소방관들은 불이 건물 전체를 다 태우기 전에 불을 진화할 수 없었다.

05 ethical — 병원은 환자들을 대할 때 윤리적인 방식으로 행동하지 못하는 직원들을 해고할 수 있는 권리를 가지고 있다.

A	B
01 지정하다	01 prosecute
02 움직이지 않는	02 exposition
03 땀	03 vulgar
04 독창적인	04 acquaintance
05 사임하다	05 thrifty
06 가능성, 기대	06 intuition
07 소질, 적성	07 respective
08 본능적인, 직관적인	08 modest
09 번영, 번창	09 concentrate
10 A에게 B를 제공하다	10 be engaged in

C

01 royal   02 humility   03 confirm

04 reproach 05 work out

D

01 ambiguous 그 이야기의 결말은 모호하고 독자들에 의한 다양한 해석이 가능했다.

02 comply 모든 학생들은 교내에서 수업에 출석할 때 대학의 복장 규정에 따라야만 한다.

03 deliberate 증인은 그의 가까운 친구가 범죄에 연루되는 것을 피하기 위해서 경찰에 의도적으로 거짓말을 했다.

04 illegible 의사가 급하게 처방전을 써서, 약사는 읽기 어려운 글씨를 판독하는데 어려움을 겪었다.

05 comprehensive 보건 전문가들은 모든 사람들은 가능한 문제들을 진단하기 위해서 매년 종합적인 의료 검진을 받아야 한다고 권장한다.

DAY 27

A	B
01 문자 그대로의	01 marvel
02 준수	02 intelligent
03 지나침, 과잉	03 hardship
04 급증하다	04 loan
05 교장, 주요한	05 commence
06 명령하다	06 stain
07 진실성, 완전한 상태	07 friction
08 부족한, 결핍된	08 zealous
09 경멸, 멸시	09 complement
10 ~로 향하다	10 turn down

C

01 medication 02 consistency 03 preserve

04 heredity 05 conscious

D

01 objective 오늘 오리엔테이션 시간의 주요 목적은 우리 회사 제품을 모두에게 소개하는 것입니다.

02 inhabit 멸종의 위기에 처한 새들의 몇몇 종이 이 숲에 서식해서, 정부는 이 곳을 야생동물 보호지로 만들었습니다.

03 compelled 안전 규정에 대한 Richard의 지속적인 무시는 경영자들이 그의 계약을 종료하도록 하게 했다.

04 diversion 그 불이 주의를 끌었고, 도망자가 경찰들의 추적을 피할 수 있게 했다.

05 negligent 그 교통사고는 운전하는 동안 휴대폰을 사용했던 부주의한 운전자에 의해 발생했다.

A	B
01 의도적인	01 reveal
02 복잡한	02 analyze
03 술 취하지 않은	03 deficient
04 회의적인	04 material
05 우연의	05 defend
06 포함하다	06 gloomy
07 허가	07 submission
08 야만적인, 미개한	08 conceit
09 도매	09 voluntary
10 무한한	10 overestimate

C

01 intuition 　 02 stability 　 03 submit

04 acceptance 　 05 reluctant

D

01 concrete 　 구체적인 물질적 증거의 부족은 배심원이 그 범죄의 용의자에게 유죄를 선고하지 않을 것이라는 것을 의미한다.

02 poverty 　 가난하게 살고 있는 가족들은 식량 스탬프나 다른 형태의 정부의 원조를 이용할 수 있다.

03 arrogant 　 그 운동선수는 그가 운동부분에서 가장 위대한 운동선수라고 주장된 후로, TV 인터뷰에서 거만하게 나왔다.

04 Scarcity 　 주택의 부족이 도시의 동부지역에 다양한 고층 아파트의 건설에 활기를 불어넣었다.

05 progressive 　 우리나라의 공장 근로자들을 위한 근무 환경을 개선시키기 시작하려는 진보적인 움직임이 있다.

A	B
01 가로막힌	01 delay
02 지출	02 elaborate
03 해고하다	03 confession
04 줄어들다, 수축하다	04 rigid
05 외부의	05 arrogance
06 질을 낮추다	06 float
07 정적인	07 explicit
08 집중적인	08 separate
09 얕은	09 labor
10 불일치, 부조화	10 specific

C

01 criticism 　 02 innocence 　 03 enhance

04 predecessor 　 05 forbid

D

01 collapse 십여 년 간의 부족한 투자와 엉성한 경영은 궁극적으로 그 회사를 무너지게 했다.

02 fair 리포터에게는 뉴스에서 공정한 기술을 하는 것과 사건에서 개인적인 견해를 제거하는 것이 중요하다.

03 implied 화자의 톤은 그가 지금 비꼬고 있다는 것을 암시했다. 그러나 그것을 확실히 알기에 어렵다.

04 fertile 남부 지방의 강을 따라 있는 비옥한 토지는 그 나라 농업의 중심지이다.

05 favorable 국내 기업들이 그들의 사업을 확장하고 있고, 직원들을 고용하고 있는데, 이것은 구직자에게 유리한 시기라는 것을 의미한다.

DAY 30

A	B
01 도시의	01 harmful
02 못하게 설득하다	02 obscure
03 단조로운	03 radical
04 유효한	04 inhale
05 황량한	05 ripe
06 수직의	06 fake
07 부분적인	07 previous
08 검소한	08 assert
09 모르고 있는	09 hereditary
10 신중한	10 defendant

C

01 altruism   **02 loss**   **03 appreciate**

04 despise   **05 surrender**

D

01 secretive 오직 소수의 사람들이 두 회사 간의 비밀스러운 계약을 알았다.

02 generous 작년에 관대한 사업주는 자기 회사 이익의 백만 달러 이상을 자선 단체에 기부했다.

03 physical 마라톤은 개인의 육체적 인내를 시험하고, 참가자들이 매우 건강한 상태인 것을 필요로 한다.

04 significant 정부는 의료 서비스에 막대한 예산을 사용하는데, 그것은 모든 지출의 거의 50%에 달한다.

05 offensive 폭격기 무리가 적군의 무기 공장을 선제해서 파괴하기 위해 폭격 공세를 하고 있는 상공으로 보내졌다.

Index

L

J

K

M

Index

Memo

외워질 수 밖에 없는 무한반복 시스템

워드마스터 5단계 어플 시리즈

500만 학생이 선택한 영어 단어장을 이제
스마트폰 어플로 스마트하게 마스터 하자!

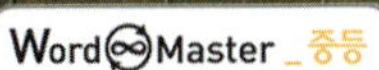

중등 단어의 시작

50days 일정. 하루 30단어
총 1,500단어 단계별 학습

**중등을 뛰어넘는
고난도 단어의 완성**

30days 일정. 하루 30단어
총 900 단어 단계별 학습

**외워질 수 밖에 없는
무한 반복 시스템**

50days 일정. 하루 40단어
총 2,000단어 단계별 학습

**수능 어휘의 새로운 학습법
어원 분석과 어휘 특성별 비교 분석**

30days 일정
총 1,199 단어 어휘특성별 학습

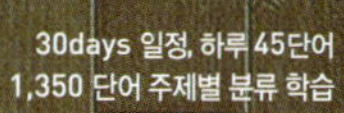

EBS 수능 영어 어휘의 완성!

30days 일정, 하루 45단어
총 1,350 단어 주제별 분류 학습

워드마스터는 평생의 재산이 될 수 있는 **제대로 된 영단어 학습**을 지향합니다.

단어는 모르는 이에게 두려움이고 아는 이에겐 즐거움입니다.
워드마스터의 알차고 재미있는 6가지 컨텐츠를 통해 그 즐거움을 느껴보세요!

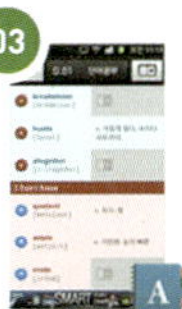

01 학습일정	02 O,X 암기카드	03 암기장	04 음성암기	05 단어퍼즐게임	06 문장게임

문학작품 해설서는
상대적으로 시간적 여유가 있는
고등학교 1학년까지 끝내는 것이 가장 효과적!!

ETOOS

고등학교 문학의 필요성

1. 고등학교 국어학습에서 "문학"은
   (중학교와 달리) 암기가 아닌 분석

2. 수능에서는 학교에서 배운 교과서 외의
   다른 교과서+α 에서 문학작품 출제

3. 보다 먼저, 폭넓게 학습하여
   고교 내신 & 수능 국어 영역 기초 쌓기

몽땅벗기기의 구성

1. 타 해설서에는 없는 "개념어" 벗기기를 통해
   문학 이론과 분석법을 먼저 학습

2. 고등학교 16종 국어교과서 + 14종 문학교과서
   + 수능 기출 + EBS 작품 총정리

3. 손에 잡히는 콤팩트한 사이즈와 이해를 돕는
   아이디어 코너들로 구성 (뇌구조 코너 등)

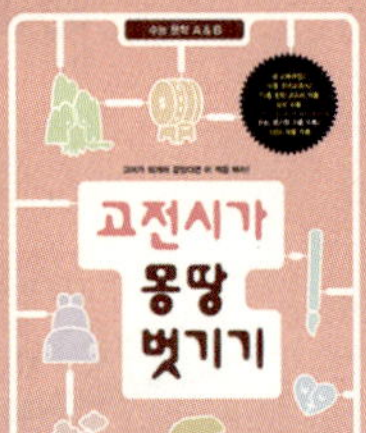

스타강사, 선생님, 선배들이 인정했다! 수능–내신 문학 작품의 종결자!

몽땅 벗기기

청솔학원 인기강사 김민정샘의 추천!

어떻게 하면 나를 렙업시킬 수 있을까?
고민하는 학생들을 위한 매뉴얼!
어떻게 그 작품을 열어, 어떻게 그 작품을 씹어 먹고,
어떻게 그 작품의 포인트들을 정리해서,
어떻게 시험장에서 써먹을 수 있는지,
시작부터 끝까지 말 그대로 몽땅 벗겨주는 시리즈!

이투스 스타강사 권규호샘의 추천!!

특정 주제나 장르에 치우치지 않고 문학에 대해
전반적으로 공부할 수 있는 책이다
특히 학생들이 공부하는데
도움이 될 수 있도록 다양한 장치를
만드는데 노력한 점이 돋보인다
내신과 수능 모두에 도움이 될 것이다

몽땅벗기기 특징 "어려운 문학 표현을 쉽고 재미있게 풀이(외계어 사전, 인물 X파일, 인물의 뇌 구조 등)"

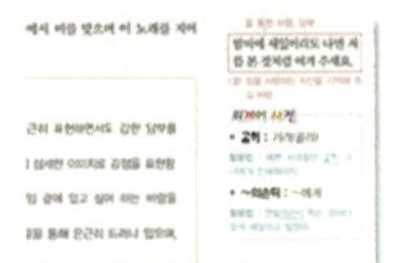

외계어 사전

우리가 고전시가와 친해질 수 없는 가장 큰 이유! 소리 내어
읽을 수 조차 없어 더욱 무서운 고어를 모두 모아 쉽고 재미있게
벗겼습니다. 고어의 의미를 더욱 쉽게 이해하고 기억할 수 있도록
실생활의 에피소드가 담겨 있는 '활용법'을 덧붙였습니다.

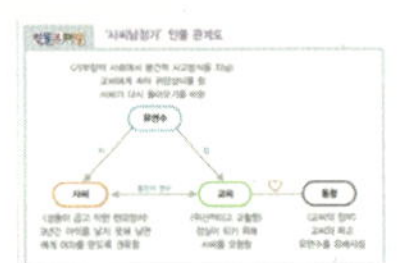

인물 X파일

우리가 고전 산문과 친해질 수 없는 가장 큰 이유!
벼슬 이름, 신분에 따라 부르는 이름 때문에 등장인물과
갈등 파악이 어렵다는 점! 인물 관계도로
고전산문의 복잡한 인물 갈등 관계를 한 눈에 정리했습니다.

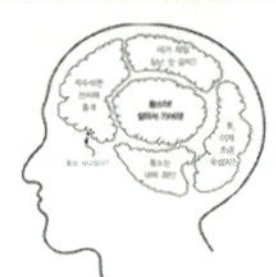

인물의 뇌 구조

가뜩이나 어휘도 어려운데 도대체 누가 누군지..
기억 용량 초과! 머리에서 죄다 엉겨 버리는 등장 인물의
심리상태를 인물의 뇌구조를 통해 재미있게 정리했습니다.